Francosphères

Mises au point

Advanced French

This publication forms part of the Open University course L310 *Mises au point : advanced French*. Details of this and other Open University courses can be obtained from the Student Registration and Enquiry Service, The Open University, PO Box 197, Milton Keynes MK7 6BJ, United Kingdom (tel. +44 (0)845 300 60 90; email general-enquiries@open.ac.uk).

Alternatively, you may visit the Open University website at www.open.ac.uk where you can learn more about the wide range of courses and packs offered at all levels by The Open University.

To purchase a selection of Open University course materials visit www.ouw.co.uk, or contact Open University Worldwide, Walton Hall, Milton Keynes MK7 6AA, United Kingdom for a brochure (tel. +44 (0)1908 858793; fax +44 (0)1908 858787; email ouw-customer-services@open.ac.uk).

The Open University
Walton Hall, Milton Keynes
MK7 6AA

First published 2010.

Edited and designed by The Open University.

Printed and bound in the United Kingdom by Halstan Printing Group, Amersham.

The paper used in this publication is procured from forests independently certified to the level of Forest Stewardship Council (FSC) principles and criteria. Chain of custody certification allows the tracing of this paper back to specific forest-management units (see www.fsc.org).

ISBN 978 0 7492 2537 7

1.1

Table des matières

Introduction   5

Chapitre 1   Histoires franco-françaises   7

Royauté, révolutions et républiques   8

Les XVIIe et XVIIIe siècles – l'Ancien Régime
et la Révolution   10

Le XIXe siècle – instabilité des régimes et
révolutions   15

Le XXe siècle – la révolution est-elle finie ?   26

Chapitre 2   Diversité et identités   43

Une population aux origines diverses   44

Partir... arriver...   47

Cadres de vie   51

Éducation et cultures   58

Pratiques religieuses en France   65

Appartenir à une nation   72

Chapitre 3   Paysages médiatiques   79

La presse écrite   80

Médias et politiques   89

La société numérisée   91

La radio   101

La télévision   103

Pipolisation, strass et paillettes   108

**Chapitre 4   La culture dans tous ses
états**   115

Tintin et *Le cheval sans tête*   116

Faites de la musique   121

Batailles culturelles   124

Réflexions   138

Chapitre 5   Découvertes   145

Réseaux et plateformes   146

Une tradition de recherche et d'innovation   147

Les sciences, du primaire à l'université   156

Science et société : défis, atouts et menaces   164

Et demain ? Littérature et science-fiction   174

Chapitre 6   Dialogue des cultures   183

Michel Tremblay de Mont-Royal   184

Les enfants de la créolophonie   192

Parler, écrire en français de l'autre côté
des mers   198

Bibliographie sélective   214

L310 Course team

Central course team

Ann Breeds (course manager)

Xavière Hassan (author)

Marie-Noëlle Lamy (author)

Françoise Parent-Ugochukwu (author)

Jessica Podd (course team secretary)

Pete Smith (author, course team chair)

Catherine Wan (course team secretary)

Course production team

Mandy Anton (graphic designer)

Catherine Bedford (editor)

Lene Connolly (print buying controller)

Kim Dulson (print buying controller)

Elaine Haviland (editor)

Sue Lowe (media project manager)

Neil Mitchell (graphic designer)

Gaynor Roberts (freelance editor)

Nicola Tolcher (media assistant)

External assessor

Anna Vetter (open- and distance-learning course consultant)

Audio-visual production

Audio and video material produced by Angel Eye Media for Learning and Teaching Solutions (Open University). Original L310 audio and video material compiled and produced by the BBC.

Acknowledgements

The course team acknowledges the authors of and contributors to the first edition of this course: Graham Bishop, Bernard Haezewindt, Xavière Hassan, Stella Hurd, Marie-Noëlle Lamy, Hélène Mulphin, Pete Smith (authors); Martyn Bird, Vicky Davies, Jacqueline Gibson, Sean Hand, Nicole Kernan, John Keiger, Bill Marshall, Marie-France Noël, Bob Powell, Valerie Worth-Stylianou, Sue Wright (consultants and advisors).

The course team also acknowledges the authors of and contributors to the first edition of this book (*Francothèque: A resource for French studies* [1997], Milton Keynes, The Open University): Gareth Thomas (ed.), Jean-Yves Cousquer, Annie Lewis, Jeanine Picard (authors); Bernard Haezewindt, Xavière Hassan, Stella Hurd, Marie-Noëlle Lamy, Hélène Mulphin, Hugh Starkey (OU team).

Introduction

Francosphères est une anthologie qui fournit des repères qui permettront de mieux appréhender la société française et les cultures francophones. Cet ouvrage s'adresse aux lecteurs qui souhaitent en déchiffrer l'évolution et qui possèdent déjà une bonne compréhension du français écrit.

La France moderne a été façonnée par des mouvements historiques tour à tour révolutionnaires et réactionnaires et son présent est construit sur les influences multiculturelles de son proche passé colonial. Elle s'est donné une presse et des médias qui ne cessent d'évoluer dans la compréhension de son expérience culturelle ambitieuse, dynamique et originale. Elle va de l'avant dans les domaines de la communication, de l'espace, de la microbiologie, des études marines et de la génétique. Elle subit les conséquences de ses visées politiques à l'échelle planétaire, de son rôle au sein de l'union européenne, de ses traditions politiques nationales et des conditions économiques tant nationales que mondiales. La France, pays démocratique et européen, mais aussi pays francophone, cherche à définir l'avenir promis à sa langue – et par conséquent aux valeurs que celle-ci véhicule, face à la menace de domination anglo-saxonne. Connaître le français, c'est aussi connaître la francophonie ; avoir une idée des aspirations linguistiques, culturelles et identitaires des pays où l'on a le français comme langue maternelle, officielle ou administrative. Chacun des grands thèmes évoqués ci-dessus correspond à un chapitre de cette anthologie.

Le lecteur sera confronté, au fil des pages, à la permanence de certains thèmes, notamment celui du rôle majeur joué par l'État en France. Parallèlement, la tension créée par ce besoin d'État et le désir d'une société plus démocratique, sont à l'origine d'un certain nombre de conflits décrits dans l'ouvrage.

En France, le débat sur la souveraineté et l'identité nationale est aujourd'hui ouvert. Les Français s'aligneront-ils sur les modèles dominants ou trouveront-ils, comme par le passé, une voie originale qui permettra longtemps encore d'étudier « un modèle français » ?

Les documents de cette anthologie ont été choisis non seulement pour leur contenu mais aussi pour leur diversité linguistique. Le choix des textes et des images a été guidé par l'idée de projeter sur chaque thème un éclairage particulier, et non de chercher à « tout dire » sur le sujet. Bien que nous ayons souhaité le plus possible laisser les textes parler directement au lecteur, nous avons aussi tenu à lui donner des repères par le biais d'introductions, de commentaires et de conclusions.

Bonne lecture.

Histoires franco-françaises

On a choisi d'illustrer dans ce chapitre un thème particulier, celui des conflits qui ont divisé les Français pendant plus de deux siècles. Il n'y a pas d'histoire sans conflit. Dans le cas de la France cependant, les historiens sont allés jusqu'à parler d'une véritable « guerre civile » entre Français. Cela peut paraître surprenant dans un pays qui est l'un des plus anciens États-nations d'Europe.

Chapitre 1

Royauté, révolutions et républiques

Une unité précoce

L'unité territoriale et politique de la France s'est en effet construite de bonne heure, par extension progressive d'un domaine royal initialement limité à l'Île-de-France. À la fin du XVIIIe siècle, le visage de la France est, à peu de choses près, celui d'aujourd'hui : Nice et la Savoie deviendront françaises en 1860 ; perdues en 1870, l'Alsace et la Lorraine seront reprises à l'Allemagne en 1918.

Des luttes sans merci

Pourtant, les Français sont loin d'avoir été un peuple uni. Au cours des XVIIIe et XIXe siècles, ils se sont au contraire livrés à des luttes politiques sans merci, qui se sont traduites par une profonde instabilité des régimes politiques : depuis 1789, la France a connu cinq républiques, deux monarchies différentes, deux empires, sans compter la dictature du régime de Vichy pendant la seconde guerre mondiale et quinze constitutions.

La Révolution (1789—1799), qui met fin à des siècles d'une monarchie qui constituait un ordre à la fois politique, social et religieux, a ouvert dans la communauté nationale une fracture qui se prolongera jusqu'au XXe siècle. André Siegfried, pionnier de la science politique française, résumait en 1913 ce conflit en ces termes :

« Deux conceptions de la société, à travers un duel séculaire et passionné, se disputent le pays depuis la Révolution. L'une, ayant l'autorité pour base, assied l'équilibre politique sur une hiérarchie d'autorités sociales, comme elle établit l'équilibre de l'univers sur la toute puissance de la divinité. Avec le prêtre, le noble et le roi, représentants non discutés d'un ordre d'essence supérieure, elle construit une cité [...] où l'on n'attend rien de durable qui ne vienne d'en haut, où les droits du peuple ne sont mentionnés qu'après ses devoirs, où la discipline passe avant la liberté. C'est, avec des atténuations ou des variantes qui la rajeunissent, la conception de l'Ancien Régime. L'autre, basée sur l'égalité et la liberté, restitue à chaque citoyen sa part de souveraineté, affirme ses droits plus que ses devoirs, dresse les anciens subordonnés contre leurs anciens maîtres et par là renie la vieille et traditionnelle notion de hiérarchie sociale et religieuse. C'est celle de la Révolution. »

(André Siegfried, *Tableau politique de la France de l'Ouest sous la 3e République*, 1913, Ayer Publishing, 1975)

Dans cette lutte contre le noble, le prêtre et le roi, la bourgeoisie s'alliait avec les classes populaires. À partir du milieu du XIXe siècle, cependant, avec la croissance d'un prolétariat urbain et la naissance des doctrines socialistes, une menace de révolution sociale se dessine. La bourgeoisie se retrouve alors souvent aux côtés de ses ennemis d'hier pour défendre le droit de propriété contre les nouvelles classes dangereuses.

De nombreux autres pays ont connu ces deux types de conflit. Ce qui est spécifiquement français, par contre, c'est la férocité des affrontements auxquels ils ont donné lieu : c'est par milliers qu'on peut chiffrer le nombre des victimes de la Révolution, ainsi que celles des insurrections populaires de juin 1848 et de la Commune de Paris en 1871. Dans un tel climat de haine et de peur, l'adversaire politique ne peut être qu'un ennemi avec lequel tout compromis équivaut à une trahison. Monarchie, empire, république : aucun régime politique n'est, au XIXe siècle, acceptable par tous les citoyens, et la victoire d'un camp n'est souvent acquise que par la force, coup d'état ou révolution. Ces luttes politiques implacables ont contribué à façonner ce que l'historien Bernard Manin a appelé une « culture de l'exclusion », qui continuera à marquer les conflits du XXe siècle.

Depuis 1870, la République s'est peu à peu enracinée, et les Français ont pris l'habitude de régler leurs conflits par les élections plutôt que par les armes. Fait sans précédent dans l'histoire de France, les institutions de la Ve République, mises en place par de Gaulle en 1958, ne sont guère contestées aujourd'hui. Et pourtant, aujourd'hui comme hier, les Français sont prompts à manifester en masse leur mécontentement : à tout moment peut apparaître un pouvoir de la rue, que bien peu de gouvernements ont la témérité d'ignorer.

1589–1610	Henri IV
1610–1643	Louis XIII
1643–1715	Louis XIV
1715–1724	La Régence (minorité de Louis XV)
1724–1774	Louis XV
1774–1792	Louis XVI
1789–1799	Révolution française
1799–1804	Consulat (Bonaparte Premier Consul)
1804–1815	Empire : Napoléon I
1815–1830	Restauration des Bourbons : • 1815–1824 : Louis XVIII • 1824–1830 : Charles X
1830	Révolution : Les Trois Glorieuses
1830–1848	Monarchie de Juillet : Louis-Philippe d'Orléans
1848	Révolution
1848–1852	IIe République
1852–1870	Second Empire : Napoléon III
1870–1939	IIIe République
1940–1944	Régime de Vichy : Maréchal Pétain
1944–1946	Gouvernement provisoire : Général de Gaulle
1946–1958	IVe République
1958–	Ve République

Les XVIIᵉ et XVIIIᵉ siècles – l'Ancien Régime et la Révolution

L'Ancien Régime et sa contestation

On appelle « Ancien Régime » l'ordre politique et social qui connaît son apogée au XVIIᵉ siècle, sous Louis XIV. Le roi est alors un monarque absolu, détenteur d'une autorité sans partage qu'il tient de Dieu. La société de l'Ancien Régime est divisée en trois ordres : le clergé, la noblesse, et le Tiers État, troisième ordre composé de la masse du peuple. Les deux premiers ordres jouissent d'importants privilèges, notamment de privilèges fiscaux : eux-mêmes exemptés d'impôts, clergé et noblesse ont le droit de faire payer au peuple des impôts pour leur propre profit.

Le XVIIᵉ siècle voit naître et se diffuser dans les milieux cultivés un mouvement d'idées nouvelles, qui contestent les fondements de l'ancienne société. L'esprit nouveau, porté par des écrivains philosophes tels que Montesquieu, Voltaire, Diderot ou Rousseau, s'attaque essentiellement aux préjugés, ces croyances, maximes ou institutions qui ne sont pas justifiées par la seule « raison », mais par la coutume, la religion ou la superstition. Doués de raison par la nature, tous les hommes ont vocation à être libres et égaux. Ce sont les préjugés et les coutumes qui les maintiennent dans l'esclavage. Les idées du « siècle des Lumières » contiennent potentiellement la destruction à venir des autorités religieuses, politiques et sociales.

Les principes de la monarchie absolue

Bossuet (1627–1704), évêque de Meaux, fut chargé de l'instruction du Dauphin. Rédigée à l'intention de celui-ci, *la Politique tirée de l'Écriture Sainte* expose les principes de la monarchie de droit divin.

1.1 Bossuet, *Politique tirée de l'Écriture Sainte* (1678–1709)

[…]

Nous avons déjà vu que toute puissance vient de Dieu.

« Le prince, ajoute saint Paul, est ministre de Dieu pour le bien. Si vous faites mal, tremblez; car ce n'est pas en vain qu'il a le glaive : et il est ministre de Dieu, vengeur des mauvaises actions. »

Les princes agissent donc comme ministres de Dieu, et ses lieutenants sur la terre. C'est par eux qu'il exerce son empire.

C'est pour cela que nous avons vu que le trône royal n'est pas le trône d'un homme, mais le trône de Dieu même.

[…]

Il paraît de tout cela que la personne des rois est sacrée, et qu'attenter sur eux c'est un sacrilège.

Quand même ils ne s'acquitteraient pas de [leur] devoir, il faut respecter en eux leur charge et leur ministère. « Obéissez à vos maîtres, non seulement à ceux qui sont bons et modérés, mais encore à ceux qui sont fâcheux et injustes. »

[…]

La puissance de Dieu se fait sentir en un instant de l'extrémité du monde à l'autre : la puissance royale agit en même temps dans tout le royaume. […]

Considérez le prince dans son cabinet. De là partent les ordres qui font aller de concert les magistrats et les capitaines, les citoyens et les soldats, les provinces et les armées par mer et par terre. C'est l'image de Dieu, qui assis dans son trône au plus haut des cieux fait aller toute la nature.

(Bossuet, *Politique tirée de l'Écriture Sainte* (1678–1709))

Vocabulaire

dauphin   fils aîné de Louis XIV, héritier du trône

glaive   épée qui est le symbole de la justice royale et divine

Quand même ils ne s'acquitteraient pas de [leur] devoir   Même s'ils ne remplissaient pas leur devoir

fâcheux   qui cause du mécontentement (archaïque)

Sous l'Ancien Régime, la France compte un certain nombre de « Parlements », à Paris et dans certaines provinces. Ces Parlements ne participent pas à l'élaboration et au vote des lois. Leurs fonctions sont essentiellement judiciaires et administratives. Au XVIIIe siècle, cependant, un certain nombre d'entre eux osent contester l'autorité royale. Le 3 mars 1766, Louis XV réaffirme les principes de la monarchie absolue devant le Parlement de Paris.

La Révolution française met brutalement fin à l'Ancien Régime et marque le début d'une ère nouvelle dans l'histoire de France. En abolissant les privilèges du clergé et de la noblesse, elle supprime la division de la société en trois ordres, et constitue ainsi une rupture sociale. Cette révolution est aussi essentiellement politique : devant la souveraineté du monarque, se dresse celle de la « Nation » ; les « sujets » deviennent « citoyens ».

Dans cette extraordinaire décennie, on peut distinguer trois phases principales :

1789–1792 : la monarchie constitutionnelle

En 1788, le pays est en crise : grave déficit des finances publiques, mauvaises récoltes. Louis XVI convoque les États généraux pour mai 1789. Appuyés sur un peuple de Paris souvent prêt à recourir à la force, les députés du Tiers État sortent vainqueurs du conflit qui les oppose aux ordres privilégiés ainsi qu'au roi. L'essentiel des conquêtes de la Révolution est effectué pendant cette période : Déclaration des Droits, abolition des privilèges, adoption d'une constitution. Le roi partage le pouvoir avec l'Assemblée des représentants de la nation.

1792–1794 : le durcissement de la Révolution

Avec la complicité du roi, une coalition de puissances européennes menace de rétablir l'Ancien Régime : en septembre 1792, la royauté est abolie, la République proclamée. Un pas décisif est franchi avec l'exécution du roi (début 1793). La Révolution se durcit, défendant « la patrie en danger » sur les frontières, faisant face, à partir de 1793, à l'insurrection contre-révolutionnaire des Vendéens, pourchassant partout, et jusque dans ses propres rangs, les « ennemis de la liberté ». Sous la dictature du Comité de Salut Public, dominé par Robespierre, la guillotine fonctionne à plein temps. C'est l'époque de la Terreur.

1794–1799 : la réaction bourgeoise

En juin 1794, Robespierre et ses amis sont à leur tour guillotinés. Le danger d'une version égalitaire et sociale de la Révolution est écarté. Une version bourgeoise de la République s'installe. Le nouveau régime est cependant instable : pris entre les extrémistes des deux bords (royalistes et révolutionnaires), ces « modérés » sont également incapables de gérer les conflits entre les pouvoirs exécutif et législatif qu'ils ont créés. Paralysé, le régime sera balayé par le coup d'état du général Bonaparte, en novembre 1799 (coup d'état du 18 brumaire).

Les esprits en 1789

Avant les élections aux États généraux, « Sa Majesté » invite tous ses sujets à « faire parvenir jusqu'à elle ses vœux et ses réclamations ». Quarante mille « cahiers de doléances » seront ainsi rédigés, témoignages précieux de l'opinion de l'époque.

1.2 Extraits des cahiers de doléances

Ah ! vos impôts, Sire !

« Sire ! […] nous nous disons dans notre chagrin, si le bon roi le savait ! Nous sommes accablés d'impôts de toutes sortes ; nous vous avons donné jusqu'à présent une partie de notre pain et il va bientôt nous manquer si cela continue. Si vous voyiez les pauvres chaumières que nous habitons ! La pauvre nourriture que nous prenons ! Vous en seriez touché […]. Nous payons la taille […] et les ecclésiastiques ne paient rien de tout cela. Pourquoi donc est-ce que ce sont les riches qui payent le moins et les pauvres qui payent le plus ? »

Cahier de la paroisse de Culmont, près de Chaumont

« L'abolition entière des droits de gabelle, l'impôt le plus onéreux qui existe pour la classe la plus malheureuse, le peuple […]. Un pauvre journalier, père de cinq ou six enfants, est obligé de se passer fort souvent de souper, ainsi que sa famille, parce que sa journée de 15, 18 ou 20 sous ne peut être suffisante pour lui fournir une demi-livre de sel de 10 sous 9 deniers qu'il lui faudrait tous les jours pour faire tremper la soupe […] et est réduit par conséquent à se nourrir de gros pain simplement. »

Cahier d'Ecquevilly (Prévôté de Paris-hors-les-murs)

Il faut au royaume une Constitution

« L'Assemblée observe que ce sont des vœux qu'elle fait et non des conditions qu'elle prescrit […].
1. Le roi et la Nation pourront également proposer les lois ; mais elles ne seront exécutées qu'après qu'elles auront été approuvées par l'un et par l'autre […].
3. Le pouvoir exécutif des lois résidera dans le roi seul […].

5. Le roi ne pourra établir aucun impôt sans le consentement de la Nation, et ce consentement ne sera pas donné pour toujours mais pour un temps limité et tout au plus jusqu'à la prochaine assemblée des États généraux […].

Cahier de la ville de Domme (Périgord)

Les droits de la noblesse …

« Nous nous réservons les droits honorifiques, exemptions et autres distinctions qui tiennent à notre dignité et qui sont essentiels dans une monarchie. »

Noblesse du bailliage d'Orléans

« Nous conserverons toujours pour la noblesse […] le respect dû à son rang. Nous conviendrons éternellement de la supériorité qu'elle a toujours eue sur nous. »

*Allainville (*bailliage d'Orléans)

… en question

« Fermer l'entrée des emplois et des professions honorables à la classe la plus nombreuse et la plus utile, c'est étouffer le génie et le talent […] La noblesse jouit de tout, possède tout, et voudrait s'affranchir de tout : cependant si la noblesse commande les armées, c'est le Tiers État qui les compose ; si la noblesse verse une goutte de sang, le Tiers État en répand des ruisseaux. La noblesse vide le trésor royal, le Tiers État le remplit ; enfin, le Tiers État paie tout et ne jouit de rien. »

Lauris (sénéchaussée d'Aix)

La dîme et les droits seigneuriaux

« De tous les abus qui existent en France, le plus affligeant pour le peuple, c'est la richesse immense, l'oisiveté, les exemptions, le luxe inouï du haut clergé. Ces richesses sont composées en grande partie de la sueur des peuples sur lesquels le clergé perçoit un impôt affreux sous le nom de dîme. »

Paroisse de Mirabeau (sénéchaussée d'Aix)

(Robert Frank, *Histoire 2*[e] Ed. Berlin)

tremper la soupe   commencer à manger.
L'origine du mot « soupe » est obscure mais
voulait dire « pain » à l'époque.

1.3   Les trois ordres en mai 1789

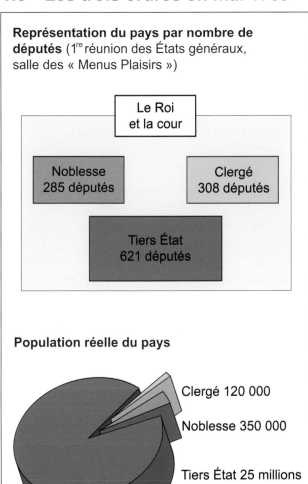

**Représentation du pays par nombre de
députés** (1re réunion des États généraux,
salle des « Menus Plaisirs »)

Le Roi
et la cour

Noblesse
285 députés

Clergé
308 députés

Tiers État
621 députés

Population réelle du pays

Clergé 120 000

Noblesse 350 000

Tiers État 25 millions

Tiers État   Tous ceux qui n'appartenaient
ni à la noblesse ni au clergé. Le Tiers État
comprend donc la bourgeoisie, les artisans et
les paysans.

États généraux   Une assemblée comprenant
des représentants de toutes les provinces. La
première se tint à Paris en 1347, la dernière à
Versailles en 1789.

les Menus-Plaisirs du Roi   Une branche
importante de l'administration de la
maison du roi, responsable des « plaisirs du
Roi » – elle comprenait la préparation des
cérémonies, fêtes et spectacles de la cour.
Les Menus-Plaisirs (ou « les Menus ») étaient
dirigés d'abord par un trésorier et plus tard
par un intendant.

1.4   Qu'est-ce que le Tiers État ?

QU' EST-CE QUE
LE TIERS-ETAT ?

1°. Qu'eft-ce que le Tiers-Etat ? Tout.

2°. Qu'a-t-il été jufqu'à préfent dans l'ordre
politique ? Rien.

3°. Que demande-t-il ? A y devenir quelque
chofe.

(Brochure de l'abbé Sieyès (janvier 1789))

Une ère nouvelle

Les artisans de la Révolution se donnent pour
tâche de faire table rase, de rompre radicalement
avec le passé, afin de créer un monde nouveau,
un homme nouveau.

1.5 Déclaration des droits de l'homme et du citoyen (26 août 1789)

Les représentants du peuple français, constitués en Assemblée nationale, considérant que l'ignorance, l'oubli ou le mépris des droits de l'homme sont les seules causes des malheurs publics et de la corruption des gouvernements, ont résolu d'exposer, dans une déclaration solennelle, les droits naturels, inaliénables et sacrés de l'homme, afin que cette déclaration, constamment présente à tous les membres du corps social, leur rappelle sans cesse leurs droits et leurs devoirs ; […]

En conséquence, l'Assemblée nationale reconnaît et déclare, en présence et sous les auspices de l'Être Suprême, les droits suivants de l'Homme et du Citoyen.

Article premier Les hommes naissent et demeurent libres et égaux en droits. Les distinctions sociales ne peuvent être fondées que sur l'utilité commune.

Art. 2. Le but de toute association politique est la conservation des droits naturels et imprescriptibles de l'homme. Ces droits sont la liberté, la propriété, la sûreté, et la résistance à l'oppression.

Art 3. Le principe de toute souveraineté réside essentiellement dans la Nation. Nul corps, nul individu ne peut exercer d'autorité qui n'en émane expressément.

Art. 4. La liberté consiste à pouvoir faire tout ce qui ne nuit pas à autrui : ainsi, l'exercice des droits naturels de chaque homme n'a de bornes que celles qui assurent aux autres membres de la société la jouissance de ces mêmes droits. Ces bornes ne peuvent être déterminées que par la loi.

Art. 5. La loi n'a le droit de défendre que les actions nuisibles à la société. Tout ce qui n'est pas défendu par la loi ne peut être empêché, et nul ne peut être contraint à faire ce qu'elle n'ordonne pas.

Art. 6. La loi est l'expression de la volonté générale. Tous les citoyens ont droit de concourir personnellement, ou par leurs représentants, à sa formation. Elle doit être la même pour tous, soit qu'elle protège, soit qu'elle punisse. Tous les citoyens étant égaux à ses yeux, sont également admissibles à toutes dignités, places et emplois publics, selon leur capacité, et sans autre distinction que celle de leurs vertus et de leurs talents.

Art. 7. Nul homme ne peut être accusé, arrêté ni détenu que dans les cas déterminés par la loi, et selon les formes qu'elle a prescrites. Ceux qui sollicitent, expédient, exécutent ou font exécuter des ordres arbitraires, doivent être punis ; mais tout citoyen appelé ou saisi en vertu de la loi, doit obéir à l'instant : il se rend coupable par la résistance.

Art. 8. La loi ne doit établir que des peines strictement et évidemment nécessaires, et nul ne peut être puni qu'en vertu d'une loi établie et promulguée antérieurement au délit, et légalement appliquée.

Art. 9. Tout homme étant présumé innocent jusqu'à ce qu'il ait été déclaré coupable, s'il est jugé indispensable de l'arrêter, toute rigueur qui ne serait pas nécessaire pour s'assurer de sa personne, doit être sévèrement réprimée par la loi.

Art. 10. Nul ne doit être inquiété pour ses opinions, même religieuses, pourvu que leur manifestation ne trouble pas l'ordre public établi par la loi.

Art. 11. La libre communication des pensées et des opinions est un des droits les plus précieux de l'homme ; tout citoyen peut donc parler, écrire, imprimer librement, sauf à répondre de l'abus de cette liberté dans les cas déterminés par la loi.

Art. 12. La garantie des droits de l'homme et du citoyen nécessite une force publique ; cette force est donc instituée pour l'avantage de tous, et non pour l'utilité particulière de ceux auxquels elle est confiée.

Art. 13. Pour l'entretien de la force publique,

et pour les dépenses d'administration, une contribution commune est indispensable : elle doit être également répartie entre tous les citoyens, en raison de leurs facultés.

[…]

Art. 16. Toute société dans laquelle la garantie des droits n'est pas assurée, ni la séparation des pouvoirs déterminée, n'a point de constitution.

Art. 17. La propriété étant un droit inviolable et sacré, nul ne peut en être privé, […]

Doc 11 : Robespierre, discours du 18 floréal, An II

(*Les voix de la Révolution,* La Documentation Française)

Vocabulaire

qui n'en émane expressément   qui ne provienne pas explicitement de la Nation

arbitraires   despotiques (la prison de la Bastille, prise le 14 juillet 1789, était le symbole d'une justice royale arbitraire et oppressive

s'assurer de sa personne   effectuer son arrestation

sauf à répondre de   sauf dans le cas où il est responsable de

une contribution   un impôt

en raison de leurs facultés   selon leurs capacités financières

Note culturelle

Être Suprême   Dieu de la Raison, en dehors de toute religion révélée. L'Église catholique, pilier de l'Ancien Régime, est dans sa grande majorité dans le camp de la contre-révolution. C'est le début d'une hostilité durable entre l'Église et ce qui deviendra la République.

Le XIXᵉ siècle – instabilité des régimes et révolutions

Succession de régimes politiques divers, révolutions et insurrections populaires, le XIXᵉ siècle perpétue l'âpre conflit entre l'Ancien Régime et la Révolution. Cependant, un retour pur et simple à l'Ancien Régime est désormais impossible. La Révolution a fait vivre des principes – souveraineté de la nation, égalité devant la loi – qui ne pourront plus être ignorés :

Napoléon devient Empereur (1804) à la fois par le sacre, à la manière des anciens rois, *et* par le vote du peuple.

La Restauration (1815–1830 : Louis XVIII, puis Charles X), imposée par les puissances étrangères victorieuses à Waterloo, voit le retour de la dynastie des Bourbons : il s'agit cependant d'une monarchie constitutionnelle, qui instaure un pouvoir parlementaire et accepte le principe d'égalité devant la loi et devant l'impôt. Ce régime est balayé par une révolution en 1830.

La Monarchie de Juillet (1830–1848) constitue un compromis original entre les deux camps : héritier de la branche cadette des Bourbons, qui a activement participé à la Révolution, le nouveau monarque Louis-Philippe est un roi « bourgeois », qui remplace le drapeau blanc à fleur de lys par le drapeau tricolore, étend les libertés publiques et les pouvoirs du Parlement. Ce régime du « juste milieu », qui consacre le règne de la bourgeoisie riche, est cependant sourd aux évolutions sociales de l'époque et s'enferme dans un conservatisme étroit : il est à son tour renversé par une révolution en février 1848.

La IIᵉ République (1848–1852), puis la IIIᵉ République (1870–1940), porteuses du principe de la souveraineté du peuple, se chargent elles-mêmes d'écraser le peuple de

Paris insurgé (juin 1848, mai 1870), prouvant ainsi qu'on peut à la fois être héritier de la Révolution et rassurer les adversaires de la Révolution.

Il n'est pas possible ici d'évoquer ces divers régimes. On se bornera à illustrer deux aspects de l'histoire de ce siècle qui illustrent les deux tentations extrêmes entre lesquelles la France ne cesse d'osciller :

- d'une part, le bonapartisme, qui illustre une tentation autoritaire qui se manifeste périodiquement et qui a en partie survécu à travers le gaullisme ; le bonapartisme a en outre laissé sa trace dans les institutions de la France.

- d'autre part, la tradition d'insurrections populaires, dont la mémoire a nourri les luttes sociales et politiques au XXe siècle.

Le Bonapartisme : ordre et autorité

Consulat et empire (1799–1815)

Bonaparte est, sous la Révolution, un jeune général qui s'illustre par ses victoires militaires. La république bourgeoise instaurée après la chute de Robespierre est de plus en plus incapable de surmonter ses divisions sans le secours de l'armée. Bonaparte en profite pour prendre le pouvoir par le coup d'état de novembre 1799. Il entend réconcilier les Français, profondément divisés après dix années de luttes et de bouleversements, en imposant une version autoritaire de la République, le Consulat. Au sein d'un exécutif très renforcé composé de trois « consuls », il s'impose vite comme le seul maître du pouvoir. Les assemblées parlementaires ne sont plus élues, mais désignées ; le peuple n'est consulté que par plébiscite, répondant par oui ou par non à une question. C'est par plébiscite que Bonaparte devient consul à vie en 1802, puis Empereur en 1804 sous le nom de Napoléon I.

On a surtout retenu de cette période l'épopée militaire de Napoléon à travers l'Europe. Il a cependant laissé une œuvre intérieure considérable qui a survécu à bien des égards : institutions administratives, système d'enseignement d'État, le Code Civil, qui reste à la base du droit privé français, et même un système de distinctions honorifiques, la Légion d'Honneur.

Porté au pouvoir par ses succès militaires, Napoléon doit à la défaite de Waterloo de l'avoir perdu, en 1815.

1.6   La proclamation de l'empire et le sacre

Bonaparte se fit sacrer et couronner à Paris en présence du pape Pie VII qu'il fit venir à Notre-Dame, le 2 décembre 1804. La cérémonie apparut aux yeux de certains comme la seconde mort des Capétiens. Le sacre des rois de France à Reims symbolisait l'union du trône et de l'autel, le roi, par ce sacrement, devenait un clerc, plus qu'un clerc un thaumaturge, un homme marqué par Dieu et capable de guérir. Le pouvoir descendait du ciel sur la terre. Avec le sacre de Napoléon, le pouvoir vient d'abord des hommes : le plébiscite, la reconnaissance du souverain par les Français, précéda la cérémonie. Par le sacre qui confirmait le vœu populaire et fondait sa légitimité, l'Empereur démontrait que Dieu n'était plus du côté des aristocrates. Désormais, ceux qui tenteraient de renouveler l'attentat projeté par Cadoudal seraient doublement sacrilèges, leur acte serait tourné contre la Nation et contre Dieu. Napoléon, en frappant l'imagination du plus grand nombre, en flattant aussi le goût du merveilleux, jouait de la psychologie collective des Français. […]
Après le sacre, il procéda lui-même à son couronnement indiquant ainsi que s'il restait

lié à la religion par le sacre, il ne détenait le pouvoir que par sa volonté exprimant celle de la Nation.

Napoléon aimait à raconter cette anecdote : s'étant déguisé en bourgeois, il rencontra au cours d'une promenade une paysanne ; il la questionna. Autrefois, lui dit-il, il y avait Louis XVI, aujourd'hui il y a Napoléon, qu'y a-t-il donc de changé ? La paysanne répondit que celui-là avait été le roi des aristocrates alors que celui-ci était le roi du peuple.

(J.P. Bertrand, « Bonaparte se fit sacrer... », *Le Consulat et l'Empire*, Armand Colin)

Vocabulaire

clerc   serviteur de Dieu (d'habitude membre du clergé)

thaumaturge   faiseur de miracles

le sacre   cérémonie religieuse pour le couronnement d'un souverain

le sacrement   acte rituel ayant pour but la sanctification de celui qui en est l'objet

Notes culturelles

Capétiens   dynastie des rois de France qui avaient régné depuis Hugues Capet, devenu roi en 987

le pouvoir vient d'abord des hommes   les rois étaient « rois de France », Napoléon devient « Empereur des Français »

capable de guérir   Selon un mythe populaire les rois pouvaient guérir de certaines maladies en touchant simplement le malade.

1.7 *Le Sacre* (David)

(*Sacre de l'Empereur Napoléon I et Couronnement de l'Impératrice Joséphine dans la Cathédrale Notre-Dame de Paris, le 2 décembre 1804*, J.L. David, Musée du Louvre. Reproduced by kind permission of the Mansell Collection Ltd.)

Le second Empire (1852–1870)

La révolution de 1848 a balayé la monarchie de Louis-Philippe, fondé une nouvelle République, instauré le suffrage universel[1]. Sont ainsi élus une Assemblée nationale et un Président de la République, Louis-Napoléon Bonaparte, neveu de Napoléon, qui a bénéficié auprès des masses paysannes du souvenir glorieux laissé par l'Empereur. L'Assemblée nationale, conservatrice, fort peu républicaine, et qui restreint bientôt le suffrage aux citoyens les plus fortunés, entre en conflit avec un Président qui a ses propres ambitions : celui-ci s'empare du pouvoir par un coup d'état en décembre 1851, et rétablit l'Empire par plébiscite un an plus tard. Il prend le nom de Napoléon III.

1.8 Discours du Prince-Président annonçant la restauration prochaine de l'Empire

Bordeaux, 9 octobre 1852
Messieurs,
L'invitation de la Chambre et du Tribunal de commerce de Bordeaux que j'ai acceptée avec empressement me fournit l'occasion de remercier votre grande cité de son accueil si cordial, de son hospitalité si pleine de magnificence, et je suis bien aise aussi, vers la fin de mon voyage, de vous faire part des impressions qu'il m'a laissées.

Le but de ce voyage, vous le savez, était de connaître par moi-même nos belles provinces du Midi, d'approfondir leurs besoins. Il a, toutefois, donné lieu à un résultat beaucoup plus important.

En effet, je le dis avec une franchise aussi éloignée de l'orgueil que d'une fausse modestie, jamais peuple n'a témoigné d'une manière plus directe, plus spontanée, plus unanime, la volonté de s'affranchir des préoccupations de l'avenir, en consolidant dans la même main un pouvoir qui lui est sympathique. C'est qu'il connaît, à cette heure, et les trompeuses espérances dont on le berçait et les dangers dont il était menacé. Il sait qu'en 1852 la société courait à sa perte, parce que chaque parti se consolait d'avance du naufrage général par l'espoir de planter son drapeau sur les débris qui pourraient surnager. Il me sait gré d'avoir sauvé le vaisseau en arborant seulement le drapeau de la France. Désabusé d'absurdes théories, le peuple a acquis la conviction que les réformateurs prétendus n'étaient que des rêveurs, car il y avait toujours inconséquence, disproportion entre leurs moyens et les résultats promis. Aujourd'hui la France m'entoure de ses sympathies, parce que je ne suis pas de la famille des idéologues. Pour faire le bien du pays, il n'est besoin d'appliquer de nouveaux systèmes : mais de donner, avant tout, confiance dans le présent, sécurité dans l'avenir. Voilà pourquoi la France semble vouloir revenir à l'Empire.

Il est néanmoins une crainte à laquelle je dois répondre. Par esprit de défiance, certaines personnes se disent : L'Empire, c'est la guerre. Moi je dis : L'Empire, c'est la paix.

C'est la paix, car la France la désire, et lorsque la France est satisfaite, le monde est tranquille. [...]

J'en conviens, cependant, j'ai, comme l'Empereur, bien des conquêtes à faire. Je veux, comme lui, conquérir à la conciliation les partis dissidents et ramener dans le courant du grand fleuve populaire les dérivations hostiles qui vont se perdre sans profit pour personne.

Je veux conquérir à la religion, à la morale, à l'aisance, cette partie encore si nombreuse de la population qui, au milieu d'un pays de foi et de croyance, connaît à peine les préceptes du Christ ; qui, au sein de la terre la plus fertile du monde, peut à peine jouir de ses produits de première nécessité.

---

1 Bien que le terme « suffrage universel » soit utilisé, le droit de vote n'est accordé aux femmes en France que le 21 avril 1944 par le Gouvernement provisoire de la République française.

Nous avons d'immenses territoires incultes à défricher, des routes à ouvrir, des ports à creuser, des rivières à rendre navigables, des canaux à terminer, notre réseau de chemins de fer à compléter. Nous avons, en face de Marseille, un vaste royaume à assimiler à la France. Nous avons tous nos grands ports de l'Ouest à rapprocher du continent américain par la rapidité de ces communications qui nous manquent encore. Nous avons partout enfin des ruines à relever, de faux dieux à abattre, des vérités à faire triompher. Voilà comment je comprendrais l'Empire, si l'Empire doit se rétablir. Telles sont les conquêtes que je médite, et vous tous qui m'entourez, qui voulez, comme moi, le bien de notre patrie, vous êtes mes soldats.

(Dansette, *Le Second Empire*, Hachette)

Vocabulaire

qui lui est sympathique   qui lui plaît

il me sait gré   il m'est reconnaissant

par esprit de défiance   par manque de confiance

Notes culturelles

s'affranchir se libérer   en confiant le pouvoir à Louis-Napoléon, le peuple n'aura plus à se préoccuper de l'avenir

un vaste royaume à assimiler   il s'agit de l'Afrique du Nord, particulièrement l'Algérie et le Maroc

Les révolutions

La Révolution de 1830

Après l'ère napoléonienne, la Restauration ramène à la tête du pays les rois Louis XVIII, puis Charles X. En 1830, les Parisiens se rebellent contre Charles X, à l'occasion de sa signature des Ordonnances de Saint-Cloud, qui suspendent la liberté de la presse, entre autres mesures

impopulaires. Des barricades sont érigées dans les rues, faites de charrettes renversées, de pavés, de meubles. Pendant trois jours, les 27, 28 et 29 juillet 1830, le peuple de Paris affronte les soldats du roi Charles X, qui est contraint d'abdiquer, mettant ainsi fin à la Restauration. Ces journées de victoire du peuple ont été nommées les Trois Glorieuses. Cependant, la bourgeoisie ne permettra pas l'instauration de la République. Un nouveau monarque, Louis-Philippe I, remplacera Charles X et régnera pendant ce que l'on a appelé la Monarchie de Juillet.

1.9   Lettre d'A. Duval à la princesse Constance

Paris, le 15 août 1830,

Hé-bien, Madame, que dites-vous des Parisiens ? ne sont-ils pas habiles dans l'art des révolutions ? en trois jours, ils renversent un trône, chassent un roi et en prennent un autre ; puis, ils vont tranquillement reprendre leurs travaux ordinaires. J'ai vu ces prodiges là, et j'ai encore peine à y croire. [...] Quand les habitants, vainqueurs à la grève, vinrent faire le siège du Louvre où les Suisses s'étaient renfermés [...] je fermai promptement mes fenêtres ; mais les balles n'en pénétrèrent pas moins chez moi. J'en conserve, comme monuments de ces grandes journées, plusieurs qui sont venues s'aplatir sur les murs de notre appartement. Mais quelle fut ma joie, quand je vis le pavillon tricolore flotter, tout à coup, sur la colonnade et les portes du Louvre ! Je crus rêver : non, le peuple avait pénétré de tous côtés dans l'enceinte : les Suisses qui restaient s'étaient rendus. Oh ! si les Parisiens avaient voulu se défendre en 1815, comme ils se sont défendus contre les troupes royales, jamais les armées de la coalition n'auraient pénétré dans la capitale. Partout, dans toutes les rues, sur tous les quais, sur les boulevards, on avait formé dans une seule nuit, de formidables barricades. Dans toutes les maisons, et jusques aux greniers, on avait transporté des pierres énormes, les meubles les plus pesants ; et toutes les rues étaient dépavées ; à peine avait-on laissé un étroit passage de deux pieds au plus, pour que l'on pût circuler. Avec de tels moyens de défense, Paris, selon moi, pourrait résister à une armée de 300 000 hommes.

(Lettre d'A. Duval à la princesse Constance de Salm-Dyck, le 15 août 1830)

Notes culturelles

A. Duval   Amaury Duval, homme de lettres et fonctionnaire

1830   révolution qui a chassé le roi Charles X

grève   Place de Grève, situé là où se trouve aujourd'hui l'Hôtel de Ville de Paris

Suisses   soldats de la garde royale

1815   année de la défaite finale de Napoléon

1.10   *La liberté guidant le peuple* (Delacroix)

(*La Liberté Guidant le Peuple (le 28 juillet 1830)*, E. Delacroix, Musée du Louvre. Reproduced by kind permission of the Mansell Collection Ltd.)

La révolution de 1848

Une crise économique et sociale, le refus, de la part du gouvernement, d'élargir le droit de vote, provoquent en février 1848 une révolution « surprise » qui balaie la Monarchie de Juillet. Dans un grand élan de fraternité romantique, la République est proclamée, le suffrage universel instauré, des chantiers, appelés « Ateliers Nationaux », créés pour donner du travail aux chômeurs. Cette ferveur unanime est de courte durée : devant la montée d'un mouvement ouvrier qui s'éveille aux idées d'un socialisme naissant, l'Assemblée républicaine élue en avril prend peur. En juin, elle ferme les Ateliers Nationaux. Cette mesure provoque le soulèvement des quartiers populaires de Paris. Le général républicain Cavaignac écrase l'insurrection dans le sang.

1.11   Les journées de juin 1848, F. Engels

LE 23 JUIN

D'après nos nouvelles d'hier, force nous était de croire que les barricades avaient été disposées d'une façon assez incohérente. Les informations détaillées d'aujourd'hui font ressortir le contraire. Jamais encore les ouvrages de défense des ouvriers n'ont été exécutés avec un tel sang-froid, avec une telle méthode.

La ville était divisée en deux camps. La ligne de partage partait de l'extrémité nord-est de la ville, de Montmartre, pour descendre jusqu'à la porte Saint-Denis, de là, descendait la rue Saint-Denis, traversait l'île de la Cité et longeait la rue Saint-Jacques, jusqu'à la barrière. Ce qui était à l'est était occupé et fortifié par les ouvriers ; c'est de la partie ouest qu'attaquait la bourgeoisie et qu'elle recevait ses renforts.

De bonne heure, le matin, le peuple commença en silence à élever ses barricades. Elles étaient plus hautes et plus solides que jamais. Sur la barricade à l'entrée du faubourg Saint-Antoine, flottait un immense drapeau rouge.

Le boulevard Saint-Denis était très fortement retranché. Les barricades du boulevard, de la rue de Cléry et les maisons avoisinantes, transformées en véritables forteresses, constituaient un système de défense complet. C'est là, comme nous le relations hier déjà, que commença le premier combat important.

Le peuple se battit avec un mépris indicible de la mort. Sur la barricade de la rue de Cléry, un fort détachement de gardes nationaux fit une attaque de flanc. La plupart des défenseurs de la barricade se retirèrent. Seuls sept hommes et deux femmes, deux jeunes et belles grisettes, restèrent à leur poste. Un des sept monte sur la barricade, le drapeau à la main. Les autres commencent le feu. La garde nationale riposte, le porte-drapeau tombe. Alors une des grisettes, une grande et belle jeune fille, vêtue avec goût, les bras nus, saisit le drapeau, franchit la barricade et marche sur la garde nationale. Le feu continue et les bourgeois de la garde nationale abattent la jeune fille comme elle arrivait près de leurs baïonnettes. Aussitôt, l'autre grisette bondit en avant, saisit le drapeau, soulève la tête de sa compagne, et, la trouvant morte, jette, furieuse, des pierres sur la garde nationale. Elle aussi tombe sous les balles des bourgeois. Le feu devient de plus en plus vif. On tire des fenêtres, de la barricade ; les rangs de la garde nationale s'éclaircissent ; finalement, des secours arrivent et la barricade est prise d'assaut. Des sept défenseurs de la barricade, un seul encore était vivant ; il fut désarmé et fait prisonnier. Ce furent les lions et les loups de Bourse de la 2e légion qui exécutèrent ce haut fait contre sept ouvriers et deux grisettes. La jonction des deux corps et la prise de la barricade sont suivies d'un moment de silence anxieux. Mais il est bientôt interrompu. La courageuse garde nationale ouvre un feu de peloton bien nourri sur la foule des gens désarmés et paisibles qui occupent une partie du boulevard. Ils se dispersent épouvantés.

Mais les barricades ne furent pas prises. C'est seulement lorsque Cavaignac arriva lui-même avec la ligne et la cavalerie, après un long combat et vers 3 heures seulement, que le boulevard fut pris jusqu'à la porte Saint-Martin.

(Friedrich Engels, dans K.Marx, *Les luttes de classe en France*)

Vocabulaire

force nous était de   nous étions obligés de

retranché   défendu par diverses fortifications

nous le relations   nous le rapportions

grisettes   jeunes filles des milieux populaires

s'éclaircissent   deviennent moins compacts

un feu de peloton bien nourri   une fusillade intense et continue

la ligne   l'infanterie de ligne

Notes culturelles

drapeau rouge   drapeau de la révolution socialiste ; en février, on avait arboré le drapeau tricolore

garde nationale   milice composée de bourgeois armés, chargée de maintenir l'ordre

les lions et les loups de Bourse   deux des unités de combat de la garde nationale

Cavaignac   général républicain qui a reçu de l'Assemblée les pleins pouvoirs pour rétablir l'ordre

1.12   *Les luttes de classes en France*, K. Marx

Les ouvriers n'avaient plus le choix : il leur fallait ou mourir de faim ou engager la lutte. Ils répondirent, le 22 juin, par la formidable insurrection où fut livrée la première grande bataille entre les deux classes qui divisent la société moderne. C'était une lutte pour le maintien ou l'anéantissement de l'ordre *bourgeois*. Le voile qui cachait la République se déchirait.

On sait que les ouvriers, avec un courage et un génie sans exemple, sans chefs, sans plan commun, sans ressources, pour la plupart manquant d'armes, tinrent en échec cinq jours durant l'armée, la garde mobile, la garde nationale de Paris ainsi que la garde nationale qui afflua de la province. On sait que la bourgeoisie se dédommagea de ses transes mortelles par une brutalité inouïe et massacra plus de 3 000 prisonniers.

Les représentants officiels de la démocratie française étaient tellement prisonniers de l'idéologie républicaine qu'il leur fallut plusieurs semaines pour commencer à soupçonner le sens du combat de Juin. Ils furent comme hébétés par la fumée de la poudre dans laquelle s'évanouissait leur République imaginaire.

(K. Marx, *Les luttes de classe en France*)

Vocabulaire

tinrent en échec cinq jours durant l'armée résistèrent à l'armée pendant cinq jours

hébétés frappés de stupeur

Note culturelle

se dédommagea de ses transes mortelles la bourgeoisie se vengea sur les ouvriers de la peur intense qu'ils lui avaient causée

1.13 Journées de Juin, *Souvenirs*, A. de Tocqueville

[Sorrente]

Me voici enfin arrivé à cette insurrection de Juin, la plus grande et la plus singulière qui ait eu lieu dans notre histoire et peut-être dans aucune autre : la plus grande, car, pendant quatre jours, plus de cent mille hommes y furent engagés et il y périt [cinq] généraux ; la plus singulière, car les insurgés y combattirent sans cri de guerre, sans chefs, sans drapeaux et pourtant avec un ensemble merveilleux et une expérience militaire qui étonna les plus vieux officiers.

Ce qui la distingua encore parmi tous les événements de ce genre qui se sont succédé depuis soixante ans parmi nous, c'est qu'elle n'eut pas pour but de changer la forme du gouvernement, mais d'altérer l'ordre de la société. Elle ne fut pas, à vrai dire, une lutte politique (dans le sens que nous avions donné jusque-là à ce mot) mais un combat de classe, une sorte de guerre servile. […]

[…] On ne doit y voir qu'un effort brutal et aveugle, mais puissant des ouvriers pour échapper aux nécessités de leur condition qu'on leur avait dépeinte comme une oppression illégitime et pour s'ouvrir par le fer un chemin vers ce bien-être imaginaire qu'on leur avait montré de loin comme un droit. C'est ce mélange de désirs cupides et de théories fausses qui rendit cette insurrection si formidable après l'avoir fait naître. On avait assuré à ces pauvres gens que le bien des riches était en quelque sorte le produit d'un vol fait à eux-mêmes. On leur avait assuré que l'inégalité des fortunes était aussi contraire à la morale et à la société qu'à la nature. Les besoins et les passions aidant, beaucoup l'avaient cru. […] Il faut remarquer encore que cette insurrection terrible ne fut pas l'entreprise d'un certain nombre de conspirateurs, mais le soulèvement de toute une population contre une autre. Les femmes y prirent autant de part que les hommes. Tandis que les premiers combattaient, les autres préparaient et apportaient les munitions ; et, quand on dut enfin se rendre, elles furent les dernières à s'y résoudre.

(A. de Tocqueville, *Souvenirs*)

Vocabulaire

il y périt cinq généraux cinq généraux y moururent

guerre servile révolte d'esclaves

par le fer par la force des armes

cupides avides de possessions matérielles

le bien les possessions

s'y résoudre accepter finalement de se rendre

La Commune de Paris (1871)

La guerre de 1870 contre la Prusse a tourné au désastre militaire. Napoléon III est fait prisonnier, c'est la fin du Second Empire. La République est proclamée. Paris, assiégé par les Prussiens, veut poursuivre le combat. Un armistice signé en janvier 1871 prévoit l'élection d'une Assemblée nationale qui décidera du sort de la guerre. La France rurale vote massivement pour les candidats de la paix, qui sont en forte majorité monarchistes. Devant une Assemblée pacifiste et monarchiste, Assemblée qui commet le suprême affront de s'installer à Versailles, le peuple de Paris décide de se gouverner lui-même, en élisant une « Commune de Paris », petite république inspirée des idées socialistes du temps (26 mars). Nommé par l'Assemblée chef du pouvoir exécutif à Versailles, Thiers mobilise en province une armée de 130 000 hommes, qui entre dans Paris le 20 mai. Dans la semaine qui suit, 20 000 hommes, femmes et enfants sont tués ou exécutés ; 40 000 sont arrêtés, beaucoup sont déportés ; on estime qu'après la « Semaine sanglante », la capitale a perdu 100 000 habitants, soit le quart de sa population ouvrière.

1.14 Proclamation de Thiers aux Parisiens le 8 mai 1871

La France, librement consultée par le suffrage universel, a élu un gouvernement qui est le seul légal. En présence de ce gouvernement, la Commune, c'est-à-dire la minorité qui vous opprime et qui ose se couvrir de l'infâme drapeau rouge, a la prétention d'imposer à la France ses volontés. Elle viole les propriétés, emprisonne les citoyens pour en faire des otages, transforme en désert vos rues et vos places publiques […], retarde l'évacuation du territoire par les Allemands. […]
Le gouvernement qui vous parle a réuni une armée sous vos murs. La France veut en finir avec la guerre civile.

1.15 La semaine sanglante

Ce n'est qu'après une lutte de huit jours que les derniers défenseurs de la Commune succombèrent sur les hauteurs de Belleville et de Ménilmontant, et c'est alors que le massacre des hommes, des femmes et des enfants sans défense, qui avait fait rage toute la semaine, et n'avait cessé de croître, atteignit son point culminant. Le fusil ne tuait plus assez vite, c'est par centaines que les vaincus furent exécutés à la mitrailleuse. Le Mur des fédérés, au cimetière du Père-Lachaise, où s'accomplit le dernier massacre en masse, est aujourd'hui encore debout, témoin à la fois muet et éloquent de la furie dont la classe dirigeante est capable dès que le prolétariat ose se dresser pour son droit. Puis, lorsqu'il s'avéra impossible d'abattre tous les Communards, vinrent les arrestations en masse, l'exécution de victimes choisies arbitrairement dans les rangs des prisonniers, la relégation des autres dans de grands camps en attendant leur comparution devant les conseils de guerre. Les troupes prussiennes, qui campaient autour de la moitié nord de Paris, avaient l'ordre de ne laisser passer aucun fugitif, mais souvent les officiers fermèrent les yeux quand les soldats écoutaient plutôt la voix de l'humanité que celle de leur consigne ; et en particulier il faut rendre cet hommage au corps d'armée saxon qui s'est conduit d'une façon très humaine et laissa passer bien des gens, dont la qualité de combattant de la Commune était évidente.

(Friedrich Engels, dans K. Marx, *La guerre civile en France*)

Note culturelle

le Mur des fédérés Ce mur, situé au cimetière du Père-Lachaise où les derniers Communards furent massacrés, demeure un lieu symbolique de commémoration pour les parties de gauche.

1.16 Les écrivains contre la Commune

Il y a sous toutes les grandes villes des fosses aux lions, des cavernes fermées d'épais barreaux où l'on parque les bêtes fauves, les bêtes puantes, les bêtes venimeuses, toutes les perversités réfractaires que la civilisation n'a pu apprivoiser, ceux qui aiment le sang, ceux que l'incendie amuse comme un feu d'artifice, ceux que le vol délecte, ceux pour qui l'attentat à la pudeur représente l'amour, tous les monstres du cœur, tous les difformes de l'âme : population immonde, inconnue au jour, et qui grouille sinistrement dans les profondeurs des ténèbres souterraines. Un jour, il advient ceci que le belluaire distrait oublie ses clefs aux portes de la ménagerie, et les animaux féroces se répandent par la ville épouvantée avec des hurlements sauvages. Des cages ouvertes s'élancent les hyènes de 93 et les gorilles de la Commune.

(R. Gautier, « Paris-Capitale » (octobre 1871), *Tableaux du Siège, l'aris, 1870–1871*, Paris, Charpentier et Cie éd., 1872, pp. 372–3)

Ce qui arrive est tout uniment la conquête de la France par l'ouvrier et l'asservissement, sous son despotisme, du noble, du bourgeois, du paysan. Le gouvernement quitte les mains de ceux qui possède pour aller aux mains de ceux qui ne possèdent pas, de ceux qui ont un intérêt matériel à la conservation de la société à ceux qui sont complètement désintéressés d'ordre, de stabilité, de conservation…

(Edmond de Goncourt, *Journal*, mardi 28 mars 1871)

…Messieurs les ouvriers, par cela seul qu'ils caressaient mieux la bouteille que le travail, et se lavaient fort peu les mains, n'ayant pas le temps de le faire, se sont mis en tête que tout leur était dû, leur appartenait sur la terre, et qu'ils en savaient assez long, n'ayant jamais appris que chacun leur métier, pour se substituer avantageusement à tous les gouvernements des peuples civilisés. Grâce à ces merveilleuses théories […], il est avéré […] que l'expérience, le travail, la science, la réflexion, la méditation ne sont rien, ne servent à rien, qu'il suffit d'être grossier, mal élevé, de puer la crasse et le tabac, et d'avoir en toute occasion l'injure et la pipe à la bouche, pour être regardé comme un être supérieur. […] « Ce n'est même plus la barbarie qui nous menace, ce n'est même plus la sauvagerie qui nous envahit, c'est la bestialité pure et simple. »

(E. Feydeau, *Consolation*, Paris, F. Amyot éd., 1872, in chap. XCIII, pp. 191—2 in P. Lidsky, *Les écrivains contre la Commune*)

Vocabulaire

réfractaires incorrigibles, résistant à tout traitement

l'attentat à la pudeur une conduite sexuelle criminelle

monstres du cœur, [...] difformes de l'âme ceux dont le cœur est monstrueux et âme difforme

inconnue au jour qui ne voit jamais la lumière du jour

il advient ceci que il arrive que

le belluaire le dompteur de bêtes féroces, le gardien de ces bêtes

ils caressaient la bouteille ils aimaient boire

n'ayant jamais appris que chacun leur métier chacun n'ayant jamais appris autre chose que son métier

se substituer à remplacer

avéré reconnu comme vrai

Notes culturelles

la Commune Il faut savoir que les écrivains de l'époque ont en forte majorité été anti-communards.

hyènes de 93 Il s'agit ici des révolutionnaires de la Terreur de 1793.

Le XXᵉ siècle – la révolution est-elle finie ?

La République proclamée en 1870 est très incertaine puisque les élections de 1871 voient la victoire d'une majorité de monarchistes. Ceux-ci sont cependant divisés en deux camps, chacun soutenant son prétendant au trône. La République est finalement adoptée, faute de mieux, en 1875, comme « le régime qui nous divise le moins ». En écrasant la Commune de 1871, ce régime a montré qu'il n'était pas synonyme de « révolution », mais d'ordre et de conservation sociale. La République va progressivement s'enraciner au fil du temps, imposer ses symboles et ses rituels (*La Marseillaise* devient l'hymne national, le 14 juillet la fête nationale), développer des mœurs démocratiques qui vont civiliser les conflits. Si l'on excepte la période exceptionnelle du régime de Vichy (1940–44), qui a fait couler beaucoup de sang, les guerres entre Français ne sont plus aussi meurtrières.

Cependant le débat politique français restera longtemps marqué par la violence des affrontements du siècle précédent. Longtemps l'adversaire politique restera avant tout un ennemi avec lequel tout compromis serait sacrilège. Ceci explique peut-être la fortune du préfixe « anti » dans le vocabulaire politique : anti-France, anticapitaliste, anticommuniste, anticlérical, etc.

Les textes qui suivent, qui permettent de mesurer le chemin parcouru depuis l'époque des révolutions, révèlent toutefois la permanence, chez les Français, « d'une culture de l'exclusion ».

L'affaire Dreyfus

AFFAIRE DREYFUS
Dreyfus et ses défenseurs

Vers la fin du XIXᵉ siècle se développe une nouvelle droite nationaliste, xénophobe, antisémite, hostile à la démocratie parlementaire. C'est dans ce climat de tension extrême que le capitaine Dreyfus, israélite d'origine alsacienne est condamné pour espionnage en 1894 par un tribunal militaire. Devant l'accumulation des preuves de l'innocence de Dreyfus et de la culpabilité d'un autre officier, l'Armée, par la voix de ses plus hauts responsables, s'obstine à trouver Dreyfus coupable par tous les moyens. À partir de 1898, les passions se déchaînent : pour les « dreyfusards », héritiers de la Révolution française et de la défense des droits de l'homme, le droit d'un individu à la justice est sacré ; de leur côté, les « antidreyfusards » mènent une campagne nationaliste et antisémite virulente : c'est la France, la patrie, et l'honneur de son armée qui sont attaqués et qu'il s'agit à tout prix de défendre.

1.17 Extraits de *J'accuse !*

Mais cette lettre est longue, monsieur le Président, et il est temps de conclure.

J'accuse le lieutenant colonel de Paty de Clam d'avoir été l'ouvrier diabolique de l'erreur judiciaire, en inconscient, je veux le croire, et d'avoir ensuite défendu son œuvre néfaste, depuis trois ans, par les machinations les plus saugrenues et les plus coupables. [...]

J'accuse le général Billot d'avoir eu entre les mains les preuves certaines de l'innocence de Dreyfus et de les avoir étouffées, de s'être rendu coupable de ce crime de lèse-humanité et de lèse-justice, dans un but politique et pour sauver l'état-major compromis.

J'accuse le général de Boisdeffre et le général Gonse de s'être rendus complices du même crime, l'un sans doute par passion cléricale, l'autre peut-être par cet esprit de corps qui fait des bureaux de la guerre l'arche sainte, inattaquable.

J'accuse les trois experts en écritures, les sieurs Belhomme, Varinard et Couard, d'avoir fait des rapports mensongers et frauduleux, à moins qu'un examen médical ne les déclare atteints d'une maladie de la vue et du jugement.

J'accuse les bureaux de la guerre d'avoir mené dans la presse, particulièrement dans L'Eclair et dans L'Echo de Paris, une campagne abominable, pour égarer l'opinion et couvrir leur faute.

En portant ces accusations, je n'ignore pas que je me mets sous le coup des articles 30 et 31 de la loi sur la presse du 29 juillet 1881, qui punit les délits de diffamation. Et c'est volontairement que je m'expose.

Quant aux gens que j'accuse, je ne les connais pas, je ne les ai jamais vus, je n'ai contre eux ni rancune ni haine. Ils ne sont pour moi que des entités, des esprits de malfaisance sociale. Et l'acte que j'accomplis ici n'est qu'un moyen révolutionnaire pour hâter l'explosion de la vérité et de la justice.

Je n'ai qu'une passion, celle de la lumière, au nom de l'humanité qui a tant souffert et qui a droit au bonheur. Ma protestation enflammée n'est que le cri de mon âme. Qu'on ose donc me traduire en cour d'assises et que l'enquête ait lieu au grand jour !

J'attends.

Veuillez agréer, monsieur le Président, l'assurance de mon profond respect.

(Émile Zola, dans *L'Aurore*, 13 janvier 1898)

Vocabulaire

l'ouvrier de l'erreur judiciaire le responsable de la condamnation d'un innocent

saugrenues absurdes, ridicules

je me mets sous le coup des articles... je risque d'être accusé de transgresser les articles....

rancune désir de vengeance

lumière vérité

traduire en cours d'assises faire passer devant la justice

Notes culturelles

crime de lèse-humanité et de lèse-justice crime qui porte atteinte à l'honneur de l'humanité et de la justice

passion cléricale qui cherche à préserver l'autorité sociale et politique de l'Église catholique ; l'Église a dans l'ensemble pris parti contre Dreyfus

arche sainte coffre où les Hébreux gardaient les Tables de la Loi

LA VERITE EST EN MARCHE
ET RIEN NE L'ARRETERA.
QUI SOUFFRE POUR LA VERITE ET LA JUSTICE
DEVIENT AUGUSTE; ET SACRE...
...IL N'EST DE JUSTICE QUE DANS LA VERITE
IL N'EST DE BONHEUR QUE DANS LA JUSTICE

Emile Zola

1.18 Extraits de Barrès, Scènes et doctrines du nationalisme, 1902

Sur les dreyfusards

Les amis de Dreyfus [...] injurient tout ce qui nous est cher, notamment la patrie, l'armée [...]. Leur complot désarme et divise la France, et ils s'en réjouissent. Quand même leur client serait un innocent, ils demeureraient des criminels.

Sur Zola

M. Zola était prédestiné pour le dreyfusisme. Il obéit à de profondes nécessités intérieures.
Qu'est-ce que M. Emile Zola ? Je le regarde à ses racines : cet homme n'est pas un Français.
Il se prétend bon Français ; je ne fais pas le procès de ses prétentions, ni même de ses intentions. Je reconnais que son dreyfusisme est le produit de sa sincérité. Mais je dis à cette sincérité : il y a une frontière entre vous et moi. Quelle frontière ? Les Alpes.
Nous ne tenons pas nos idées et nos raisonnements de la nationalité que nous adoptons, et quand je me ferais naturaliser Chinois en me conformant scrupuleusement aux prescriptions de la légalité chinoise, je ne cesserais pas d'élaborer des idées françaises et de les associer en Français. Parce que son père et la série de ses ancêtres sont des Vénitiens, Emile Zola pense tout naturellement en Vénitien déraciné.
Les esprits perspicaces ont toujours senti ce qu'il y a d'étranger, voire d'anti-français dans le talent de Zola. C'est sincèrement qu'il pense nous rapprocher de la Vérité et nous rectifier ; en nous redressant selon son type, il nous froisse, il excite nos répugnances secrètes. Il a écrit la Débâcle sans tenir compte du point de vue français et n'a certainement pas compris qu'il blessait le monde militaire.

Sur Dreyfus

Une note d'un de ses chefs a été lue au procès : « Je trouve au capitaine Dreyfus beaucoup d'intelligence, mais il y a un esprit bien différent de l'esprit de la vieille armée. » En effet, la plante Dreyfus soumise à la culture qui d'un Français quelconque fait un militaire ne s'harmonisera pas avec le parterre. Lui-même a quelque conscience de cette irréductible différence ; il se connaît comme d'une autre espèce. Un jour que le colonel Bertin-Mourot parlait du désespoir qu'il avait éprouvé [...] à voir les Alsaciens-Lorrains enlevés à leur Dieu et à leur ancienne patrie, le capitaine Dreyfus dit :

« Pour nous autres juifs, ce n'est pas la même chose. En quelque pays que nous soyons, notre Dieu est avec nous. »

Ce déraciné qui se sent mal à l'aise dans un des carreaux de notre vieux jardin français, devait tout naturellement admettre que dans un autre milieu il eût trouvé son bonheur. […]

Je n'ai pas besoin qu'on me dise pourquoi Dreyfus a trahi. En psychologie, il me suffit de savoir qu'il est capable de trahir et il me suffit de savoir qu'il a trahi. L'intervalle est rempli. Que Dreyfus est capable de trahir, je le conclus de sa race. Qu'il a trahi, je le sais parce que j'ai lu les pages de Mercier et de Roget qui sont de magnifiques travaux.

Quant à ceux qui disent que Dreyfus n'est pas un traître, le tout, c'est de s'entendre. Soit ! ils ont raison : Dreyfus n'appartient pas à notre nation et dès lors comment la trahirait-il ? Les Juifs sont de la patrie où ils trouvent leur plus grand intérêt. Et par là on peut dire qu'un Juif n'est jamais un traître.

(M. Barrès, *Scènes et doctrines du nationalisme,* Paris, F. Juven, 1902)

Vocabulaire

quand même leur client serait...   même si leur client était...

il se prétend   il affirme qu'il est

je ne fais pas le procès de   je ne critique pas

en Français   comme un Français

il nous froisse   il blesse notre fierté

Notes culturelles

La Débâcle   roman de Zola qui évoque la guerre de 1870

la culture   Ici, dans les deux sens du mot : culture d'une plante, et valeurs de l'armée nationale.

parterre, carreaux   Parties d'un jardin affectées à une culture particulière ; ici, Dreyfus ne peut s'intégrer au parterre, devenir un soldat français comme les autres.

Les Alsaciens-Lorrains enlevés à leur ancienne patrie   L'Alsace et la Lorraine sont allemandes depuis 1871.

En quelques pays que nous soyons, notre Dieu est avec nous   Bien que lui-même d'origine alsacienne, Dreyfus ne réagit pas comme les autres devant la perte de l'Alsace-Lorraine.

La République et l'Eglise

À travers le XIXe siècle l'Église catholique est demeurée monarchiste de cœur, hostile aux idées libérales issues du siècle des Lumières et de la Révolution. Aussi n'est-il pas étonnant que la vie politique sous la IIIe République (1871–1939) ait été dominée par le conflit, à la fois philosophique et politique, entre républicains et catholiques. Les deux camps se disputent essentiellement le contrôle de l'éducation. Les lois Jules Ferry, de 1881 à 1883, rendent l'instruction gratuite et obligatoire jusqu'à 13 ans, et favorisent l'expansion de l'enseignement primaire public. Celui-ci devient aussi « laïque » : aucun enseignement religieux n'y est donné, au nom de la « neutralité » de l'école publique. En 1905 est votée la loi de « séparation de l'Église et de l'État », selon laquelle la République assure la liberté de conscience et le libre exercice des cultes, mais « ne reconnaît, ne salarie ni ne subventionne aucun culte ».

Les catholiques se rallieront progressivement à la République au cours du XXe siècle. La « guerre scolaire », qui s'est apaisée depuis les années soixante, est cependant prompte à se ranimer, comme en témoignent les énormes manifestations organisées par les catholiques en 1984, par les « laïques » en 1993.

1.19　Extrait de Buisson, *Discours au congrès radical de 1903*

On ne forme pas un républicain comme on forme un catholique

[…] Le premier devoir d'une République est de faire des républicains, et que l'on ne fait pas un républicain comme on fait un catholique. Pour faire un catholique, il suffit de lui imposer la vérité tout faite : la voilà, il n'a plus qu'à l'avaler. Le maître a parlé, le fidèle répète. (*Bravos et vifs applaudissements.*) Je dis catholique, mais j'aurais dit tout aussi bien un protestant ou un croyant quelconque. […]

… Bible ou pape, c'est toujours l'autorité prétendue surnaturelle, et toute l'éducation cléricale aboutit à ce commandement : croire et obéir, foi aveugle et obéissance passive.

Pour faire un républicain, il faut prendre l'être humain si petit et si humble qu'il soit, un enfant, un adolescent, une jeune fille ; il faut prendre l'homme le plus inculte, le travailleur le plus accablé par l'excès du travail, et lui donner l'idée qu'il faut penser par lui-même, qu'il ne doit ni foi ni obéissance à personne, que c'est à lui de chercher la vérité et non pas à la recevoir toute faite d'un maître, d'un directeur, d'un chef, quel qu'il soit, temporel ou spirituel. (*Nouveaux applaudissements.*)

Citoyens, je vous en prie, réfléchissez-y : est-ce qu'on apprend à penser comme on apprend à croire ? Croire, c'est ce qu'il y a de plus facile, et penser, ce qu'il y a de plus difficile au monde. Pour arriver à juger soi-même d'après la raison, il faut un long et minutieux apprentissage ; cela demande des années, cela suppose un exercice méthodique et prolongé.

C'est qu'il ne s'agit de rien moins que de faire un esprit libre. Et si vous voulez faire un esprit libre, qui est-ce qui doit s'en charger, sinon un autre esprit libre ?

[…] (*Bravos et applaudissements.*)

(Ferdinand Buisson, *Discours au congrès radical de 1903*, loc. cit., pp. 178–9)

1.20　Extrait de Pagnol, *La femme du boulanger*

Instituteur contre curé

Scène : Peu après la sortie de l'école communale d'un petit village.

Au détour d'une rue, M. l'Instituteur rencontre M. le Curé. Il détourne la tête. Le curé s'avance vers lui. C'est un très jeune prêtre, extrêmement distingué, qui porte des lunettes cerclées d'or. L'instituteur aussi est très jeune; il doit sortir de l'École Normale, et c'est certainement son premier poste.

Le Curé　Pardon, monsieur l'Instituteur, je désire vous dire deux mots si vous n'y voyez pas d'inconvénients.

L'Instituteur (*glacé*) Je n'en vois aucun. Un chien regarde bien un évêque. M. le Curé peut donc parler à M. l'Instituteur.

Le Curé　(*pincé*) Malgré le ton désobligeant de votre réponse, les devoirs de ma charge m'obligent à continuer cette conversation.

L'Instituteur　Permettez. Vous dites que je vous ai parlé sur un ton désobligeant, et je reconnais que c'est vrai. Mais je tiens à vous rappeler qu'au moment où je suis arrivé ici, c'est-à-dire au début d'octobre, je vous ai rencontré deux fois le même jour. La première fois c'était le matin.

Le Curé   Sur la place de l'Église.

L'Instituteur   C'est exact. Je vous ai salué ; vous ne m'avez pas répondu. La deuxième fois, c'était...

Le Curé   À la terrasse du cercle. Vous étiez assis devant un grand verre d'alcool.

L'Instituteur   Un modeste apéritif.

Le Curé   Si vous voulez, enfin, c'était de l'alcool.

L'instituteur   Soit. Je vous ai encore salué, en ôtant mon chapeau.

Le Curé   C'était un chapeau melon.

L'Instituteur   C'est exact. Vous ne m'avez pas répondu. Pourquoi ?

Le Curé   (*grave*) Parce que je ne vous avais pas vu.

L'Instituteur   Quoi ?

Le Curé   Et je ne vous ai pas vu me saluer parce que je n'ai pas voulu vous voir.

L'Instituteur   Et pour quelle raison ? J'arrivais ici, vous ne m'aviez jamais vu. Je vous salue très poliment, vous détournez la tête. Vous m'avez donc fait un affront sans me connaître.

Le Curé   (*avec un rire un peu méprisant*) Oh ! monsieur, je vous connaissais !

L'Instituteur   Ah ? vous aviez reçu une fiche de l'évêché ?

Le Curé   Oh ! pas du tout, monsieur... Monseigneur a des occupations et des travaux plus utiles et plus nobles que ceux qui consisteraient à remplir des fiches sur le caractère et les mœurs de chaque instituteur laïque. Ce serait d'ailleurs un très gros travail, et peu ragoûtant. Non, monsieur, je n'ai pas reçu votre fiche et je n'avais pas besoin de la recevoir, parce que vous la portiez sur vous.

L'Instituteur   J'ai une tête de scélérat ?

Le Curé   Ne me faites pas dire ce que je ne dis pas. Non, monsieur, non, vous n'avez pas absolument une tête de scélérat. Non. Et puis, même avec une tête de scélérat, un homme peut se racheter par la foi, et par la stricte observance des pratiques recommandées par notre sainte mère l'Église. Mais il ne s'agit pas de votre tête. Ce qui m'a permis de vous démasquer du premier coup, c'est le journal qui sortait de votre poche. C'était *le Petit Provençal*. (*avec feu*) Ne niez pas, monsieur, je l'ai vu. Vous lisiez *le Petit Provençal*.

L'Instituteur   (*calme et souriant*) Mais oui, je lis *le Petit Provençal*. Je suis même abonné.

Le Curé   Abonné ! C'est complet.

L'Instituteur   Vous ne voudriez pas que je lise *la Croix* ?

Le Curé   (*avec force*) Mais si, monsieur, je le voudrais ! Mais je vous estimerais bien davantage, monsieur, si vous lisiez *la Croix* ! Vous y trouveriez une morale autrement nourrissante, autrement succulente que les divagations fanatiques de journalistes sans Dieu.

L'Instituteur   C'est pour ça que vous m'avez arrêté ? Pour me placer un abonnement à *la Croix* ?

Le Curé Non, monsieur. Je vous ai arrêté pour vous rappeler vos devoirs. Non pas envers vous-même — car vous me paraissez peu disposé à songer à votre salut éternel — mais vos devoirs envers vos élèves — ces enfants que le gouvernement vous a confiés — peut-être un peu imprudemment.

L'Instituteur Il est certain que le vieillard que vous êtes peut donner des conseils au gamin que je suis.

Le Curé En effet, monsieur. Quoique nous soyons à peu près du même âge, je crois que la méditation et l'élévation quotidienne de l'âme par la prière m'ont donné plus d'expérience de la vie que vous n'avez pu en apprendre dans vos manuels déchristianisés. Vous êtes, je crois, tout frais émoulu de l'École Normale...

L'Instituteur Vous êtes, je crois, tout récemment éclos du Grand Séminaire ?

Le Curé Enfin, peu importe. Ce que j'ai à vous dire est très grave. Vous avez fait, l'autre jour — avant-hier exactement — une leçon sur Jeanne d'Arc.

L'Instituteur Eh oui, ce n'est pas que ce soit amusant, mais c'est dans le programme.

Le Curé (*sombre*) Bien. À cette occasion, vous avez prononcé devant des enfants, les phrases suivantes : « Jeanne d'Arc était une bergère de Domrémy. Un jour qu'elle gardait ses moutons, elle crut entendre des voix ». C'est bien ce que vous avez dit ?

L'Instituteur C'est très exactement ce que j'ai dit.

Le Curé (*gravement*) Songez-vous à la responsabilité que vous avez prise quand vous avez dit « crut entendre » ?

L'Instituteur Je songe que j'ai justement évité de prendre une responsabilité. J'ai dit que Jeanne d'Arc « crut entendre des voix. » C'est-à-dire qu'en ce qui la concerne elle les entendait fort clairement — mais en ce qui me concerne, je n'en sais rien.

Le Curé Comment, vous n'en savez rien ?

L'Instituteur Ma foi, monsieur le curé, je n'y étais pas.

Le Curé Comment, vous n'y étiez pas ?

L'Instituteur Et ma foi non. En 1431, je n'étais même pas né.

Le Curé Oh ! n'essayez pas de vous en tirer par une pirouette. Vous n'avez pas le droit de dire « crut entendre. » Vous n'avez pas le droit de nier un fait historique. Vous devez dire « Jeanne d'Arc entendit des voix ».

L'Instituteur Mais dites donc, il est très dangereux d'affirmer des choses pareilles — même s'il s'agit d'un fait historique. Il me semble me rappeler que lorsque Jeanne d'Arc, devant un tribunal présidé par un évêque qui s'appelait Cauchon, déclara qu'elle avait entendu des voix, ce Cauchon-là la condamna à être brûlée vive — ce qui fut fait à Rouen, sur la place du Marché. — Et comme, malgré ses voix, elle était combustible, la pauvre bergère en mourut.

Le Curé   Réponse et langage bien digne d'un d'abonné du *Petit Provençal*. Je vois, monsieur, que je n'ai rien à attendre d'un esprit aussi borné et aussi grossier que le vôtre. Je regrette d'avoir engagé une conversation inutile et qui m'a révélé une profondeur de mauvaise foi que je n'aurais jamais osé imaginer.

L'Instituteur   (*goguenard*) En somme vous êtes furieux parce que j'ai parlé de Jeanne d'Arc, qui, selon vous, vous appartient. Mais vous-même, monsieur le Curé, il vous arrive de piétiner mes plates-bandes. Ainsi, vous avez dit aux enfants du catéchisme que je me trompais, et qu'en histoire naturelle il n'y avait pas trois règnes, qu'il y avait quatre règnes.

Le Curé   Mais parfaitement : le règne minéral, le règne végétal, le règne animal et le règne humain, ce qui est scientifiquement démontré.

L'Instituteur   Il est scientifiquement démontré que le règne humain est une absurdité.

Le Curé   Vous vous considérez donc comme un animal ?

L'Instituteur   Sans aucun doute !

Le Curé   Je vous crois trop savant pour ne pas admettre qu'en ce qui vous concerne, vous avez certainement raison. Permettez donc que je me retire sans vous saluer, car je ne salue pas les animaux...

(*Il s'éloigne.*)

L'Instituteur   Et vous, qu'est-ce que vous croyez être, espèce de pregadiou ?

Le Curé   *Vade retro, Satana* !

L'Instituteur   Va te cacher, va, fondu !

(*Il hausse les épaules et s'en va de son côté.*)

(Marcel Pagnol, *La femme du Boulanger* (d'après un conte de Jean Giono, Jean le Bleu), 1938, Livre de Poche, pp. 10–18)

Vocabulaire

un chien regarde bien un évêque   puisque même un chien peut regarder un évêque

peu ragoûtant   peu appétissant

scélérat   bandit, criminel

manuels   livres scolaires

vous êtes tout frais émoulu, tout récemment éclos   vous venez de sortir

de vous s'en tirer par une pirouette   d'éviter une question par une plaisanterie

une profondeur de mauvaise foi   un énorme manque de sincérité

de piétiner mes plates-bandes   d'envahir un domaine qui m'appartient

vade retro, Satana !   retire-toi, Satan ! (latin)

Notes culturelles

École Normale   école qui préparait les futurs instituteurs publics

de pregadiou   celui qui passe son temps à prier, dans le dialecte régional

Le Front populaire (1936)

Devant la montée des extrêmes-droites en Europe et en France même, les partis de gauche (y compris, pour la première fois, le Parti communiste) s'unissent et gagnent les élections de 1936. Un gouvernement de « Front populaire », dirigé par le socialiste Léon Blum, est nommé. Deux millions de salariés sont bientôt en grève, occupant leurs lieux de travail. Revendiquant l'héritage de la Révolution et de la Commune, ce mouvement social est cependant plus révolutionnaire en paroles qu'en actes et se déroule dans la joie et la bonne humeur plus que dans la colère: on est loin des affrontements sanglants du XIXᵉ siècle. Confronté à des difficultés économiques, le gouvernement Blum ne dure guère plus d'un an. Même s'il n'a pas transformé la société, le Front populaire laissera cependant le souvenir de quelques grandes mesures sociales : reconnaissance du droit syndical dans les entreprises, la « semaine de 40 heures », les « deux semaines de congés payés ».

Le sauveur en temps de crise

Les Français succombent périodiquement à la tentation autoritaire. Dans les moments difficiles, les institutions démocratiques de la République sont accusées d'exacerber les divisions politiques, d'engendrer l'impuissance des gouvernants, d'être à la source de tous les maux. C'est ainsi qu'à plusieurs reprises, on a eu recours à un chef, souvent militaire, jugé seul capable d'assurer l'unité nationale autour de sa personne, de restaurer par son autorité l'ordre et la discipline. Bonaparte mit ainsi fin à la première République, son neveu Louis Napoléon à la seconde, le Maréchal Pétain à la troisième, le général de Gaulle à la quatrième.

La Seconde Guerre mondiale offre un exemple frappant d'une telle expérience. Au lendemain de la défaite de 1940, les parlementaires de la IIIᵉ République abandonnent le pouvoir à Pétain, qui signe l'armistice, et engage le pays dans la voie de la collaboration avec l'Allemagne. Simultanément, de Londres, de Gaulle appelle le pays à poursuivre le combat. À travers la lutte entre « collaborateurs » et « résistants », ces quatre années d'occupation allemande voient se ranimer une guerre ancienne entre Français, dont les traces, plus d'un demi-siècle plus tard, ne sont toujours pas effacées.

1.21   Le gouvernement de Vichy

Vichy abolit la République, puisque le régime s'appelle officiellement « État français ». Il est une véritable monarchie sans monarque, le maréchal Pétain, chef de l'État, chef du gouvernement, possède tous les pouvoirs (plus que n'en avait Louis XIV, a-t-on pu écrire), et il est l'objet d'un véritable culte ; or cela n'est pas justifié par la nécessité prétendue d'une dictature provisoire et circonstancielle, mais par principe, parce que l'autorité est bonne, et le suffrage mauvais. C'est à tous les échelons que la nomination est ainsi substituée à l'élection, […]

Le régime prend une revanche — dans le court terme — sur la gauche triomphante du Front populaire, dont les chefs, notamment Blum et Daladier, sont arrêtés, inculpés comme « responsables de la défaite » et traduits en « cour de justice ».

À plus long terme, la revanche est contre la République elle-même, voire contre la Révolution de 1789 ;

La devise Travail-Famille-Patrie remplace Liberté-Égalité-Fraternité. Bien entendu, la contestation syndicale n'est pas plus admise que la contestation parlementaire ; le régime se veut social, mais dans un sens paternaliste […]. L'allégeance morale et l'aide matérielle à l'Église catholique se substituent à la laïcité.

Enfin, cette contre-révolution à la française, loin de chercher à se distinguer des fascistes vainqueurs, accepte encore de leur ressembler sur le point le plus détestable, l'antisémitisme. Dès le 3 octobre 1940, les citoyens d'origine juive reçoivent un statut spécial ; les fonctionnaires juifs sont révoqués. Avec eux le sont aussi les francs-maçons, mais pour d'autres raisons (comme tous les régimes de droite, Vichy leur attribue la qualité d'aile marchante de la République et de la modernité révolutionnaire). Bien entendu les communistes sont la troisième « bête noire » — mais cela est moins original, la législation utilisée d'abord contre eux datant de 1939. Les grandes catégories sociales ont leur destin : les instituteurs sont suspects, les anciens combattants sont choyés — pour ne citer que deux exemples significatifs. […] La ligne générale était bien celle d'une contre-révolution délibérée et d'une collaboration recherchée. Loin de se contenter d'expédier les affaires courantes en faisant le gros dos, Vichy prolongeait et aggravait, à la faveur de la présence de l'occupant, la vieille guerre civile française.

(M. Agulhon, A. Nouschi, R. Schor, *La France de 1940 à nos jours*)

Vocabulaire

circonstancielle   dictée par les circonstances du moment

choyés   entourés de soins et d'affection

Note culturelle

aile marchante de la République   À l'avant-garde de ceux qui soutiennent la République, les francs-maçons sont les héritiers du Siècle des Lumières et de la Révolution.

1.22   Pétain à Paris

[…] J'étais sur cette place, illuminée par un chaud soleil, au sein de cette mer humaine débordante d'enthousiasme. Nous écoutions le Maréchal, nous regardions le chef de l'État, mais nos yeux étaient attirés par le drapeau français que l'on avait hissé, pour la première fois depuis l'armistice, au campanile de l'Hôtel de Ville. Comme nous étions heureux d'être Français ! Dès que le Maréchal eut terminé son allocution improvisée, un frisson patriotique fit vibrer cette foule parisienne, la souleva, lui fit entonner « La Marseillaise » à pleins poumons. Oui, c'est à pleins poumons que nous avons chanté l'hymne national avec le grand soldat, clamant notre foi dans les destinées de la patrie, convaincus de retrouver bientôt notre liberté. Au diable la politique ! Nous étions entre Français — les occupants, pour un jour avaient disparu — transportés de joie de pouvoir clamer, unis par une même ardeur, une même pensée et un même amour, les strophes célèbres de Rouget de Lisle. Il n'y avait plus de pétainistes, de collaborateurs, de résistants ; il n'y avait plus que des Français. Maints visages étaient baignés de larmes. « Il reviendra bientôt » disaient les Parisiens… La vue du grand chef prestigieux redonnait courage et espérance.

[…] Pouvions-nous imaginer qu'ils [les Allemands] l'emmèneraient en exil, quatre mois plus tard, et qu'il ne serait pas là, avec le général de Gaulle à ses côtés, « tout à l'aise », pour fêter la Libération de Paris ? Nous étions naïfs, j'étais très jeune, nous ne comprenions rien à LA POLITIQUE. Vingt ans après, je ne parviens pas à regretter mon enthousiasme de la place de l'Hôtel de Ville, car en ces minutes — en ces seules minutes — j'ai cru possible la réconciliation des Français, l'unité de tout un peuple autour de son drapeau et de son chef. Je n'étais pas le seul ! Quand le Maréchal se fut retiré, il resta sur tous les visages un rayon qui ne s'effaçait pas. Des gens, près de moi, se serraient la main sans rien dire ; leur silence, maintenant, s'expliquait par l'émotion puissante qui faisait perler les larmes au coin des yeux. Pour nous tous, Parisiens, c'était une journée historique. Tout Paris allait suivre avec un même élan de ferveur, au long des trottoirs de l'Hôtel de Ville à l'hôpital Bichat, aux Invalides, à la Bastille, à la Porte Dorée… Comme quatre mois plus tard… L'après-midi, dans Paris, ce fut un enthousiasme délirant. Le soleil était toujours de la partie, et, malgré le vent assez frais, c'était un bel après-midi de printemps. Le Maréchal avait décidé de se rendre à l'hôpital Bichât au chevet des blessés des derniers bombardements anglo-américains. Sur tout le parcours qu'emprunta le cortège, le chef de l'État fut l'objet d'ovations passionnées. Pas une note discordante, pas un coup de sifflet, pas un seul cri hostile ! Les trottoirs de la rue de Rivoli, de l'avenue et de la place de l'Opéra étaient noirs de monde. Des grappes humaines garnissaient les fenêtres et les marches de l'Académie nationale de musique. Sur le passage du chef de l'État, debout dans sa voiture découverte, saluant militairement de sa main gantée de blanc, c'était une immense clameur qui s'élevait : « Vive le Maréchal ! Vive Pétain ! À Paris ! À Paris ! À Paris ! » La foule n'était pas moindre tout autour de la place Clichy, bien qu'aucun itinéraire officiel n'ait été rendu public, et qu'on n'ait pu faire, le concernant, que des suppositions. Les maigres cordons d'agents étaient rompus aux cris de « Vive le Maréchal ! », et quand la voiture gagna la rue de Clichy, la foule se précipita sur ses traces, malgré le service d'ordre.

Avant l'arrivée à l'hôpital Bichat, une grosse infirmière, tout de blanc vêtue, ne dissimulait pas ses sentiments : « On n'a pas besoin de voir ce vieux singe… » La foule emplissait le boulevard Ney. Soudain, une clameur, venant de l'avenue de Saint-Ouen, annonça l'arrivée du cortège motorisé. Quand le chef de l'État descendit devant la porte de l'hôpital, la foule redoubla ses acclamations. Le Maréchal serra quelques mains, pénétra dans l'hôpital, et passa entre les rangs serrés des membres du corps médical. Au premier rang, la grosse infirmière, transfigurée, presque en extase, hurlait : « Vive le Maréchal ! » Elle n'avait pas résisté au prestige, au charme de Pétain… Un des médecins dit : « Maintenant, le Maréchal est là, les critiques, les scepticismes, les attaques ne sont plus qu'un cauchemar. Tout est oublié. »

Dans le pavillon de chirurgie, le Maréchal se montra pour chacun aussi affectueux que s'il était venu pour lui seul. Pendant plus d'une demi-heure, il alla d'un lit à l'autre, apportant aux blessés le réconfort de sa présence, la chaleur de ses mains tendues. Dans une salle où étaient rassemblés les grands blessés, il dit : « Mes amis, ma sympathie va surtout à vous, parce que je sais que c'est toujours à ceux qui n'ont rien qu'on enlève tout. Ce sont toujours les classes les moins privilégiées qui supportent le lourd fardeau des souffrances. » Il quitta enfin le pavillon, encadré par le préfet de police et le préfet de la Seine. Une jeune femme lui offrit, en rougissant beaucoup, un modeste bouquet de fleurs.

Devant l'hôpital, les habitants de ce quartier populaire étaient de plus en plus nombreux, rassemblés dans le plus parfait désordre, disloquant, avec le sourire, les barrages des agents, hurlant sans trêve : « Vive le Maréchal ! Pétain à Paris ! » Le Maréchal devait aussitôt prendre place dans son auto mais, devant cette ferveur populaire, il ne sut pas résister. Dédaigneux de tout protocole, écartant ses suivants, il se dirigea d'un pas alerte vers le peuple, il plongea dans la foule délirante. En quelques secondes, pressé, acclamé, entouré, vénéré. Pétain se trouva isolé des officiels. Des femmes baisaient sa capote kaki, des hommes tentaient de toucher ses gants, sa canne… Il avait une parole pour chacun et, interminablement, serrait les mains qui se tendaient. L'émotion était visible sur ce visage qu'un sourire attendri marquait d'une douce empreinte. Mais le temps lui était compté. Le grand vieillard, s'excusa d'échapper à l'indicible élan de la multitude. C'est dans le tumulte et l'enthousiasme populaire qu'il remonta dans sa voiture. Avant de partir, il salua la foule militairement, de sa main dégantée, pour la remercier de son accueil. […]

Il ne devait pas revenir, sinon dans un fourgon cellulaire, comme un malfaiteur, un an plus tard, pour s'entendre condamner à mort.

Ce jour-là, pourtant, c'était bien tout l'enthousiasme d'une nation qui s'était déchaîné vers celui qui avait pris pour tâche de la maintenir en vie, malgré la défaite de 1940, et de la mener, tant bien que mal, vers le salut de la Libération. Philippe Henriot avait raison lorsqu'il clamait au micro de la radio nationale « ce n'est pas une ovation, c'est un plébiscite… » […]

C'était, en effet, un plébiscite ce 26 avril 1944 ; comme ce sera un plébiscite le 26 août 1944, quand de Gaulle descendra les Champs-Elysées.

(A. Brissaud, *La dernière année de Vichy*, Librairie Académique Perrin, 1965)

Vocabulaire

campanile   petit clocher

l'Hôtel de Ville   la mairie

clamant   proclamant haut et fort

de se rendre au chevet des blessés   d'aller voir les blessés

le concernant   en ce qui concernait cet itinéraire

s'il était venu pour lui seul   s'il s'agissait d'une visite privée

capote   manteau du soldat

marquait d'une douce empreinte   rendait très doux

le temps lui était compté   il disposait de peu de temps

Notes culturelles

Rouget de Lisle   auteur de *La Marseillaise*

avec le général de Gaulle   Selon une opinion répandue à l'époque, Pétain était le bouclier, et de Gaulle l'épée de la France, deux faces complémentaires d'une même politique.

pavillon de chirurgie   bâtiment où est situé le service de chirurgie

fourgon cellulaire   véhicule destiné au transport des prisonniers

condamner à mort   Pétain sera ensuite gracié par de Gaulle, et finira ses jours en prison.

Philippe Henriot   journaliste de radio qui avait pris parti pour les Allemands

1.23 De Gaulle dans Paris libéré

Au cours de la matinée, on me rapporte que de toute la ville et de toute la banlieue, dans ce Paris qui n'a plus de métro, ni d'autobus, ni de voitures, d'innombrables piétons sont en marche. À 3 heures de l'après-midi, j'arrive à l'Arc de triomphe. Parodi et Le Troquer, membres du gouvernement, Bidault et le Conseil national de la Résistance, Tollet et le Comité parisien de la libération, des officiers généraux : Juin, Kœnig, Leclerc, d'Argenlieu, Valin, Bloch-Dassault, les préfets : Flouret et Luizet, le délégué militaire Chaban-Delmas, beaucoup de chefs et de combattants des forces de l'intérieur, se tiennent auprès du tombeau. Je salue le Régiment du Tchad, rangé en bataille devant l'Arc et dont les officiers et les soldats, debout sur leurs voitures, me regardent passer devant eux, à l'Étoile, comme un rêve qui se réalise. Je ranime la flamme. Depuis le 14 juin 1940, nul n'avait pu le faire qu'en présence de l'envahisseur. Puis, je quitte la voûte et le terre-plein. Les assistants s'écartent. Devant moi, les Champs-Élysées !

Ah ! C'est la mer ! Une foule immense est massée de part et d'autre de la chaussée. Peut-être deux millions d'âmes. Les toits aussi sont noirs de monde. À toutes les fenêtres s'entassent des groupes compacts, pêle-mêle avec des drapeaux. Des grappes humaines sont accrochées à des échelles, des mâts, des réverbères. Si loin que porte ma vue, ce n'est qu'une houle vivante, dans le soleil, sous le tricolore.

Je vais à pied. Ce n'est pas le jour de passer une revue où brillent les armes et sonnent les fanfares. Il s'agit, aujourd'hui, de rendre à lui-même, par le spectacle de sa joie et l'évidence de sa liberté, un peuple qui fut, hier, écrasé par la défaite et dispersé par la servitude. Puisque chacun de ceux qui sont là a, dans son cœur, choisi Charles de Gaulle comme recours de sa peine et symbole de son espérance, il s'agit qu'il le voie, familier et fraternel, et qu'à cette vue resplendisse l'unité nationale. Il est vrai que des états-majors se demandent si l'irruption d'engins blindés ennemis ou le passage d'une escadrille jetant des bombes ou mitraillant le sol ne vont pas décimer cette masse et y déchaîner la panique. Mais moi, ce soir, je crois à la fortune de la France. Il est vrai que le service d'ordre craint de ne pouvoir contenir la poussée de la multitude. Mais je pense, au contraire, que celle-ci se disciplinera. Il est vrai qu'au cortège des compagnons qui ont qualité pour me suivre se joignent, indûment, des figurants de supplément. Mais ce n'est pas eux qu'on regarde. Il est vrai, enfin, que moi-même n'ai pas le physique, ni le goût, des attitudes et des gestes qui peuvent flatter l'assistance. Mais je suis sûr qu'elle ne les attend pas.

Je vais donc, ému et tranquille, au milieu de l'exultation indicible de la foule, sous la tempête des voix qui font retentir mon nom, tâchant, à mesure, de poser mes regards sur chaque flot de cette marée afin que la vue de tous ait pu entrer dans mes yeux, élevant et abaissant les bras pour répondre aux acclamations. Il se passe, en ce moment, un de ces miracles de la conscience nationale, un de ces gestes de la France, qui parfois, au long des siècles, viennent illuminer notre Histoire. Dans cette communauté, qui n'est qu'une seule pensée, un seul élan, un seul cri, les différences s'effacent, les individus disparaissent. Innombrables Français dont je m'approche tour à tour, à l'Étoile, au Rond-point, à la Concorde, devant l'Hôtel de Ville, sur le parvis de la Cathédrale, si vous saviez comme vous êtes pareils ! Vous, les enfants, si pâles ! qui trépignez et criez de joie ; vous, les femmes, portant tant de chagrins, qui me jetez vivats et sourires ; vous, les hommes mondés d'une fierté longtemps oubliée, qui me criez votre merci ; vous, les vieilles gens, qui me faites l'honneur de vos larmes, ah ! comme vous vous ressemblez ! Et moi, au centre de ce déchaînement, je me sens remplir une fonction qui dépasse de très haut ma personne, servir d'instrument au destin.

(Général de Gaulle, *Mémoires de guerre*, T.2, l'Unité, Plon, 1956)

Vocabulaire

houle mer agitée

il s'agit qu'il le voie il faut que chacun voie de Gaulle

qui ont qualité pour qui sont autorisés à

l'assistance les spectateurs

vivats acclamations (par exemple : vive de Gaulle)

Notes culturelles

tombeau celui du Soldat Inconnu, situé sous l'Arc de Triomphe de l'Étoile

flamme celle qui brûle sur ce tombeau

Charles de Gaulle Il parle de lui-même à la troisième personne.

recours de sa peine dans sa peine, chacun s'est tourné vers de Gaulle

compagnons ceux qui avaient rejoint de Gaulle à Londres

figurants ceux qui n'ont joué aucun rôle pour libérer le pays

Rond-Point Rond-Point des Champs Elysées

La révolution apprivoisée : mai 68

L'impuissance des gouvernements de la IVᵉ République à résoudre le problème de la guerre d'Algérie plonge de nouveau la France dans une crise nationale en 1958. Après plusieurs années de retraite, de Gaulle revient alors au pouvoir. Avec la Vᵉ République, la France semble finalement trouver la stabilité politique qui lui avait jusqu'alors manqué. Cependant, en mai 1968, une révolte étudiante, suivie d'une grève générale, fait trembler le régime sur ses bases : barricades, occupations d'usines, l'histoire est-elle en train de se répéter ?

De Gaulle dissout l'Assemblée nationale : les élections de juin donnent une très confortable majorité aux gaullistes. La « révolution » s'est éteinte d'elle-même ; le parti de l'ordre l'a emporté.

1.24 G. Pompidou sur mai 68

La coexistence de mouvements d'étudiants dans toutes les universités du monde n'est pas un hasard et ne s'explique pas, tant s'en faut et même si cet aspect des choses ne peut être négligé, par la propagande et l'action souterraine de mouvements clandestins du type castriste ou maoïste. Il y a dans cette révolte d'une jeunesse intellectuelle contre l'ordre établi, qu'il s'agisse de l'ordre universitaire, politique ou social, une manifestation comme une autre de la lutte des générations, de l'éternelle aspiration au « ôte-toi de là que je m'y mette ». Mais il y a autre chose et rien ne sert de s'étonner que des jeunes gens, en général entretenus largement par la société pour leur permettre de poursuivre les études qu'ils ont choisies à l'âge où tant d'autres sont déjà obligés de gagner leur vie, se révoltent contre cette société qui les choie. Oui, au regard de tant d'autres jeunes, ces révolutionnaires de Mai étaient des nantis, des privilégiés. Mais beaucoup de révolutions sont le fait de privilégiés insatisfaits. Le problème est de savoir pourquoi les nôtres étaient insatisfaits. Et je crois précisément que, nourris, logés, entretenus, travaillant fort peu, ne désirant certainement pas affronter la vie active (le prétexte de l'absence de débouchés est à mes yeux secondaire), les problèmes de l'emploi ne hantaient certainement pas les cervelles des meneurs de Mai (leur principale préoccupation étant plutôt de retarder le plus possible le jour où il leur faudrait exercer un métier…), ces jeunes gens trouvaient dans leur demi-oisiveté et l'absence de problèmes matériels à la fois le temps de réfléchir et celui de s'ennuyer. Or, s'ils n'étaient pas bêtes — et beaucoup ne l'étaient pas — leurs réflexions ne pouvaient manquer de les conduire sur la voie d'une certaine désespérance. Ne croyant à rien [...], ayant renié Dieu, la famille, la patrie, la morale, feignant d'avoir une conscience de classe tout en sachant parfaitement qu'ils n'étaient pas des travailleurs, encore moins des prolétaires, mais des désoccupés sans vocation et par suite sans espoir, ils ne pouvaient que se tourner vers la négation, le refus, la destruction. Et la possibilité surgie tout à coup de l'action violente, de la « fête » où toutes conventions sont abolies et tous tabous levés, apparaissait comme une occasion unique d'échapper à l'ennui, « fruit de la morne incuriosité ».

Qu'on ne croie pas que je sois sévère pour cette jeunesse. Bien au contraire. Certes, j'ai mon opinion sur quelques meneurs gras et bien nourris, parfaitement conscients de servir leur amusement et leurs petites ambitions en jouant avec un feu où ils laissaient à ceux qui les suivaient le soin de se brûler les doigts. Certes, un certain nombre de jeunes filles du monde qui dénouaient précipitamment les chignons d'Alexandre et revêtaient des blue-jeans crasseux pour aller jouer aux barricades ne me paraissent pas relever de l'hagiographie révolutionnaire. Pour aller jusqu'au bout de notre pensée, avouons qu'on ne lit pas sans agacement les hymnes en vers et en prose consacrés « aux héros de Mai ». Dieu sait que tout fut fait pour éviter que le sang coulât. Il y fallut — de la part du Gouvernent et de moi-même — une attention constante. Il y fallut — de la part des forces de l'ordre — beaucoup de sang-froid et de discipline. Il y fallut enfin un peu de chance. Mais n'y fallut-il pas aussi quelque prudence de la part des héros ? Quand on sert vraiment la Révolution et qu'on est prêt à donner sa vie, on en manque rarement l'occasion. « Tu veux la guerre, tu auras la mort, Danton », disait Robespierre. Danton est mort sur la guillotine et aussi Robespierre.

Che Guevara n'est pas mon maître à penser. Mais il brûlait de l'idéal révolutionnaire, il était prêt à mourir pour cet idéal, et donc il est mort. Il y a loin de ce type d'hommes à la présidence du l'U.N.E.F ou du S.N.E. Sup. Néanmoins, ces réserves faites sur quelques-uns, au fond des âmes et des cœurs de beaucoup, et sans doute de la plupart, quel désespoir secret, quelle recherche même inconsciente d'un idéal perdu, d'un revalorisation de l'homme !

On a beaucoup souligné le caractère quasi sexuel de cette excitation collective. Il y a là plus qu'une similitude. Même s'ils croyaient chercher le plaisir, je suis convaincu qu'ils cherchaient l'amour. Mais quel amour et l'amour de quoi ? Quelques-uns ont cédé au rêve « étrange et pénétrant » de l'inconnu et ce qu'ils connaissaient le moins, bien sûr, c'était la condition ouvrière. Seulement, les ouvriers les ont accueillis avec des sarcasmes. Les ouvriers travaillent pour vivre, les ouvriers gagnent leur pain et se préoccupent d'améliorer leur niveau de vie avant de philosopher sur la société de consommation. J'imagine que pour ceux qui étaient sincères, et je croirais volontiers que beaucoup l'étaient, il ne dut pas y avoir de moment plus dur ni de déception plus grave que de se voir accueillis comme des hommes d'une autre classe, comme les profiteurs d'une société dont ils se croyaient les ennemis, si ce n'est les victimes.

(Pompidou, *Le nœud gordien*, Plon, 1974)

Vocabulaire

tant s'en faut   loin de là

« ôte-toi de là que je m'y mette »   « va-t'en, je veux ta place »

au regard de   par rapport à

nantis   favorisés qui ne manquaient de rien

toutes conventions sont abolies et tous tabous levés   les règles et inhibitions de la vie normale disparaissent

du monde   de la haute société parisienne

crasseux   sales

relever de l'hagiographie révolutionnaire   avoir leur place dans la galerie des saints ou héros des révolutions

agacement   irritation

U.N.E.F.   Union Nationale des Étudiants de France (syndicat étudiant)

S.N.E. Sup   Syndicat National de l'Enseignement Supérieur (syndicat de professeurs de l'enseignement supérieur)

ces réserves faites   si on excepte les réserves faites ci-dessus

Notes culturelles

castriste   partisan de Fidel Castro

meneurs   chefs (sens péjoratif)

chignons d'Alexandre   coiffure des jeunes filles de bonne famille

La Ve République

Le 28 septembre 1958, les Français ont, à une très forte majorité (85% de « Oui »), approuvé la Constitution de la Ve République. C'était la première fois qu'un régime politique faisait, en France, l'objet d'un aussi vaste consensus populaire. Les partis et hommes politiques de gauche, dont François Mitterrand, qui avaient d'abord manifesté une profonde hostilité envers les nouvelles institutions, y ont finalement trouvé leur place : Président de la République de 1981 à 1995, François Mitterrand n'a pas jugé bon de changer la Constitution, trouvant que cet habit, initialement taillé sur mesure pour de Gaulle, ne lui allait pas si mal après tout. Est-ce à dire que les guerres franco-françaises soient à présent terminées ? C'est du moins l'avis du politologue Olivier Duhamel, qui voit dans l'actuelle pacification des esprits l'aboutissement d'un processus entamé il y a plus d'un siècle.

Diversité et identités

« Nos ancêtres les Gaulois... » C'est ainsi qu'en France, depuis des générations, les manuels scolaires consacrés à l'histoire débutaient. Et pourtant rien n'est plus éloigné de la réalité que ce mythe des origines communes. En effet, pendant des siècles, la France ne fut qu'une mosaïque de peuples et de cultures dont la diversité demeure visible de nos jours.

Plurielle par ses origines, la France l'est aujourd'hui d'autant plus qu'elle est devenue, depuis le XIXᵉ siècle, l'un des plus importants pays d'immigration : de nos jours, beaucoup de Français ont au moins un parent, grand-parent ou arrière-grand-parent étranger.

Une population aux origines diverses

2.1 Répartition des immigrés par nationalité

Les chiffres suivants concernent seulement la France métropolitaine, à l'exclusion des départements d'outre-mer.

Région	Année			
	1982	1990	1999	2005
Afrique	1 594 772	1 633 142	1 419 758	1 519 000
Algérie	805 116	614 207	477 482	483 000
Cameroun	15 152	18 037	20 436	34 000
Côte d'Ivoire	12 564	16 711	20 453	38 000
Mali	24 248	37 693	36 091	57 000
Maroc	441 308	572 652	504 096	469 000
Sénégal	32 336	43 692	38 956	48 000
Tunisie	190 800	206 336	154 356	146 000
Asie	289 560	424 668	411 735	480 000
Chine	5 092	14 051	27 826	61 000
Turquie	122 260	197 712	208 049	222 000
Amériques	52 840	72 758	81 293	111 000
États-Unis	18 824	24 236	25 831	31 000
Haïti	4 724	12 311	15 693	21 000
Europe	1 775 628	1 463 774	1 347 376	1 387 000
Allemagne	44 000	52 723	78 381	90 000
Espagne	327 156	216 047	161 762	135 000
Italie	340 308	252 759	201 670	178 000
Pologne	64 804	47 127	33 758	35 000
Portugal	767 304	649 714	553 663	492 000
Royaume-Uni	34 000	50 422	75 250	128 000
Total général	3 714 200	3 596 602	3 263 186	3 501 000

(D'après http://fr.wikipedia.org/wiki/Demographie_de_la_France, dernier accès 2 juin 2009)

Selon le document 2.1, la proportion d'immigrés en France en 2005 représentait un peu plus de 3,5 millions de personnes. (Ces chiffres ne tiennent pas compte de l'immigration clandestine, toujours difficile à estimer.) À partir du milieu du XIXe siècle, la France a recouru à l'immigration pour des motifs économiques et démographiques : l'affaiblissement durable de la natalité française, ainsi que l'industrialisation du pays, ont créé d'énormes besoins de main-d'œuvre. Les étrangers ont ainsi fourni des bataillons d'ouvriers peu qualifiés, prêts à effectuer les travaux pénibles que les Français étaient peu enclins à accepter. S'ouvrant toutes grandes pendant les périodes de croissance, les portes tendaient à se refermer lorsque l'activité économique se ralentissait (par exemple durant les années trente ou années quatre-vingts à quatre-vingt-dix). D'autre part, l'origine géographique de la population immigrée a évoluée : d'abord frontalière (Belgique et Italie), elle s'est progressivement diversifiée (Pologne, pays du Maghreb, d'Afrique noire, d'Asie).

2.2   Évolution du flux d'immigrants depuis 2000

	Année				
	2000	2001	2002	2003	2004
Europe des 25	46 595	46 484	46 986	46 511	43 217
Autres Europe	15 316	17 526	20 036	21 286	21 381
dont Turquie	5 814	6 219	7 706	7 544	7 701
Afrique	64 181	78 753	94 317	101 658	100 567
Algérie	12 760	18 555	27 936	32 596	31 846
Cameroun	2 039	2 672	3 190	3 724	4 123
Côte d'Ivoire	2 187	2 648	3 009	3 594	3 913
Maroc	21 507	24 986	26 177	24 948	24 014
Sénégal	3 422	3 694	4 163	3 907	3 920
Tunisie	6 686	7 985	8 994	10 496	9 835
Asie	21 001	25 234	29 027	30 346	29 310
Chine	5 036	6 688	8 968	8 887	8 329
Apatrides	40	40	51	36	56
Total général	**160 428**	**182 694**	**205 707**	**215 397**	**210 076**

(D'après http://fr.wikipedia.org/wiki/Demographie_de_la_France, dernier accès 2 juin 2009)

La population immigrée demeure aujourd'hui concentrée surtout dans les zones industrielles et urbaines du Nord, de l'Est, du bassin parisien, ainsi que dans les régions bordant la Méditerranée.

Après la guerre, la France a connu trente années de croissance exceptionnelle ; en 1945, l'État prit lui-même l'initiative d'organiser et de contrôler le recrutement des travailleurs étrangers en créant l'Office national de l'immigration (l'ONI). En 1974, les premiers effets de la crise amènent le gouvernement français à suspendre l'immigration. Depuis lors, si l'on excepte une phase plus libérale après l'élection, en 1981, à la présidence de la République de François Mitterrand (régularisation de 130 000 immigrés clandestins, droit reconnu aux étrangers de former des associations sans autorisation préalable), la politique des gouvernements successifs, tant de gauche que de droite, n'a pas substantiellement changé : elle vise d'une part à rendre effective la suspension de toute nouvelle immigration de main-d'œuvre, sauf pour les citoyens des pays de l'Union Européenne, et d'autre part à faciliter l'intégration des immigrés déjà installés, en leur permettant de faire venir leur famille (politique de regroupement familial).

Cependant, depuis les années quatre-vingts, c'est l'intégration même des immigrés qui est devenue un thème central du débat politique. Une xénophobie croissante, dont la renaissance de l'extrême droite dans ces années-là est le signe le plus évident, prend pour cible principale les Maghrébins. Ceux-ci sont tenus responsables de tous les maux de la société (chômage, délinquance...) ; on prétend en outre que leur culture est incompatible avec celle des Français, et par conséquent qu'ils sont « inassimilables ». L'intégration des immigrés est rendue plus difficile par la fragilité d'une société française qui s'interroge sur sa propre cohésion : ayant découvert ses « nouveaux pauvres » dans les années quatre-vingts, la France des années quatre-vingt-dix parle de ses « exclus », de sa « société à deux vitesses », de sa « fracture sociale »...

Et pourtant, un regard sur le passé peut inciter à un certain optimisme : les sentiments anti-maghrébins s'expriment de nos jours en des termes comparables à ceux qui visaient, à la fin du XIXᵉ siècle, les immigrés belges et italiens ; les enfants de ceux-ci ont depuis fait leur chemin et sont devenus des Français comme les autres. Malgré le pessimisme ambiant, il est permis de penser qu'aujourd'hui comme hier, l'intégration est en marche : mobilité sociale entre les générations, mariages mixtes en sont des signes certains. On en trouvera d'autres dans ce chapitre.

Ali Baddou sur France Culture

2.3 « Mais on est quoi dans le fond ? »

- Ça va ? demanda-t-il un peu inquiet.
- À merveille ! Jamais été aussi bien !
Et je lui tendis mon verre. Je le pris et allai m'assoir en terrasse, à côté d'une table d'Arabes.
- Mais on est français, con. On est né ici. L'Algérie, moi, j'connais pas.
- T'es français toi. On est les moins français de tous les Français. Voilà ce qu'on est.
- Si les Français y veulent plus de toi, tu fous quoi ?
T'attends qu'ils te flinguent. Moi, je me casse.

- Ah oui ! Tu vas où, eh con ! Arrête de délirer.

- Moi je m'en tape. Je suis marseillais. J'y reste. Point. Et si on m'cherche y me trouveront.

Ils étaient de Marseille. Marseillais avant d'être arabes. Avec la même conviction que nos parents. Comme nous l'étions Ugo, Manu et moi à quinze ans. Un jour, Ugo avait demandé : « Chez moi, chez Fabio, on parle napolitain. Chez toi on parle espagnol. En classe, on apprend le français. Mais on est quoi, dans le fond ? »

- Des Arabes, avait répondu Manu. Nous avions éclaté de rire. Et ils étaient là, à leur tour. À revivre notre misère. Dans les maisons de nos parents. À prendre ça pour paradis comptant et à prier pour que ça dure. Mon père m'avait dit : « Oublie pas. Quand je suis arrivé ici, le matin, avec mes frères, on savait pas si on aurait à manger à midi, et on mangeait quand même. » C'était ça, l'histoire de Marseille. Son éternité. Une utopie. L'unique utopie du monde. Un lieu où n'importe qui, de n'importe quelle couleur, pouvait descendre d'un bateau, ou d'un train, sa valise à la main, sans un sou en poche, et se fondre dans le flot des autres hommes. Une ville où, à peine le pied posé sur le sol, cet homme pouvait dire : « C'est ici. Je suis chez moi. »

Marseille appartient à ceux qui y vivent.

(Jean-Claude Izzo, *Total Kheops*, Éditions Gallimard, 1995, pp. 234–5)

Vocabulaire

tu fous quoi ? (*fam.*) tu fais quoi ?

T'attends qu'y te flinguent (*fam.*) tu attends qu'ils te tuent d'un coup de revolver

Moi, je me casse (*fam.*) moi, je m'en vais

Arrête de délirer (*fam.*) arrête de dire des bêtises

Moi je m'en tape (*fam.*) moi, cela m'est égal

si on m'cherche y me trouveront si on m'attaque, je répondrai

Note culturelle

Mais on est français, con (*fam.*) Mais enfin, on est français, non ? (Le dialogue de cet extrait est écrit en français familier et reproduit en partie l'accent et le franc-parler marseillais. Le mot « con » qui est en général une insulte, n'a pas vraiment ici de signification. À Marseille, il est plutôt utilisé dans la conversation courante et familière comme un signe de ponctuation, qui sert à faire retomber la voix à la fin de chaque phrase !)

Partir... arriver...

2.4 Un Algérien témoigne

Les gens n'ont que la France à la bouche. C'est ainsi que la France nous pénètre tous jusqu'aux os. Une fois que tu t'es mis cela dans la tête, c'est fini, cela ne sort plus de ton esprit ; finis pour toi les travaux, finie l'envie de faire quelque chose d'autre ; on ne voit plus d'autre solution que partir. À partir de ce moment, la France s'est installée dans toi, elle ne te quitte plus ; tu l'as toujours devant les yeux. Nous devenons alors comme des possédés.

(A. Sayad, *L'Immigration ou les paradoxes de l'altérité*, De Bock-Wesmael, Bruxelles, 1991)

À chacun ses étrangers

2.5 Halima

Tu te rappelles quand tu as quitté
ton pays,
Quand tu nous as tous quittés ?
C'était un matin, début septembre.
Toute la famille était réunie.
On avait chargé les bagages sur
l'Aronde
Le moteur tournait au ralenti
Tu te rappelles que tous on pleurait
Tellement le cœur était déchiré
Et puis vint l'heure du départ
Le Derbe était rempli de larmes
Papa a fait une marche arrière
Et personne n'osait regarder derrière

De villages en villes, nous sommes
arrivés à Tanger
Sans se parler, on se comprenait
Le peu de larmes qui nous restaient
Venait juste de s'arrêter de couler
Les passeports étaient tamponnés
Nous embarquions sur le Boatotât
Halima, Oh Halima, eh Halima !
Du haut de la passerelle
Je voyais la mosquée de Tanger
Qui peu à peu disparaissait

Dans le bateau, tout le monde
s'amusait
Et moi, moi, je pensais
De Malaga jusqu'à Irun, les routes
défilaient
Le voyage commençait à nous
fatiguer.
À la douane tout s'est bien passé
Et puis je suis devenue ÉMIGRÉ !
Halima, Oh Halima ! Eh Halima !
En arrivant à Toulouse, tu as jeté la
Djellaba
Pour mettre la Minijupa

Tu as largué tes babouches
Pour te chausser de rangers
Tu as renié ton nom, Halima
Et tu prétends que tu t'appelles
Patricia !
Et tu joues à la Gaouria
Mais pourquoi fais-tu comme ça ?
Ne vois-tu pas que tu joues avec toi ?
Au fond d'eux, tu es comme moi.
Pense un peu à ta patrie,
N'oublie pas tes origines
Et surtout ta « famille »,
Et que tu resteras toujours une
maghrébine comme moi.

DRISS

(*Ils tissent les couleurs de la France*, Les Éditions
de l'Atelier, 1985)

Vocabulaire

Djellaba   robe (vêtement ample porté par les
personnes des deux sexes au Maroc)

largué (*fam.*)   abandonné

babouches (*f.pl.*)   chaussures (de cuir, sans
talon, portées dans les pays musulmans)

Gaouria   Française (féminin de gaouri, désigne
l'Européen ou le Français en Afrique du nord)

Notes culturelles

Aronde voiture (de marque Simca) datant des années cinquante

Le Derbe était rempli de larmes les gens du quartier pleuraient (« Derbe » veut dire « quartier » en Afrique du nord)

2.6 Journal à plusieurs voix

Histoires différentes et pourtant la même. Les formalités qui n'en finissent pas. Tout ce qu'il faut quitter. Tout ce qu'il faut accepter. D'un coup. En bloc. Ce saut dans l'inconnu ! Les mêmes mots chez toutes : « C'est dur... » « J'ai froid »... et surtout : « J'ai peur... » Ils ne recouvrent pas toujours la même crainte : « En voyant les Français, dit Fatima B, on a peur. Peur « de peau ». Je vois personne en noir ! Ils sont tous des blancs ! Maintenant, c'est fini, mais j'ai eu peur pendant trois ou quatre mois. Chez nous, on est tous des noirs. Quand on voit un blanc, c'est « UN » blanc. De temps en temps. Là, on quitte tous les noirs et on arrive à Orly : tout le monde il est blanc... C'est la différence... C'est ce qui fait peur. Envie de se sauver ! Depuis la naissance, on est tous des noirs : tu les connais tous. Ici, tu ne connais personne ! C'est étonnant, quoi ! » Fatima analyse très bien ce qu'elle a ressenti en débarquant à Orly. Ce qui fait peur, c'est l'autre, le différent. Pour elle, ce sont les blancs qui sont étranges. Étrangers.

(M. L. Bonvicini, *Immigrer au féminin*, Les Éditions de l'Atelier, 1992)

Note culturelle

tout le monde il est blanc tout le monde est blanc (expression imitant le français que certains Blancs attribuent aux Africains francophones)

2.7 Lily

On la trouvait plutôt jolie, Lily
Elle arrivait des Somalies Lily
Dans un bateau plein d'émigrés
Qui venaient tous de leur plein gré
Vider les poubelles de Paris.
Elle croyait qu'on était égaux Lily
Au pays de Voltaire et d'Hugo Lily
Mais pour Debussy en revanch'
Il faut deux noires pour un' blanch'
Ça fait un sacré distinguo.
Elle aimait tant la liberté Lily
Elle rêvait de fraternité Lily
Un hôtelier rue Secrétan
Lui a précisé en arrivant
Qu'on ne recevait que des Blancs.
[...]

(Pierre Perret, http://musique.fnac.com, 2002)

Vocabulaire

de leur plein gré volontairement

un sacré distinguo (*fam.*) une grande différence

Note culturelle

blanch' blanche (en musique, note qui équivaut à deux notes noires)

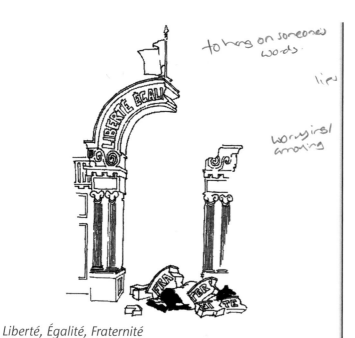

Liberté, Égalité, Fraternité

2.8 « Ils parlent mal français… »

J'avais introduit l'heure de vie de classe en demandant qu'ils expriment leurs doléances, puis expliqué ce que voulait dire doléances, puis dit qu'on avait aussi le droit de demander aux délégués d'exprimer en conseil de classe un contentement global, puis expliqué global, en l'opposant à local, puis exprimé, comme en aparté avec moi-même, ma nette préférence pour le second. Puis plus su quoi dire, regardé l'heure sur la grosse montre ridicule de Huang, et vu avec un immense soulagement Jiajia lever le doigt au prix d'un effort olympique.

— Oui, Jiajia ?

— Vous avez fini parler ?

C'était dit avec beaucoup de gestes qui essayaient de la hisser vers sa langue non-maternelle.

— Tu me demandes si j'ai encore des choses à dire ?

— Voilà, oui, voilà.

Pour que Jiajia s'impose ainsi l'oralité publique, il fallait vraiment que ce soit important.

— Non, j'ai fini, je te laisse la parole.

La classe s'est suspendue à ce moment rare et aux lèvres de Jiajia. Laborieusement, elle a expliqué en avoir assez que certains élèves, enfin surtout une qu'elle ne voulait pas citer, l'embêtent en permanence. Les autres ont eu des rires entendus : tous savaient qu'il s'agissait de Mariama, qui s'est signalée d'elle-même.

— M'sieur ça s'fait pas la balance comme ça.

Elle s'est tournée vers Jiajia et a pris des postures de rappeuse, avant-bras mobiles, tranches des mains à plat fendant l'air, mépris hostile tirant les commissures vers le bas.

— Franchement y'a pas moyen, si t'as des choses à m'dire tu viens m'voir et voilà on s'explique mais ça s'fait pas passer par le prof franchement.

La classe désennuyée exultait. Je demandais en vain qu'on lève la main pour s'exprimer, prévenais que ceux qui le voulaient s'exprimeraient à condition de lever la main, rappelais que si personne ne levait la main, personne ne s'exprimerait. Jiajia et Mariama se prenaient à parti en passant outre ma médiation. Emportée, Jiajia était de moins en moins claire. Mariama lui reprochant de faire bande à part avec les trois autres Chinoises, elle a dit que ça ne la regardait pas, qu'elle se mettait avec qui elle voulait, qu'elle en retour ne reprochait pas à Mariama d'être grosse. J'ai pensé hou là là.

— Non, Jiajia, on ne s'insulte pas.

Mariama se renfrognant comme Obélix, j'ai entrevu une brèche de silence. De Maria, qui patiemment levait le doigt, j'espérais qu'elle apaiserait définitivement les esprits.

— Oui Maria, on t'écoute. On écoute Maria s'il vous plaît. Maria a levé la main, donc elle peut s'exprimer.

— M'sieur c'est la vérité qu'elles font bande à part. Une fois moi dans l'bus j'ai demandé à Jie si elle va sortir avec Alexandre ou quoi qu'ce soit, parce qu'on avait vu ils se parlaient tous les deux. Eh ben elle m'fait j'peux pas il est pas d'ma race.

Jiajia l'aurait étranglée, aurait continue à l'étrangler même morte.

— Mais c'est pas problème de toi, c'est problème elle.

Les répliques ont fusé de plus belle. Cette fois j'ai attendu qu'elles s'annulent mutuellement, et alors

— moi je crois que quand on accueille des gens, eh ben c'est à nous de faire deux fois plus d'efforts, parce que nous on connaît mieux les choses, et eux au contraire ils débarquent, ils sont en position de faiblesse, ils ont tout à apprendre. Vous vos parents se sont retrouvés dans la position où se trouvent les immigrés asiatiques, et je suis sûr qu'ils auraient apprécié que les gens qui étaient là depuis un certain temps, des gens comme moi disons, fassent des efforts pour les accueillir, deux fois plus d'efforts qu'eux pouvaient faire. Ce disant, je m'émouvais, du verbe s'émouvoir. Eux hésitaient entre le sarcasme et l'adhésion. Khoumba aurait dit de belles choses sur la question. Au contraire, c'est Dounia qui a parlé.

— Et ceux qui z'ont quitté le bled y'a trois ans, comment ils font, m'sieur ? Ils aident ou c'est les autres qui aident ?

— Tu connais des gens comme ça ?

— Moi et mon grand frère.

— L'effort, c'est à celui qui est déjà là de le faire, voilà c'que j'pense.

Le beau regard de Boubacar a demandé l'assentiment du mien pour parler.

— M'sieur, c'est difficile aussi.

— Pourquoi c'est difficile ?

Ben c'est difficile parce que des fois ils parlent mal français.

(François Bégaudeau, *Entre les murs*, Éditions Gallimard, 2006, pp. 215–19)

Vocabulaire

Vous avez fini parler ? (*incorrect*)   Vous avez fini de parler ? (Dans cet extrait l'auteur reproduit à l'écrit la façon de parler de ses élèves, avec leur accent et leur syntaxe propre. Ceci produit des phrases qui ne sont pas grammaticalement correctes. Il y en a d'autres exemples tout au long de l'extrait.)

ça s' fait pas la balance   cela ne se fait pas de dénoncer un autre élève auprès du professeur

Cadres de vie

L'évolution des conditions de logement des immigrés reflète le passage d'une immigration de main-d'œuvre, envisagée d'abord comme temporaire, à une immigration familiale durable.

Dans les années soixante, si l'immigration est encouragée, on se préoccupe peu de loger les nouveaux arrivants ; c'est l'époque du logement provisoire, insalubre, surpeuplé. La plupart d'entre eux vivent misérablement en marge de la société, dans des bidonvilles, des « cités de transit » construites en toute hâte, des hôtels meublés. L'État se contente de construire des foyers « Sonacotra », hébergements collectifs qui leur sont réservés.

Depuis les années soixante-dix, les conditions de logement des familles immigrées se sont améliorées ; beaucoup, cependant, ont pour cadre de vie les « banlieues » : « cités », « grands ensembles », « ZUP » (zones à urbaniser en priorité), tous ces termes désignent souvent des quartiers difficiles, à habitat très dense (tours et grands immeubles), en marge de la ville et souvent de la société.

2.9 Marseille : la ville de toutes les folies

« C'est un port, l'un des plus beaux du bord des eaux. Il est illustre sur tous les parallèles... Phare français, il balaye de sa lumière les cinq parties de la terre. Il s'appelle le port de Marseille. » (1927, Albert Londres.)

Soixante ans plus tard, deux générations à peine, mais des années-lumière. Marseille - Marseille antique, lieu de civilisation, de rencontres, d'échanges - Marseille port de la Méditerranée, ouvert sur toutes les grandes civilisations de l'Occident et de l'Orient - et Marseille aujourd'hui, abcès de fixation, haut lieu de l'immigration et haut lieu de la tension raciste.

Pourquoi ce basculement, pourquoi cette crise ? Tout commence dans le quotidien, dans les cercles vicieux du quotidien, des cités. C'est toujours la même histoire. Pendant les trente glorieuses, la France devient un État industriel moderne. Elle a besoin de main-d'œuvre. Elle la fait venir des campagnes, et d'ailleurs, d'Espagne, du Portugal, du Maghreb. Cette main-d'œuvre, on lui construit, vite, trop vite, et mal, des cités immenses, des machines qui n'ont qu'une fonction : que les ouvriers puissent y loger... Pas y vivre. À Marseille, la ville croît vers le nord. À toute allure. Grandies trop vite, ces cités ne constituent pas une cité. Elles manquent de l'essentiel. Dans le XIIIᵉ et le XIVᵉ arrondissement de Marseille, il n'y a, ainsi, que... quatre salles communes. Les mariages, les fêtes, il faut les faire ailleurs - souvent dans des appartements. Là, les difficultés commencent. Les cloisons sont minces. Tout peut devenir gêne pour le voisin, et toute gêne devient vite insupportable.

Dehors, rien, ou si peu de choses. Pas de terrains de sport, des terrains vagues. Pas de gymnases. Rien d'autre à faire que ne rien faire. Vient la crise, le chômage. Il touche d'abord, et le plus fort, les emplois les moins qualifiés, les emplois pour lesquels on est allé chercher tant d'étrangers. Les loyers rentrent déjà plus difficilement, les offices d'HLM gèrent au jour le jour, ils économisent sur l'entretien. Le cycle des dégradations commence. Si une boîte aux lettres cassée est réparée le jour même, c'est une boîte aux lettres qui a été cassée, un point c'est tout. Mais si une semaine passe, si personne ne paraît vouloir faire quelque chose, ça n'est plus une boîte aux lettres qui est cassée, ce sont dix boîtes aux lettres qui sont détruites - et bientôt le temps où les boîtes aux lettres pouvaient servir à ce qu'on y mette les lettres paraît lointain.

Dix boîtes aux lettres cassées en bas d'une cage d'escalier, c'est une cage d'escalier avec des graffiti, une cage d'escalier qu'on ne nettoie plus, où on ne change plus les ampoules grillées - peu à peu une cage d'escalier où on trouve normal que les vitres soient cassées, que les globes d'éclairage disparaissent.

La crise dure. Les immigrés sont de plus en plus nombreux à perdre leur emploi, leurs enfants de moins en moins nombreux à en trouver. Pour eux, à seize ans, l'école c'est fini. Où aller ? Il n'y a pas où aller. Alors ils sont là, dans les cages d'escalier, dans les halls d'entrée des immeubles. Ils zonent.

Et tout se délite peu à peu. La misère vient, et avec elle la délinquance. Les vols se multiplient. Les tensions entre voisins s'exacerbent. Construits trop vite, peu adaptés à leurs habitants, les bâtiments n'arrangent rien. Les appartements sont trop petits pour les familles nombreuses, l'atmosphère y est étouffante - et les jeunes préfèrent encore rester dehors. Le moindre bruit se répercute chez le voisin du dessus, chez le voisin du dessous, chez les voisins d'à côté.

Tout concourt à transformer le chômage, la médiocrité du logement en crise entre communautés. Les jeunes qui traînent dans les cités, ce sont souvent, très souvent, des enfants d'immigrés. Normal : leurs parents habitent là, ils ont plus d'enfants que les autres - et les jeunes ne trouvent pas d'emploi. Les décalages de coutumes, de rythme de vie deviennent autant de sources de tension : le Ramadan fournit chaque année son lot d'incidents, de petits drames, parfois de vrais drames. Dans cet environnement, tout devient agression : le moindre bruit est intolérable, toute silhouette dans la nuit passe pour celle d'un voleur d'autoradio en puissance, le terrain est mûr pour les tragédies de l'autodéfense. L'étonnant, c'est peut-être qu'il n'y en ait pas encore plus... Alors les Français qui le peuvent s'en vont - s'ils sont fonctionnaires, militaires, ils se débrouillent pour obtenir de changer de cité. En 1966, il y avait 20% de Maghrébins, à la cité Fond-Vert dans le XIVᵉ arrondissement de Marseille. Vingt ans après, il ne reste que dix familles françaises ; sur 3 000 habitants, 70% sont arabes.

La cité devient la zone : les petits commerces sont partis - trop de larcins à répétition, et, en plus, la concurrence des hypermarchés ; des équipements collectifs, il n'y en a jamais eu ; l'entretien est depuis longtemps abandonné :

à quoi bon ? Les autorités baissent les bras : au Plan d'Aou, les deux tiers des 900 logements sont inoccupés. Ceux qui le sont encore le sont à 90% par des étrangers. Des carcasses de voitures brûlées traînent. L'office mure les logements des rez-de-chaussée, les habitants des étages mettent du grillage aux fenêtres ; depuis six ans, le centre commercial est fermé - muré lui aussi.

Personne ne peut aimer vivre dans ces cités. Y supporter son voisin, est presque impossible. Terrain parfait pour les thèses racistes : le voisin, c'est un étranger, c'est l'étranger. À la cité des Flamants, 50% de pauvres, 45% de votes pour le Front national... Il ne faut pas aller chercher bien loin pour comprendre comment montent les tensions, comment des enchaînements de causes à effets qui ont bien peu à voir avec la nationalité, avec les origines, avec la religion, avec les coutumes, alimentent le racisme au quotidien. Les virus sont ceux du chômage, du logement, de l'échec scolaire ; et les symptômes sont la haine, le rejet de l'autre, la désignation d'un bouc émissaire.

(Harlem Désir, *SOS Désirs*, Calmann-Lévy, 1987)

Vocabulaire

phare français   prestigieux port français

abcès de fixation   lieu où sont concentrés tous les problèmes

trente glorieuses   30 années de croissance économique d'après-guerre (référence aux « Trois Glorieuses », nom donné à trois journées de révolution en juillet 1830)

terrains vagues   espaces urbains laissés à l'abandon

gèrent au jour le jour   sont trop préoccupés par le court terme pour penser au long terme

zonent   traînent à ne rien faire

se délite   se désintègre

les décalages de coutumes   la distance créée par les différences de coutumes

en puissance   potentiel

devient la zone   se transforme en quartier misérable (et peu fréquentable)

Notes culturelles

Plan d'Aou   cité d'un quartier au nord de Marseille

office   office des HLM

thèses racistes   opinions ou arguments racistes

Les Français qui ont été obligés de rester là parce que leurs moyens ne leur ont pas permis, comme d'autres, de partir, finissent par subir le même type de ségrégation sociale et spatiale que les immigrés. En outre, ils sont pour la plupart « pauvres parmi les pauvres », connus des services sociaux pour les problèmes qu'ils rencontrent ou qu'ils posent. Les « familles lourdes », assistées, ce sont souvent eux, davantage que les familles d'immigrés dont le dynamisme n'est plus à prouver. Ce sont, comme les décrivent les travailleurs sociaux, des familles qui, fréquemment, ne savent plus se prendre en charge ; qui, de génération en génération, n'ont connu que des échecs matériels, affectifs, scolaires, et qui, dans l'élévation générale du niveau de vie, n'ont pas pu s'insérer, tout en s'étant laissé prendre par l'idéologie de la consommation. Ces familles-là sont celles qui posent le plus de problèmes à la communauté. Aussi, le plus fort taux de loyers impayés, c'est chez elles qu'on le trouve, de même que les plus fortes demandes d'aides de toute nature. Car, de surcroît, il s'agit souvent de familles déstructurées, nombreuses à être monoparentales, où les femmes, sans qualification pour la plupart, se retrouvent fréquemment sans ressources et au chômage. Autrement dit, les nombreuses familles françaises vivant sur les mêmes lieux que les immigrés sont des familles marginalisées, pauvres, qui supportent mal d'être logées à la même enseigne que les étrangers avec lesquels elles craignent d'être confondues et qu'elles jalousent dès qu'ils bénéficient des mêmes avantages qu'elles-mêmes. Elles finissent par se sentir minoritaires (même lorsque ce n'est pas le cas) et développent un complexe obsidional facile à exploiter dans le sens du racisme. […] Partout, on constate la même mise en garde, véritable leitmotiv depuis quelques années, contre la présence importante d'étrangers en un même lieu de résidence. Il s'agit officiellement

d'une crainte de voir se constituer des ghettos. En réalité, c'est affirmer indirectement que là où vivent des étrangers en nombre relativement important, il ne peut qu'y avoir des conflits parce qu'ils en sont intrinsèquement porteurs. (De là à désigner tous les étrangers comme des voyous et des délinquants en puissance, il n'y a qu'un pas, très vite franchi.) Parce qu'ils sont « différents », inintégrables et qu'ils constitueraient en eux-mêmes une « nuisance », comme le disait un jeune Marocain de Dreux, dans le très beau reportage de télévision « Les étrangers sont-ils toxiques ? » Cela signifie donc que les étrangers sont seuls responsables des malaises perçus dans les grands ensembles ou les quartiers populaires. […]
Le logement, qui, dans certaines conditions, est un facteur d'intégration, ne l'a pas été ici. Tant que les immigrés avaient, en quelque sorte, des logements spécifiques (bidonvilles, baraques de chantier, cités de transit, etc.), qu'il n'y avait donc pas de cohabitation, leurs différences dans les modes de vie, s'il y en avait, ne se remarquaient pas. Par la suite, lorsqu'ils ont commencé à avoir accès avec leurs familles au logement social, on a essayé de les disséminer le plus possible par « souci de faire accepter aux Français la présence des immigrés en la leur dissimulant le plus possible », explique Jacques Barrou qui ajoute : « Le fait de vouloir faire d'eux des citoyens de la ville comme les autres en retirant les moyens spécifiques qui avaient permis de les imposer sur un espace, a contribué à accroître leur visibilité dans un contexte global défavorable où ils sont le plus souvent montrés comme fortement perturbateurs et sources d'agression contre la société globale. »
La venue des familles a accentué cette « visibilité », ne serait-ce que par l'accroissement du nombre d'étrangers qu'elle a occasionné. En outre, qui dit familles dit enfants. Or les enfants se font toujours remarquer. Surtout, elles se sont naturellement introduites dans

tous les espaces sociaux à la fois (alors que ces travailleurs étaient naguère confinés dans un habitat spécifique et dans les entreprises). On les voit aujourd'hui dans les écoles, les commerces, les rues, les centres de soins, les espaces de loisirs, les jardins publics, les transports en commun. Enfin, on ne peut négliger le fait que les épouses, venues dans leur majorité plusieurs années après les travailleurs, se sont intégrées beaucoup plus lentement et tardivement, en particulier celles qui, ne travaillant pas à l'extérieur (c'est le cas de la plupart des Maghrébines), se sont trouvées très isolées par rapport à la population française. Par ailleurs, elles n'avaient pas été préparées à leur transplantation qui leur a souvent été imposée. Culturellement, elles sont, généralement, beaucoup plus fidèles que les hommes aux coutumes et aux traditions de leur pays qu'elles sont, en principe, chargées de transmettre aux enfants. En ce sens, elles constituent un facteur important de « visibilisation » des immigrés. Puis viennent leurs enfants, que l'on remarque presque toujours plus que les petits autochtones. C'est aussi cette « visibilité » qu'on a appelée « distance culturelle ».

(J. Minces, *La Génération suivante*, Flammarion, 1986)

Vocabulaire

familles lourdes   familles les plus difficiles pour les services sociaux

se prendre en charge   résoudre leurs problèmes elles-mêmes

être logées à la même enseigne   être traitées de la même façon

complexe obsidional   psychose de celui qui se sent assiégé

ils en sont intrinsèquement porteurs   ils portent en eux les causes de ces conflits

par souci de   parce qu'on voulait essayer de

soins   soins médicaux

autochtones   Français d'origine

Note culturelle

la venue des familles   l'arrivée des autres membres d'une même famille à cause de la politique de « regroupement familial »

Les géraniums

2.11 Adil Jazouli : La parole aux jeunes Maghrébins

« Les nouvelles formes d'expression qui apparaissent chez les jeunes Maghrébins de France portent souvent la marque d'une longue expérience et d'un profond sentiment d'exclusion sociale, économique et politique. […]
Dans l'analyse de ce sentiment d'exclusion qu'expriment un grand nombre de ces jeunes, plusieurs significations apparaissent : ils se sentent exclus parce qu'ils sont d'origine maghrébine, enfants de manœuvres et d'ouvriers, jeunes dans une société vieillissante que leur jeunesse effraie : ce sentiment d'exclusion commence pour certains très tôt à l'école, ensuite, c'est le lieu d'habitation, le manque de loisirs et de moyens, des frustrations quotidiennes de leurs désirs et rêves d'enfants ou d'adolescents.
Le sentiment d'exclusion est renforcé par les conditions de logement qu'ont subies la plupart des familles d'origine maghrébine : bidonvilles, cités d'urgence ou de transit, cités HLM coincées entre deux autoroutes ou reléguées à la périphérie des agglomérations urbaines, etc. D'autant plus que très souvent, le lieu d'habitation donne une « renommée » aux jeunes qui y habitent et conditionne en partie leur scolarité et leur accès au monde professionnel. Dans une monographie, un jeune qui avait vécu dans les années soixante dans le plus grand bidonville de la région parisienne, « La Folie » à Nanterre, raconte :
- « Vraiment, je me demande, qui est-ce qui a pu inventer le bidonville ? Un sadique certainement (...). Les ordures, on les laissait ; les rats, on les laissait ; les gosses tombaient malades, ils avaient pas de place pour apprendre à marcher. On avait honte, on était sales, et pourtant on essayait d'être propres pour pas qu'on sache qu'on était du bidonville ».
Plusieurs histoires allant dans le même sens sont racontées par des jeunes des cités de transit de la région parisienne, de Marseille et d'ailleurs...
- « Comment veux-tu te sentir comme les autres quand tu vis dans une cité pourrie, qui a été construite pour deux ans et qui dure depuis dix ans, coincée entre une autoroute et une ligne de chemin de fer, avec comme horizon une zone industrielle. J'y ai vécu jusqu'à l'âge de dix-huit ans, après je me suis tirée, c'était ça ou la super-dépression nerveuse, ou le suicide, comme pas mal de filles de la cité. Quand tu vis là dedans, tu es convaincue que ça été voulu comme ça, qu'on t'a mis sur la touche pour que tu y restes, pour que tu te sentes jamais chez toi, tu es là près de la sortie, et à tout moment, on peut te mettre carrément dehors ». (Malika, 25 ans, Marseille) Pour d'autres jeunes, ceux qui ont grandi dans les grands ensembles et les ZUP qui ont été construites à tour de bras dans les années soixante, le sentiment d'être exclu est le même, mais il est différent dans sa nature : si on les a parqués à la périphérie des villes, ce n'est pas pour les exclure totalement de l'espace urbain et social, mais pour les empêcher d'y entrer.

RACINES DE BÉTON

Mais en même temps, beaucoup de jeunes aiment leur cité, malgré l'envie de partir loin, qui les traverse à tout moment quand l'impression d'étouffer sous le poids des tours devient insupportable. Ainsi, au moment où, durant l'été 1983, certaines tours du quartier Montmousseau de la ZUP des Minguettes devaient être détruites dans le cadre d'un programme de réhabilitation, plusieurs groupes de jeunes adolescents d'origine maghrébine ont essayé de s'y opposer, alors même qu'il y avait consensus général sur la nécessité de cette opération : pour eux, c'était leur enfance, leur maison, leur passé, leur territoire qu'on faisait imploser en même temps que ces tours. Les politiques urbaines apparaissaient alors comme étant toujours imposées par des institutions ou des centres de décision lointains. Mêmes certains jeunes militants de l'association « SOS Avenir Minguette », qui avaient pourtant été associés partiellement au plan de réhabilitation du quartier, étaient partagés !

- « À quoi ça rime maintenant de détruire les tours, c'est déjà trop tard, on est marqués, catalogués, il fallait pas construire autant de tours, ils nous demandent notre avis quand il n'y a plus d'autre solution, sinon ils s'en passeraient bien. En attendant, c'est tous nos souvenirs qu'ils dynamitent ». (F.A., 22 ans, les Minguettes) (...) »

(Adil Jazouli, « La parole aux jeunes Maghrébins », *Droit de vivre*, septembre-octobre 1994)

Vocabulaire

pour pas qu'on sache (*fam.*)   pour qu'on ne sache pas

je me suis tirée (*arg.*)   je suis partie

on t'a mis sur la touche   on t'a laissé de côté, exclu

ZUP   zone à urbaniser en priorité

à tour de bras   en y mettant toute son énergie, sans compter

étaient partagés   hésitaient

à quoi ça rime   (français parlé) à quoi ça sert

Notes culturelles

cités d'urgence ou de transit   bâtiments construits en urgence, pour fournir des logements temporaires

la ZUP des Minguettes   une des banlieues « difficiles » de Lyon (aujourd'hui détruite)

« La France aux Français » est le slogan des Croix de Feu, un mouvement ultra-nationaliste d'avant-guerre. Le symbole à droite de la photo est celui du parti d'extrême-droite, « Ordre Nouveau » (disparu aujourd'hui).

Éducation et cultures

L'école française a toujours été un puissant outil d'intégration nationale. Refusant, dans la tradition républicaine, de distinguer les enfants en fonction de leur appartenance régionale, ethnique ou religieuse, elle imposait à tous un moule culturel unique, une assimilation forcée. Ainsi l'école a-t-elle constituée une véritable machine à franciser Bretons, Basques et immigrés de toutes origines.

À partir des années soixante-dix, dans un climat plus favorable au respect des identités culturelles, l'école s'est ouverte aux langues et cultures des pays d'origine des enfants : grâce à une pédagogie plus respectueuse des « différences », on espérait favoriser l'épanouissement des enfants d'immigrés à l'école, et améliorer ainsi leurs performances scolaires.

Cette expérience a cependant été abandonnée, et l'on est revenu aux principes traditionnels de l'école républicaine : l'appartenance à une culture familiale différente n'explique pas l'échec scolaire ; si les enfants d'immigrés réussissent moins bien à l'école que la moyenne des petits Français, c'est qu'ils appartiennent en majorité aux classes sociales défavorisées. À origine sociale égale, les élèves qui ont des parents français ont des taux de réussite similaires à ceux dont les parents sont étrangers.

Manifestation de SOS racisme

(Paris, le 29 novembre 1987 - SOS Racisme, © Alain Pinoges/CIRIC)

2.13 La francisation par l'école

« J'en témoigne : fils d'immigré, c'est à l'école et à travers l'histoire de France que s'est effectué en moi un processus d'identification mentale. Je me suis identifié à la personne France, j'ai souffert de ses souffrances historiques, j'ai joui de ses victoires, j'ai adoré ses héros, j'ai assimilé cette substance qui me permettait d'être en elle, à elle, parce qu'elle intégrait à soi non seulement ce qui est divers et étranger, mais ce qui est universel. Dans ce sens, le « nos ancêtres les Gaulois » que l'on a fait ânonner aux petits Africains ne doit pas être vu seulement dans sa stupidité. Ces Gaulois mythiques sont des hommes libres qui résistent à l'invasion romaine, mais qui acceptent la culturisation dans un Empire devenu universaliste après l'édit de Caracalla. Dans la francisation, les enfants reçoivent de bons ancêtres, qui leur parlent de liberté et d'intégration, c'est-à-dire de leur devenir de citoyens français.

Il y a eu certes des difficultés et de très grandes souffrances et humiliations subies par les immigrés, vivant à la fois accueil, acceptation, amitié et refus, rejet, mépris, insultes. Les réactions populaires xénophobes, la permanence d'un très virulent antisémitisme, n'ont pu toutefois empêcher le processus de francisation, et, en deux ou au plus trois générations, les Italiens, Espagnols, Polonais, juifs de l'Est et de l'Orient méditerranéen, se sont trouvés intégrés jusque dans et par le brassage du mariage mixte. Ainsi, en dépit de puissants obstacles, la machine à franciser laïque et républicaine a admirablement fonctionné pendant un demi-siècle ».

(Edgar Morin, « Origine du conjoint », *Le Monde*, 23 mars 1995)

Vocabulaire

ânonner lire en hésitant (comme un débutant)

la culturisation l'adaptation culturelle

laïque ne reconnaissant aucune religion officielle

Notes culturelles

« nos ancêtres les Gaulois » ainsi débutaient les livres d'histoire de France des écoles primaires, qu'étudiaient même les petits Africains de l'Empire colonial français

l'édit de Caracalla l'empereur romain Caracalla donna le statut de citoyen romain aux habitants de l'Empire

2.14 L'école et le souci des différences

J-P. - Je viens de recompter mes élèves. Ne parlons pas « nationalité » : beaucoup, nés en France ou arrivés depuis longtemps, sont de nationalité française. Parlons plutôt origine : sur 28 élèves, on compte 10 Européens et 18 d'origine africaine (8 d'Afrique du Nord, un Antillais, les autres d'Afrique noire ou métissés). Les pays sont divers : Cameroun, Congo, Mali, Zaïre, Sénégal...

Concrètement, que peut-on voir dans mon école qui traduit notre souci des différences, des diverses cultures ?
Au mois de septembre, une maîtresse de CM1 avait affiché dans le couloir des photos d'enfants de tous pays, prises dans un ancien calendrier de l'UNICEF. Il a fallu chercher pour ajouter une petite Européenne parce que cela ne reflétait pas exactement la réalité. Des initiatives comme celles-là montrent que nous sommes tout de même sensibles à la diversité de races que nous rencontrons dans nos classes.
En début d'année, dans ma classe, chacun se présente en disant de quel pays il vient, ou du moins d'où viennent ses parents. Chaque enfant essaie de faire le drapeau du pays de son origine. On tente de voir plus loin que le pays où l'on vit ; j'ai affiché dans la classe une carte du monde et nous y recherchons ensemble leur pays : les enfants y sont très sensibles. Ma collègue de CP le fait aussi. Ainsi, un démarrage en primaire se fait à partir de la géographie.

Sur le plan pédagogique, c'est autre chose. Une collègue me dit ne vouloir faire étudier la France qu'en fin d'année : « L'enfant se préoccupe de son espace proche ; pourquoi lui parler de l'espace lointain ? Pour lui, la France, qu'est-ce que c'est ? » Cette collègue a plus d'expérience que moi en CE1. Pourtant quand je vois les enfants passionnés à rechercher leur pays sur la carte, je ne vois pas pourquoi j'attendrais la fin de l'année, qu'ils aient « mûri » en passant de 7 à 8 ans, pour les faire parler de leur pays...
J'ai donc continué. J'ai fait un album des différents pays, avec des photos de villages, des timbres, des cartes postales. Je mettais l'album à la disposition des enfants. Je le transforme d'année en année, les pays d'origine des élèves n'étant plus les mêmes. Avec petits moyens concrets, les enfants se reconnaissent dans la classe.
Cette année, je n'ai rien dit de cet album, mis à côté de mon bureau, mais seulement : « Les documents qui sont là, vous ne les prenez pas, vous ne les mélangez pas... » Cette fois, je ne les avais pas classés par pays, mais par thèmes. Et un jour, je vois Sélimata, du Mali, qui ouvre l'album et me dit : « C'est bien, ça ! » et va chercher d'autres enfants pour faire partager sa découverte !
M-L.B. - Avec les « Femmes du Lundi », nous avons eu la même surprise. Elles n'avaient jamais lu de carte. Nous avons recherché sur une carte du monde l'Algérie, la Tunisie, le

Sénégal... Puis je me suis procuré à l'IGN une carte d'état-major de leur région : elles y ont découvert leurs villages, les marigots où elles allaient puiser l'eau, le coude du fleuve où elles lavaient le linge, l'emplacement des marchés... Fatima a même identifié « sa » case, dans « son » village. À partir de là - l'imaginerait-on ? - nous avons pu étudier les points cardinaux : le Nord, le Sud, l'Est et l'Ouest prenaient un sens. Et enfin, nous sommes arrivées à lire... le plan d'Évry ! Nous aussi avons fait du chemin en sens inverse.

L'insertion : déracinement ou double culture ?

J-P. - Mais, dans le même temps, j'entends des collègues dire : « Ils sont en France : c'est pour s'adapter au système français et l'école est faite pour cela ». Mais ... les adapter à la France sans leur faire perdre leur identité culturelle ?
M-L.B. - On dit « insertion ». Mais comment insérer si on ne fait pas la place à ce qui doit être inséré ? Comment les immigrés et leurs enfants pourront-ils « s'insérer » si on leur fait constamment sentir qu'il sont « étrangers » et qu'il leur faut tout abandonner de ce qui les faisait vivre ? S'insérer, ce n'est pas tout abandonner, c'est accéder à une double culture...

(M.L. Bonvicini, *Immigrer au féminin*, Les Éditions de l'Atelier, 1992)

Vocabulaire

l'IGN Institut Géographique National

une carte d'état-major carte détaillée (établie par les autorités militaires)

marigots bras morts des fleuves (sous les tropiques)

case maison (habitation rudimentaire des pays chauds)

Notes culturelles

CM1 cours moyen 1ère année : classe dans laquelle les élèves ont neuf ans

CP cours préparatoire : classe dans laquelle les élèves ont six ans

CE1 cours élémentaire : 1ère année : classe dans laquelle les élèves ont sept ans

« Femmes du Lundi » séance d'éducation, réservée aux femmes immigrées

Évry ville nouvelle de la banlieue sud de Paris

2.15 « Petite feuille grands carreaux »

Petite feuille grands carreaux. Je m'appelle Souleymane. Je suis plutôt calme et timide en classe et à l'école. Mais dehors je suis une autre personne : exité. Je ne sors pas beaucoup. Sauf pour aller à la boxe. Je voudrais réussir ma vie dans la clim plus tard et surtout je n'aime pas la conjugaison. Petite feuille grands carreaux perforée. Khoumba c'est mon prénom mais je ne l'aime pas beaucoup. J'aime le français sauf si le professeur est nul. Les gens disent que j'ai un mauvais caractère, c'est vrai mais ça dépend comment on me respecte. Feuille de cahier de brouillon. Djibril c'est mon prénom. Je suis malien et je suis fièr car cet année le Mali va participer à la coupe d'Afrique. Ils tombent avec la Libi, l'Algérie et le Mozambic. J'aime bien mon collège car les profs laisse faire sauf quant on est tro agité. C'est dommage je le quitteré à la fin de l'année car je suis en troisième. Grande feuille perforée petits carreaux. Je m'appelle Frida, j'ai 14 ans et ça fait aussi le même nombre d'années que je vis à Paris avec mon père et ma mère. Je n'ai ni frère ni soeur mais beaucoup d'amies. J'aime la musique, le cinéma, le théâtre et la danse classique que je pratique depuis dix ans. Plus tard je voudrais être avocate car je pense que c'est le meilleur métier du monde et que c'est génial de défendre les gens. Niveau caractère je suis très gentil et agréable à vivre, mais mes parents ils disent que je réfléchis trop. Par contre je suis parfois lunatique et je pense que c'est parce que je suis née sous le signe des Gémeaux.

Petite feuille grands carreaux arrachée d'un cahier. Je m'appelle Dico et j'ai rien à dire sur moi car personne me connaît sauf moi.

Feuille d'agenda arrachée, lignes horizontales sans carreaux. Je m'appelle Sandra et je suis un peu triste de revenir à l'école mais aussi contente car j'aime bien l'école, surtout le français et l'histoire, quant on apprend comment les humains ont construit le monde dont nous vivons aujourd'hui. J'aurai encore plein de choses à dire mais vous allez bientôt ramasser ma feuille car j'ai voulu trop bien faire et j'ai commencée à écrire que il y a deux minutes excusez moi pour les faute.

Feuille petits carreaux arrachée d'un cahier à spirale. Tony Parker est le meilleur basketeur. C'est pour sa il joue en amérique. Il est petit mais il court vite et il fait des magnifiques shoots à 3 pts. Mais en fait il est grand. Quant il ai a coté du journaliste, s'est le journaliste qui ai petit. Signé : Mezut.

Petite feuille perforée grands carreaux. Je m'appelle Hinda, j'ai quatorze ans et je suis heureuse de vivre. Plus tard je voudrais être institutrice. J'aimerais être en maternelle, comme ça il y a moins de travail, une feuille et un feutre ça les occupe toute la journée. Non, je rigole, c'est juste que j'aime beaucoup les enfans et aussi les livres d'amour.

Petite feuille grands carreaux. Je m'appelle Ming. J'ai quinze ans, je suis un chinois. J'habite au 34, rue de nantes 75019 avec mes parents et j'allais à l'école avec mes copains, je suis en Quatrième 2 et c'est un peu difficile pour moi comme je ne parlais pas très bien français. Mes bien points est je suis gentille et travailleur. Mes mauvaises points est je suis curieux.

Demi-feuille Canson. Je m'appelle Alyssa, j'ai treize ans et des problèmes au genou car j'ai grandi trop vite. Le français je ne sais pas encore ce que j'en pense. Des fois je l'aime, et des fois je trouve ça totalement inutile de se poser des questions qui n'ont pas de réponse. Je voudrais être médecin humanitaire car jour un médecin humanitaire m'a parlé de son métier et j'ai su que c'était ça qu'il faut faire. J'en dis pas plus, je vous laisse juger par vous-même.

(François Bégaudeau, *Entre les murs*, Éditions Gallimard, 2006, pp. 22–5)

Vocabulaire

Mais dehors je suis une autre personne : exité (*incorrect*) excité (La faute d'orthographe de l'élève ajoute ici un petit jeu de mot fondé sur le mot anglais *exit*. Dans cet extrait l'auteur reproduit à l'écrit la façon de parler de ses élèves, avec leur accent et leur syntaxe. Ceci produit souvent des phrases qui ne sont pas grammaticalement correctes. Il y a d'autres exemples tout au long de l'extrait.)

Note culturelle

Petite feuille grands carreaux ceci fait reference à la taille et au quadrillage des differentes feuilles de papier utilisées pour les fournitures scolaires.

Attachée à maintenir sa culture d'origine, la première génération rêve souvent de retourner au pays, et ne s'intègre que très partiellement à la société d'accueil. La génération des enfants, qui a grandi en France, est parfois au contraire celle de la « rupture » : étrangers aux valeurs et au pays d'origine de leurs parents, les jeunes issus de l'immigration veulent s'intégrer. Mais il existe aussi une nouvelle génération d'enfants d'immigrés, qui ayant été témoins de l'échec d'intégration de leurs parents, de leur misère, ont choisi de ne pas s'intégrer. C'est un retour aux sources. Privés d'identité, les jeunes nés en France de parents maghrébins se sont donnés le nom de « Beurs » dans les années quatre-vingts. Le mot est né de l'inversion des syllabes du mot *reub* (« arabe »), donnant Beur.

2.16   La génération de la rupture

Les générations des tranchées et des mines ont dû s'éteindre. Celle qui a surgi ces dernières années a ceci de particulier : elle n'a pas fait le voyage. Génération involontaire, elle est destinée à encaisser les blessures. Ces jeunes, dont on estime le nombre à 400 000, ne sont pas immigrés dans cette société ; ils le sont dans la vie. Renvoyés à la périphérie, partout en exil, nomades de leur propre être, ils tournent en rond et parfois s'engouffrent dans un tunnel, un labyrinthe d'où ils sortent en piteux état.

Nés en France, ils ont grandi, comme ces herbes sauvages qu'on ne voit pas jusqu'au jour où elles envahissent le jardin et où on se met à les arracher. Ces jeunes vivent avec l'idée d'être un jour ou l'autre fauchés parce qu'ils n'étaient pas prévus ni attendus ; ils débarquent aujourd'hui avec leur vingt ans dont personne ne veut. Eux aussi, comme Paul Nizan, ils ne laisseraient personne dire que c'est le plus bel âge de la vie. Ils sont là sans l'avoir voulu, sans avoir rien décidé et doivent s'adapter au paysage où les parents sont usés par le travail et l'exil, comme ils doivent arracher les jours à un avenir non dessiné et qu'ils sont obligés d'inventer à défaut de le vivre.

Génération à l'avenir confisqué ou plus précisément omis, laissé de côté par les uns, préfabriqué par les autres, inimaginé par tous, elle pose aujourd'hui aussi bien à la France qu'au pays des parents un problème quasi insoluble. On dirait qu'ils ont débarqué dans la vie à l'insu de tout le monde ; et puis ils ont grandi sans qu'on les ait vus grandir. Ils ont eu vingt ans presque à contrecœur. Déjà, à dix-huit ans, il leur faut choisir pour quel pays se battre un jour. Ils se sentent cependant comme ces enfants faits dans la peur ou le péché et qu'on a oubliés ou qu'on a décidé de ne pas déclarer à l'état civil pour ne pas avoir à les reconnaître un jour et être responsables de leurs faits et gestes.

Adil Jazouli, qui a étudié cette génération constate : « Les enfants sont allés à l'école française, ils ont grandi dans les quartiers populaires français, leurs copains sont français et, brusquement, les parents s'aperçoivent qu'entre eux et leur progéniture, un écart énorme se creuse. Leurs enfants ne les comprennent plus, et vice versa ; ils ont enfanté une génération de mutants. » Problème d'identité ? C'est plus complexe. C'est un problème de paternité ou plus exactement de maternité : la France qui les a vus naître se comporte comme une marâtre embarrassée, sans tendresse et sans justice.

(T. Ben Jelloun, *L'Hospitalité française*, Éditions du Seuil, 1997)

2.17   Le voile du silence

Je compris alors qu'il m'avait menée en bateau, qu'il s'était payé la tête d'Olivier, qu'il n'accepterait jamais que j'épouse un Français, que j'étais cloîtrée pour toujours : je décidai de m'enfuir.

M'enfuir avec le danger que cela comportait. Mon père, « déshonoré », déciderait sûrement de me supprimer. J'allais être bientôt majeure, certes, mais majeure aux yeux de la loi : pas de « nos » lois. J'étais une femme algérienne, donc une éternelle mineure. Mais j'étais prête à tout plutôt que de continuer à vivre ainsi. J'exposai mon plan à ma mère, avec le secret espoir qu'elle pourrait me défendre, le temps venu, vis-à-vis de mon père.

- Tu sais, je ne pars pas pour suivre un garçon, je pars pour vivre de façon autonome. J'irai d'abord chez une amie... C'était exact. Une ancienne camarade de l'école du spectacle, que j'avais pu joindre en secret, accepta de venir me chercher en voiture, une nuit...

Ma mère, jusqu'ici complice, se mit alors en travers de mon chemin, me frappa essayant de m'empêcher de partir. Je suppose qu'elle craignait les représailles paternelles.

Elle n'avait pas tort. Quand mon père rentra le lendemain matin et s'aperçut de mon absence, il prit un revolver et partit comme un fou en hurlant : « Je vais la tuer, je vais la tuer ! » Puis, ne sachant où me trouver, il revint se venger sur sa femme, l'accusant de m'avoir mal élevée, la corrigeant pour cette faute.

Je connus ces détails quand je revis ma mère et ma sœur Fatima en cachette, par la suite, de temps en temps, dans un café ou sous un porche. J'avais alors trouvé un poste d'hôtesse d'accueil et repris, parallèlement, des cours à l'université de Vincennes, dans la section « cinéma ». Je logeais dans une chambre de bonne, à la grande surprise d'Olivier qui me disait sans cesse :

- Pourquoi ne viens-tu pas habiter chez nous ? Mes parents t'aiment beaucoup, ils sont prêts à te recevoir.

Il avait en effet un père et une mère adorables, tout disposés à m'adopter. Mais moi, empêtrée dans mes vieux principes malgré ma révolte permanente, je ne voulais pas qu'il fût dit que j'étais partie « avec un homme ». Je voulais prouver à mes parents que j'étais restée une fille « honorable ».

(D. Djura, *Le Voile du silence*, Éditions Michel Lafon, 1991, pp. 64–5)

Vocabulaire

m'avait menée en bateau   m'avait trompée (le père a laissé croire à sa fille qu'il accepterait son union avec Olivier, qui est français)

s'était payé la tête de   s'était moqué de, avait fait marcher

supprimer   tuer

mineure   personne n'ayant pas encore atteint l'âge de la majorité légale

joindre   contacter

corrigeant   battant

Notes culturelles

il   la jeune Algérienne qui parle se réfère à son père

hôtesse d'accueil   femme chargée de recevoir les visiteurs, par exemple dans une entreprise

Femme du Maghreb, portant le voile et son sac à provisions

Pratiques religieuses en France

2.18   Le fait religieux : Sondages sur religion, foi, pratiques religieuses

11/06/2008 | 09:57 par Dossier réalisé par Jacques Hamon

SONDAGE SUR LA RELIGION DES FRANÇAIS (AVRIL 2007)

Plus des deux tiers des Français (69%) disent avoir une religion contre 29% qui disent ne pas en avoir, les autres ne se prononçant pas, selon un sondage TNS-Sofres pour l'Epiq (Étude de la presse d'information quotidienne) publié jeudi.

59% des personnes interrogées se considèrent comme catholiques, 3% musulmans, 2% protestants, 1% juifs, 1% bouddhistes. 1% de la population déclare appartenir à « une autre religion », 2% à leur « propre religion », enfin 2% ne se prononcent pas et 29% déclarent ne pas avoir de religion.

Selon le sondage, plus on est vieux, plus on est catholique : 44% des 15-34 ans se disent catholiques, 61% des 35-59 ans et 75% des plus de 60 ans.

Seulement 17% de ceux qui ont une religion la pratiquent au moins une fois par mois, mais on constate un regain d'assiduité chez les jeunes : parmi les 15-24 ans, 22% pratiquent au moins une fois par mois, 12% parmi les 25-34 ans, 10% parmi les 35-49 ans, 15% parmi les 50-64 ans, 25% parmi les 65-74 ans et 31% chez les plus de 75 ans.

Les plus assidus sont les protestants, avec 34% qui déclarent pratiquer au moins une fois par mois, suivis des musulmans (32%), des juifs (25%) et enfin des catholiques (15%). Seuls les bouddhistes sont encore moins pratiquants que les catholiques (14%).

Le sondage a été réalisé par téléphone, du 3 janvier au 4 mars 2007, auprès d'un échantillon national de 4.794 individus âgés de 15 ans ou plus.

SONDAGE SUR LA CARTE DE FRANCE

DES CROYANTS ET DES ATHÉES

L'hebdomadaire *La Vie* dessine la carte des croyants et des athées à partir d'un sondage de l'Ifop dans son numéro du 28 février 2007, et montre que le catholiscisme reste la religion de 64% des Français, loin devant l'islam avec 3%, les sans religion étant plus de 27%.

Ce sondage s'est bâti sur plusieurs enquêtes réalisées entre 2003 et 2006 autour d'une seule question : « de quelle religion vous sentez-vous le plus proche ? ».

D'emblée, 27,6% de la population se déclarent sans religion, ce qui place les athées en deuxième position derrière les catholiques.

Près de deux Français sur trois (64%) se disent « proches » du catholicisme, qui est la seule religion à se répartir sur tout le territoire (47% minimum par département). Elle conserve deux bastions, dans l'Est et l'Ouest.

Loin derrière figurent les Français se disant proches de la religion musulmane, qui sont 3% en moyenne avec quelques départements où ils dépassent les 6%, en banlieue parisienne (Seine-St-Denis, Val-de-Marne, Val d'Oise), dans le Haut-Rhin, la Loire ou encore l'Eure-et-Loir.

Vient ensuite la religion protestante (2,1%), qui conserve quelques places fortes comme le Bas-Rhin, le Territoire de Belfort, le Doubs, la Drôme, le Gard ou le Lot.

Enfin, le judaïsme apparaît en dernière position des grandes religions monothéistes avec 0,6% des Français s'en disant proches, dont la moitié réside en Île-de-France.

Sondage comportant 91 enquêtes réalisées sur la période 2003/2006 auprès d'échantillons de

1 000 personnes représentatifs de la population française, selon la méthode des quotas.

SONDAGE SUR LA PLACE DES RELIGIONS

La majorité des Français estiment que les religions occupent aujourd'hui une place plus importante qu'il y a dix ans et 78% pensent qu'elles constituent un besoin essentiel de l'homme, selon un sondage publié dans le numéro septembre-octobre 2005 de la revue *Le Monde des religions*.

Selon ce sondage CSA, publié dans un dossier intitulé « Pourquoi le XXIe siècle est religieux », 56% de l'ensemble des Français jugent plus importante qu'il y a dix ans la place occupée par les religions dans le monde et 59% l'estiment « trop importante ». Pour la France, ces proportions sont respectivement de 45% et 47%.

« Cette double perception, de la progression des religions d'une part et de leur caractère excessif d'autre part (...) s'alimente à l'actualité », note le magazine, « une actualité plus politique que théologique, où domine la question de l'islam souvent abusivement confondu avec celle de l'islamisme ».

Une très grande majorité - 78% - pensent que les religions sont un besoin essentiel de l'homme et ne vont pas disparaître même si elles se transforment, une opinion partagée par toutes les générations, et aussi bien par les croyants que par les incroyants. Seuls 20% estiment qu'elles correspondent à une mentalité ancienne et vont progressivement disparaître avec la modernité.

Reste que pour 38% des Français, les religions seront un facteur de recul dans le monde au XXIe siècle, pour 14% un facteur de progrès et pour 40% autant un facteur de progrès que de recul.

Sur le plan personnel, 57% pensent que la dimension spirituelle ou religieuse n'est pas importante pour réussir sa vie personnelle tandis que 48% se disent moins intéressés qu'il y a une dizaine d'années par les questions

spirituelles en général. Toutefois, chez les moins de 30 ans, 40% se disent plus intéressés qu'avant par les questions spirituelles.

Le sondage a été réalisé fin juin 2005 par téléphone auprès d'un échantillon national représentatif de 948 personnes âgées de 18 ans et plus, d'après la méthode des quotas.

SONDAGE SUR LES ADOLESCENTS ET LA RELIGION

Croire, pour les adolescents, relève plutôt d'un choix personnel (60% le disent) que d'un héritage familial (40%), selon un sondage Ifop auprès des 11-15 ans que publie *Okapi*, le magazine de Bayard Presse dans son numéro de décembre 2005.

Les filles sont plus nombreuses (65%) à dire que la religion est un choix personnel. Elles sont aussi plus nombreuses à dire qu'une religion se vit intimement : 64% le disent contre une moyenne générale de 57%.

En revanche, chez les jeunes musulmans, 61% situent la religion dans un héritage familial.

Les ados disent avoir parlé de religion en famille (62%), en classe (54%) mais peu entre amis (31%). Ils sont assez intéressés (59%) mais seuls 18% des élèves de l'enseignement public disent être « très » intéressés et le chiffre tombe curieusement à pas plus de 9% chez les élèves du privé.

51% des jeunes voient plutôt des questions dans les religions et 46% des réponses à leurs interrogations sur la vie.

78% considèrent que la religion est une ouverture sur les autres (87% des jeunes se

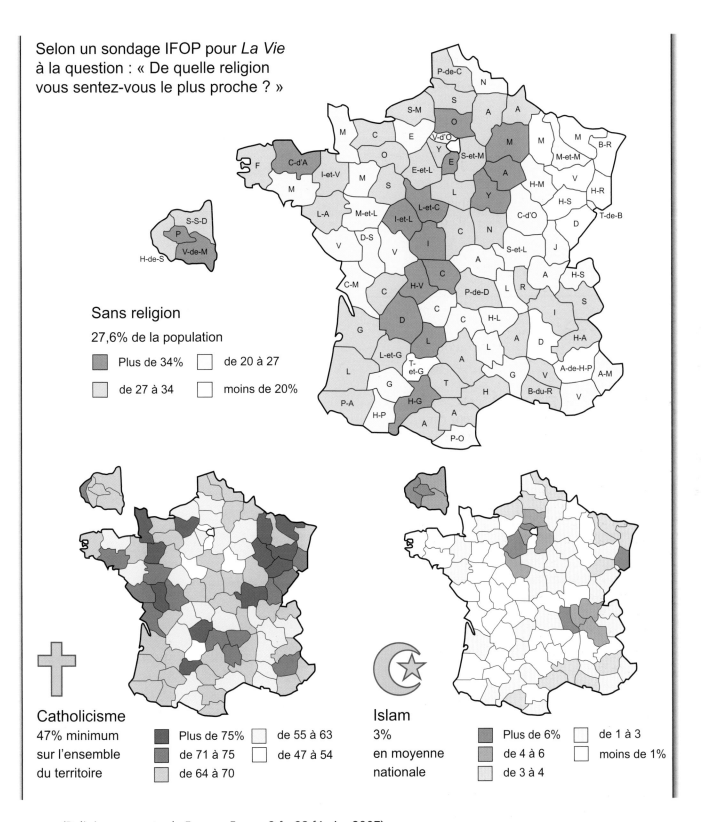

Selon un sondage IFOP pour *La Vie*
à la question : « De quelle religion
vous sentez-vous le plus proche ? »

Sans religion

27,6% de la population

Plus de 34%   de 20 à 27

de 27 à 34   moins de 20%

Catholicisme

47% minimum
sur l'ensemble
du territoire

Plus de 75%   de 55 à 63

de 71 à 75   de 47 à 54

de 64 à 70

Islam

3%
en moyenne
nationale

Plus de 6%   de 1 à 3

de 4 à 6   moins de 1%

de 3 à 4

(Religions — carte de France, France2.fr, 28 février 2007)

disant catholiques ou musulmans et 91% des pratiquants) mais 20% y voient un repli sur soi.

57% des jeunes pensent que la religion apporte plus de libertés que de contraintes (40%), sentiment qui monte à 79% chez les musulmans pratiquants et à 85% chez les catholiques.

Enfin, 47% des jeunes affirment prier de temps en temps, dont même 11% de ceux qui se disent non croyants.

SONDAGE SUR LES SANS RELIGIONS EN EUROPE

La France est le pays européen qui compte le plus d'athées et les « sans religions » sont plutôt des jeunes, diplômés et de gauche, selon *Le Monde des religions* qui consacre son numéro de janvier-février aux athées.

Selon le magazine, qui s'appuie sur l'enquête sur les valeurs des Européens, lancée en 1981, le nombre d'athées convaincus est le plus élevé dans les pays « qui ont présenté ou qui présentent une forme institutionnelle de laïcité ou d'humanisme laïc : laïcité française, piliers humanistes belges et hollandais, courant social-démocrate scandinave, noyau antifranquiste athée espagnol ».

En 1999, le taux d'athées convaincus était de 14% en France, contre 8% en Belgique (comme en Russie), 6% aux Pays-Bas et en Espagne, 5% au Danemark. En Grande-Bretagne, la proportion est de 4% comme en Allemagne de l'Ouest (mais 18% en ex-Allemagne de l'Est). Elle tombe à 3 ou 2% au Portugal, en Italie ou en Autriche.

Les athées convaincus ne représentent qu'un quart environ des sans religion, dont le nombre augmente (25% en 1999 en Europe de l'Ouest contre 15% en 1981).

Le magazine a parallèlement dressé un profil sociologique des « sans religion » en France, à partir d'une compilation de sondages CSA effectués au total auprès d'environ 20 000 personnes.

Un Français sur quatre (24,5%) se reconnaît dans la catégorie des « sans religion ». Ce sont quasiment autant de femmes que d'hommes (respectivement 45 et 55%), plutôt des jeunes (36% chez les moins de 35 ans contre 12,5% chez les plus de 65 ans) et diplômés (34% chez les bac+3 ou +4 contre 17% chez les sans diplôme).

Leur orientation politique est plutôt de gauche (31% contre 14% pour la droite).

Mais sur cent personnes se disant sans religion, 34% espèrent qu'il y a quelque chose après la mort, 22% croient aux miracles et ... 21% croient en Dieu ainsi que 17% au jugement dernier.

(http://culture.france2.fr, dernier accès 2 juin 2009)

On présente souvent l'Islam comme la deuxième religion de France, avec une population de 2,5 à 3 millions de musulmans. Il s'est implanté de façon plus visible avec l'installation définitive des familles maghrébines. Cette visibilité, fortement accrue par l'attention des médias, exacerbe les réactions de rejet à l'égard des populations d'origine maghrébine : un courant d'opinion considère que l'Islam, étranger aux traditions françaises, constitue une menace pour l'identité nationale, la preuve que certaines cultures ne peuvent être assimilées. Pour d'autres, la montée d'un fondamentalisme militant mettrait en péril les valeurs de tolérance et de neutralité religieuse de la République.

La présence de l'Islam n'a cependant rien d'une invasion, si l'on en juge par les taux de pratique religieuse des générations nées en France.

2.19 « Une nouvelle génération hybride »

Interview de El Yamine Soum, Sociologue, auteur avec Vincent Geisser de *Discriminer pour mieux régner. Enquête sur la diversité dans les partis politiques* (Éd. de l'Atelier, 2008)

Les Maghrébins de France ont-ils adopté un comportement que l'on pourrait qualifier de mimétique ?

Au préalable, il faut définir le type de mimétisme dont il est question. Il s'agit là du fait d'adopter un comportement afin de correspondre aux normes et standards sociaux permettant d'être reconnu comme élément à part entière d'un ensemble identifié. Pour les Maghrébins de France, il existe un réel effet générationnel. Dans les années 80, ils avaient un comportement mimétique, à savoir que dans leurs assemblées, il y avait de l'alcool et de la nourriture non halal, par exemple. Alors qu'aujourd'hui, on observe un renversement de cette tendance puisqu'il est très courant de se retrouver dans des restaurants halal ou dans des lieux sans alcools.

Cette nouvelle génération est surtout dans l'hybridation. Elle souhaite continuer son ascension par une quête de notabilité tout en opérant un retour vers le traditionnel et le religieux. Les Franco-Maghrébins adoptent des codes qu'ils « halalisent ». On n'en est qu'au début : le marché cible les musulmans de France et « halalise » de plus en plus de produits. C'est comme le bio, le casher…

Sur la question du marché halal, on observe un ciblage par catégorie sociale qui fonctionne comme au niveau politique, avec une volonté non officielle de segmenter l'électorat, de fonctionner par communautés, même si elles ne sont pas aujourd'hui clairement identifiables en France.

Peut-on considérer que ce retour au « tout halal » est le signe que l'islam est devenu une composante identitaire ?

On constate à partir des années 90, non pas un retour, mais un recours à l'islam, dans un contexte international où les musulmans sont devenus le nouvel ennemi. On redevient musulman à force de n'être réduit qu'à cela. La pression du groupe devient plus coercitive concernant cette pratique. Le regard porté sur ceux qui mangent halal ou pas devient insistant et constitue clairement un marqueur identitaire, encore plus maintenant qu'il est aisé de se procurer des produits certifiés.

Il y a moins de tabou à manger halal parce que le marché existe et se développe et que la religion est devenue un marqueur identitaire. On devient musulman dans le regard de l'autre, à l'instar de ce que disait Jean-Paul Sartre sur la question juive.

Fêter Noël ou Pâques peut-il également être perçu comme une marque de mimétisme culturel ?

Ces fêtes ont perdu une grande partie de leur sens religieux. En ce qui concerne les musulmans, nous sommes toujours et à plus d'un titre dans la même quête d'invisibilité et de rapprochement, d'identification au groupe dominant. Ce comportement se ressent également dans le choix du prénom des enfants : Sami, Ryan, Sarra, Inès car s'appeler Abderahmane serait plus pénalisant. Les parents essaient de maintenir une certaine filiation des origines tout en s'adaptant à la société dans laquelle ils vivent. Parallèlement apparaît un discours religieux minoritaire encore, qui replace Jésus comme un prophète de l'islam, ce qui rend Noël licite. Le religieux peut parfois servir à justifier un comportement culturel de la société majoritaire.

Est-ce un signe d'intégration ou de dissolution culturelle ?

Il s'agirait plutôt d'un signe de sur-intégration, vouloir faire plus encore que le groupe dominant. Il n'y a rien en France qui codifie ce que l'on mange. Pourtant, on observe une volonté de copier le groupe dominant tout en gardant une base religieuse, rester soi en faisant le plus comme l'autre. Beaucoup de gens estiment que pour faire partie du sérail, il faut consommer comme ses occupants.

La culture commune est déjà là : il y a une classe moyenne issue de l'immigration, des femmes qui travaillent qui, contrairement à la génération précédente, savent lire et peuvent communiquer avec les autres. L'intégration passe par la langue commune, la vie en commun à l'entreprise, à l'école, dans l'espace public, pas nécessairement par les choix alimentaires. Il n'y a pas de groupe différencié qui se revendique d'une culture à part, seule la religion demeure la particularité de chacun.

Mais cette logique témoigne aussi d'une volonté de religiosité qui insisterait plus sur la forme que sur le fond, donnant la priorité au rite et à l'image de soi. Consommer halal est partie prenante de cette logique car certains, même en dehors du regard du groupe, respectent cette prescription religieuse !

Propos recueillis par Nadia Lamarkbi

(*Courrier de l'Atlas*, numéro 21, décembre 2008)

2.20 « Manger comme les autres, c'est réduire la distance »

Interview de Florence Bergeaud-Blackler, Sociologue, chercheur à l'université de la Méditerranée

Peut-on dire que les nouvelles générations consomment différemment de leurs parents ?

Il est difficile de généraliser. Les enfants d'immigrés ont une socialisation alimentaire qui dépend du lieu de leurs repas. Les enfants qui mangent souvent à la maison des plats préparés par leur maman sont plus attirés par la cuisine d'origine que les autres, et cet intérêt se transmettra sans doute aux générations suivantes.

Est-ce directement lié à une volonté de s'intégrer, selon vous ? Faut-il adopter les « traditions » des autres pour être reconnu comme un « vrai français » ?

Votre question est une fausse bonne question s'agissant des générations issues de l'immigration. L'alimentation est un vecteur d' « intégration » au sens anthropologique du terme. Manger comme les autres, c'est réduire la distance avec eux, c'est vrai pour toutes les identités. De même que manger différemment peut être un moyen d'éloigner, d'établir des frontières. Mais il n'y a ni cuisine française ni cuisine immigrée au singulier. Il y a des cuisines, des savoir-faire au pluriel et des moyens pour les réaliser. Et dans des lieux de restauration collective, de nombreuses combinaisons sont possibles. Tout ceci est donc fort complexe malgré l'apparence.

Peut-on parler d'un effet de mimétisme ?

Si vous parlez du halal, vous vous référez au groupe des musulmans. Mes recherches dans plusieurs pays d'Europe montrent que la composante mimétique est très importante. Les raisons de consommer halal sont variées, les représentations de ces produits diverses. Peu de gens savent ce qu'est un abattage rituel, mais tous ceux qui se disent musulmans préfèrent la version halal d'un aliment. Quand on ne sait pas ce qu'on consomme, mais qu'on le consomme malgré tout, c'est souvent pour faire comme les autres.

Ces nouveaux produits halal (foie gras, bière, vin pétillant) s'adressent-ils à toutes les classes sociales ?

Ces produits de luxe sont des ballons d'essai du marketing halal. Le but n'est pas seulement de vendre du foie gras, c'est aussi probablement de tenter de redorer l'image du halal, de le détacher de la problématique immigration-pauvreté. On est dans la communication, plus que dans le réalisme économique.

Croyez-vous à la pérennité de tels produits ?

Le foie gras aura peut-être un petit succès auprès de certains, mais je ne crois pas à l'avenir des versions halal de boissons alcoolisées. Une des raisons d'être du halal, c'est justement de garantir l'absence d'alcool. Ça brouille totalement le message !

Propos recueillis par Nadia Hathroubi-Safsaf

(*Courrier de l'Atlas*, numéro 21, décembre 2008)

Appartenir à une nation

La France a une tradition libérale en matière d'accès à la nationalité française. La législation combine le « droit du sang », qui accorde la nationalité aux enfants nés de parents français, et le « droit du sol », qui l'accorde aux enfants d'étrangers nés en France.

Cependant, le Code de la nationalité a été révisé dans un sens plus restrictif par la majorité de droite élue en 1993, au terme d'un débat passionné. Cette réforme, dont la portée peut paraître relativement modeste, n'est cependant pas étrangère à un climat de racisme croissant dans certaines couches de la population. À la fin du XXe siècle, l'accueil de l'étranger est devenu un enjeu politique central.

Alimentation et traditions

2.21 Témoignages

BENOÎT, 32 ans, informaticien, Marseille

« Il me semble que le sentiment d'appartenance à une nation quelle qu'elle soit peut se manifester quand on n'a rien d'autre à faire. Ça m'est arrivé, puis c'est passé comme c'est venu. Les symboles propres à l'identité française m'indiffèrent. Le drapeau tricolore est beaucoup trop énorme pour moi. Il s'associe à tellement d'images que je le trouve trop sale pour y percevoir une représentation intéressante. L'hymne national français est trop guerrier, j'ai l'impression qu'il est la propriété de l'armée et des footballeurs. Là encore, c'est un signe trop gros pour moi, il me fait rire ! Quant à la devise « Liberté, Égalité, Fraternité », je veux bien, mais c'est du pipeau.

Jusqu'à l'âge de 17 ans, je n'avais jamais réalisé que le fait d'être noir pouvait poser problème. C'est alors que j'ai vu que mon père était noir ! Je ne comprenais pas pourquoi j'avais été refoulé de ma boîte et mon cousin ma dit : 'Mais Benoît, ton père est noir, tu es noir !' Ah, OK...

Ma différence, j'en suis fier, c'est une richesse. Mais quand Finkielkraut dit que « l'on est français par la volonté, parce qu'on le désire », ça me fait rire. C'est comme si tu disais que comme on mange du fromage en France, par la seule puissance de ta volonté, tu vas désirer du fromage ! Comment peut-on modeler le désir ? Ce genre de discours est dangereux et manipulateur.

Pour ma part, je crois que je lie le sentiment de mon identité nationale à la qualité de vie dans les endroits où je me trouve.

Depuis mon retour de Tokyo où j'ai vécu pendant un an, à certains égards, je me sens japonais. Mon père est noir et, ironie nationaliste, le grand-père de son grand-père était un esclave français des Antilles. Je me retrouve donc plus français que ceux qui se sont intéressés de savoir a quel point je pouvais être français. Je suis gêné de mon identité française, j'en ai presque honte lorsque ça m'aide à sortir d'une situation embarrassante alors que mes voisins restent dans la galère. Je culpabilise d'être français chaque fois que ma nationalité m'a démontré que je ne valais pas la même chose que d'autres. »

(*Courrier de l'Atlas*, numéro 21, décembre 2008)

CÉLIA HASSANI, 21 ans étudiante, salariée dans un lycée de Marseille

« J'avais 7 ans la première fois que j'ai compris ma différence par rapport à des Français de souche. J'étais dans la cour de mon école et une petite fille ma demandé de quelle origine j'étais. J'ai dit que j'étais algérienne et elle m'a répondu : « Ah, c'est sale ! » Je n'ai pas compris. Ma mère, qui est d'origine espagnole, m'a expliqué que certaines personnes n'aimaient pas les gens différents. Mon père, kabyle, m'a toujours dit : « Avec tes origines, tu dois en faire plus que les autres. » Ça prépare à la vie. Mais je ne suis pas réac, je ne le prends pas mal, j'essaie plutôt de comprendre pourquoi ces gens tiennent de tels propos.

Forcément, j'ai parfois du mal à accepter cette idée d'être française. Je revendique souvent mes origines. Je me rappelle qu'à l'adolescence je disais : « Je suis Française, mais je n'ai pas de sang français dans mes veines. » Aujourd'hui encore, il m'arrive de ressentir une sorte de rejet de la part des Français. C'est plus subtil que des réflexions directes, et ça fait doublement mal. Par exemple, un professeur des écoles a soutenu devant moi l'idée que la France avait éduqué et amené la culture en Kabylie.

Les Français, la France me font mal parfois. J'évolue dans le secteur culturel où les gens s'intéressent au monde. Là ta différence devient une richesse. Ils s'intéressent à toi. Mes amis, quand on danse en soirée, dès qu'il y a de la musique orientale, c'est : « vas-y, Célia, va danser », ça me fait penser à Gad Elmaleh... La France m'énerve dans sa politique sur l'immigration. Lorsqu'ils votent ou parlent des étrangers, les gens parlent d'un instant précis.

Il y a un héritage que tout le monde devrait connaître. Pourquoi les étrangers sont-ils là ? Parce que les Français sont allés les chercher. Ils n'avaient pas demandé à venir. L'histoire de l'immigration choisie, ça me blesse. On fait venir les personnes qui nous intéressent, on les choisit, comme sur un marché. C'était la même chose avec les tirailleurs étrangers, il fallait qu'ils soient forts, musclés, qu'ils aient une belle dentition et hop, on les embarquait. Parfois, des potes français me disent : « On a honte d'être français. » Moi, je ne ressens pas cette culpabilité parce que j'ai d'autres origines. Je me situe au milieu. »

(*Courrier de l'Atlas*, numéro 21, décembre 2008)

SARAH AL JANABI, 13 ans, collégienne, Champigny-sur-Marne (94)

« Mon père est d'origine irakienne et ma mère tunisienne. La question de l'identité est ambiguë du fait de ma triple culture. Je dirais que oui, je me sens française, mais je reste avant tout arabe. En fait, j'exècre cette manie de dire « je suis » ou « je ne suis pas », selon les événements, même si, évidemment, certains actes de l'État français ou du peuple français sont révoltants. Je me sens française de nationalité et tuniso-irakienne d'origine. Effectivement, il est toujours plaisant d'aller en Tunisie pendant les vacances, mais je ne pourrais jamais y vivre. »

(Propos receuillis par Myriam Blal, *Courrier de l'Atlas*, numéro 21, décembre 2008)

Signes ostentatoires

2.22 « Qu'est-ce qu'être français aujourd'hui ? »

ALAIN FINKIELKRAUT : « Une nation est une grande solidarité constituée par le sentiment des sacrifices qu'on a faits et de ceux qu'on est disposés à faire encore. Elle suppose un passé ; elle se résume pourtant dans le présent par un fait tangible : le consentement, le désir clairement exprimé de continuer la vie commune. L'existence d'une nation est (pardonnez-moi cette métaphore) un plébiscite de tous les jours, comme l'existence d'un individu est une affirmation perpétuelle de vie [...]. L'homme n'est l'esclave ni de sa race, ni de sa religion, ni du cours des fleuves, ni de la direction des chaînes de montagne. Une grande agrégation d'hommes, saine d'esprit et chaude de cœur, crée une conscience morale qui s'appelle une nation. » Ainsi s'exprimait Renan, au lendemain de la défaite de 1871 et en réponse aux historiens allemands qui, au nom d'une théorie ethnique de la nation, proclamaient la germanité de l'Alsace alors même que ses ressortissants se déclaraient français.

Survivant au contexte polémique qui l'avait fait naître, la mise au point de Renan est apparue jusqu'à nos jours comme la meilleure définition française de la nation et comme la meilleure définition de la nation française. Cette définition est-elle encore valable ? C'est la question que nous examinerons en compagnie de Pierre Nora et de Paul Thibaud.

« Avoir fait de grandes choses ensemble, en vouloir faire encore, voilà les conditions essentielles pour être un peuple », affirmait également Renan dans la même conférence. Ces conditions restent-elles selon vous les conditions nécessaires et suffisantes pour être français aujourd'hui ?

PIERRE NORA : Nécessaires, à beaucoup d'égards ; suffisantes, je ne crois pas. Un siècle est passé : cette formule est de 1882, dans un contexte qui la date beaucoup — c'était un contexte de revanche, dans le plein essor de l'expérience coloniale française et au lendemain d'une défaite humiliante pour la nation. Cette formule s'insère aussi dans un contexte historiographique, au moment où l'histoire scientifique et critique définit ses méthodes et son objet avant de se présenter comme une sorte de discours de la nation depuis ses origines. Le contexte aujourd'hui est radicalement différent. D'après les sondages, les Français ne sont plus prêts à mourir pour la nation ou pour la patrie.

A. FINKIELKRAUT : Est-ce vraiment quelque chose dont on peut décider par sondage ? Qui peut savoir, avant l'épreuve de vérité, pour quoi, pour qui il est prêt à mourir et, quelles que soient ses fidélités, s'il pourra surmonter la peur ?

P. NORA : Dans l'actuel, je veux dire. De même, on peut constater la dégénérescence ou la vétusté d'un certain nombre de mots. « Foi » ou « amour de la patrie » sont des mots qui sont devenus d'une certaine façon caducs. En même temps, on constate une revitalisation profonde du sentiment national sous des formes différentes, plus éclatées, plus dilatées aussi et sur d'autres thèmes : ce n'est pas seulement vers son histoire que la France se tourne, mais aussi vers ses paysages, ses sites, ses traditions, sa culture, ses vins, sa cuisine, sa manière de vivre... On assiste donc à la réactualisation d'un sentiment d'attachement très fort, difficile à définir, à quantités de manifestations de la francité.

(Alain Finkielkraut, *Qu'est-ce que la France ?*, Éditions STOCK/Panama, 2008, pp. 265–7)

Pierre Nora, Historien, membre de l'Académie française. Il est l'auteur des *Lieux de mémoire*, en trois volumes, chez Gallimard

Nicolas Sarkozy a surpris, voire choqué, en proposant de créer un ministère de l'immigration et de l'identité nationale. Comment réagit l'historien que vous êtes ?

Parler ouvertement des problèmes de l'immigration et lancer une discussion sur le thème de l'identité nationale sont deux choses excellentes. Mais les lier est soit un calcul, soit une maladresse, soit une idée à courte vue, car l'ébranlement de l'identité nationale n'est pas lié seulement, loin de là, à l'immigration. Il tient à des raisons beaucoup plus vastes et beaucoup plus profondes, même s'il est vrai que l'immigration est concomitante à certains de ces problèmes et sert souvent de bouc émissaire. Parmi les facteurs de crise de l'identité nationale, il y a d'abord la réduction de la puissance de la France depuis la fin de l'empire colonial ; l'altération des paramètres traditionnels de la souveraineté : territoire, frontières, service militaire, monnaie, avec la disparition du franc ; l'insertion dans un espace européen où la puissance moyenne est ravalée au rang des autres, l'affaiblissement du pouvoir d'État qui a été, en France, une dimension fondamentale de la conscience nationale, la poussée décentralisatrice. Toujours dans les mêmes années, toutes les formes d'autorité se sont désagrégées dans cette France qu'on a pu dire « terre de commandement » – l'expression est de Michel Crozier – avec la hiérarchie des familles, des Églises, des partis. Et peut-être le principal facteur de cette crise, c'est la paix.

Pourquoi la paix ?

L'identité française avait été très liée à l'idée de la guerre. La paix qui s'installe à partir du retrait d'Algérie est l'une des sources de la confrontation avec soi-même que connaît la France. Les modes de vie changent : le taux de la population active engagée dans l'agriculture tombe au-dessous de 10%, alors que la France était encore au lendemain de la guerre profondément paysanne. À partir de Vatican II, c'est l'assiette chrétienne ancestrale qui a commencé à se réduire. Tous ces changements sont perturbants. On passe dans la douleur d'un modèle de nation à un autre, qui ne s'est pas encore trouvé. L'arrivée d'une nouvelle immigration, la plus difficile à soumettre aux normes des lois et des coutumes françaises, est un élément supplémentaire de ces bouleversements.

Comment définiriez-vous le modèle national français ?

Le modèle classique français a longtemps été universaliste, providentialiste, messianique. Il s'est sédimenté au cours du temps. La France a connu plusieurs identités nationales. Après l'identité royale féodale, l'identité monarchique. Viennent ensuite l'identité révolutionnaire et enfin l'identité républicaine, qui a essayé de faire la synthèse entre les précédentes. C'est le socle sur lequel nous avons vécu et qui a débouché sur l'identité démocratique qui est à l'ordre du jour.

Cette construction vous paraît-elle remise en question ?

Oui, elle s'est progressivement délitée, pour des

raisons liées à l'histoire. Les trois guerres de la France au XXe siècle ont été trois défaites : la fausse victoire de 1918 est en réalité une défaite européenne globale ; 1945 est une défaite masquée par de Gaulle qui entretient l'illusion que la France a regagné sa place parmi les grands ; et avec la défaite de 1962 en Algérie, les Français ont intériorisé leur dépossession du monde. C'est une crise très profonde. À ce remaniement de la conscience française a correspondu sur le plan politique l'évanouissement du nationalisme tel que la République l'avait fixé depuis un siècle. Ce nationalisme avait une version de gauche, jacobine patriotique, et une version de droite, conservatrice, réactionnaire, barréso-maurrassienne, qui ont longtemps constitué les deux France antagoniques. Elles nous paraissent aujourd'hui plutôt complémentaires. C'est ce qu'on appelle le patrimoine, et dans patrimoine il y a patrie...

Comment cette césure, qui remontait à la Révolution française, s'est-elle résorbée ?

Le gaullisme et le communisme ont représenté l'apogée du modèle national français classique et probablement sa fin. Tous deux étaient un cocktail d'ingrédients nationaux et révolutionnaires. On ne peut pas comprendre la crise de l'identité nationale sans comprendre cet acmé, ce moment très fort d'illusion – et de réalité – d'une projection de la France au-delà d'elle-même qu'ont constitué ensemble le gaullisme et le communisme : leur déclin a été vécu comme une retombée. Le socialisme mitterrandien a prolongé quelque temps le projet collectif national, mais lui aussi s'est épuisé : la date de 1983 est très importante, car la conversion au marché marque la fin de l'utopie socialiste. La trouvaille de Nicolas Sarkozy et les réactions violentes qu'elle a suscitées sont un aspect du drame français

qui est de lier toujours la pensée de la nation au seul nationalisme. Je regrette que la gauche ait abandonné à la droite – et la droite à l'extrême droite – le thème de la nation. Le projet national et plus largement la nation française reposent sur une continuité exceptionnelle, qui a été à la fois dynastique, territoriale, historique. Il y a eu la France révolutionnaire contre la France d'Ancien Régime, la France laïque contre la France religieuse, la France de gauche contre la France de droite. Il ne reste pas grand-chose de ces affrontements : de Gaulle a converti la droite à la République ; le conflit sur l'école a été le dernier accès de fièvre entre laïques et catholiques ; quant à la gauche et à la droite, en dépit de leurs oppositions, elles ont perdu leur désir d'extermination réciproque.

Que reste-t-il alors du projet national français tel que nous l'avons connu ?

Il y a eu au moins trois tentatives idéologiques pour retrouver un sens collectif. La percée de Jean-Marie Le Pen, d'abord, mais qui est une forme de régression nationaliste, réactionnaire, cantonnée à des secteurs archaïques de l'opinion ; la percée des écologistes, porteurs d'un grand projet qui consiste à noyer la culture dans la nature, et qui n'est ni de droite ni de gauche puisqu'il ne pose pas la question sociale ; la percée de l'idéologie des droits de l'homme, enfin. Celle-ci me paraît assez contradictoire avec un projet purement national, on peut même dire qu'elle porte en elle la destruction du roman national. L'histoire de la nation française est criminelle au regard des droits de l'homme. Le projet « droits-de-l'hommien » comporte un élément accusateur des péripéties les plus sombres du roman national. Il est par définition peu intégrable à la vision classique de la nation. Depuis le XVIIIe siècle, cette dernière avait été associée à l'idée de civilisation. Les Lumières avaient vu dans la nation le véhicule du progrès de la civilisation, parce qu'elle était le lieu de la raison : nation, raison et civilisation marchaient du même pas. La poussée de la pensée des droits de l'homme dans sa forme récente, très individualiste, dissocie cette trilogie. Elle se réclame de la civilisation, mais plus de la nation.

On peut comprendre le sentiment de perte qu'éprouvent beaucoup de Français...

Nous sommes dans une phase de recomposition et la volonté y joue son rôle. On a cru longtemps que l'Europe pouvait servir de substitut à la nation, on voit maintenant que ce n'était pas vrai. Le nationalisme, de droite ou de gauche, nous avait caché la nation. La fin du marxisme a contribué à nous rendre cette conscience de l'ampleur, de la profondeur historique de l'imprégnation nationale.

Mais le discours sur la nation ne peut pas rester le même. On ne cesse de citer Renan dans *Qu'est-ce qu'une nation ?* (Bordas, 1992) : le culte des ancêtres, la volonté de vivre ensemble, avoir fait de grandes choses ensemble et vouloir en faire encore... Mais pour moi la nation selon Renan est morte. Cette vision, sur laquelle nous vivons encore, correspond à l'ancienne identité nationale, celle qui associait le passé et l'avenir dans un sentiment de continuité, de filiation et de projet. Or ce lien s'est rompu, nous faisant vivre dans un présent permanent. J'y vois l'explication de l'omniprésence du thème de la mémoire, et de son corollaire, l'identité. Lorsqu'il n'y a plus de continuité avec le passé, la nouvelle trilogie est : mémoire, identité, patrimoine.

La crise de l'identité aurait partie liée avec la modernité ?

De fait, le thème de l'identité est mondial. Mais il a pris en France une intensité particulière en raison du caractère étatique et centralisateur de notre pays et de la force coercitive qu'y a pris le rapport à l'histoire. En France, nous avons une histoire nationale et des mémoires de groupe. Vous pouviez être aristocrate descendant de nobles guillotinés, fils de Polonais de la première génération, petit-fils de communard fusillé, à partir du moment où vous étiez à l'école vous étiez un petit Français comme les autres. « De la Gaule à de Gaulle », le roman national déployait une vaste fresque, avec ses Saint-Barthélemy et ses Ponts d'Arcole, qui offrait un lien collectif à chaque parcelle de la population française, peu homogène.

L'insertion des minorités – religieuses, régionales, sexuelles – dans la collectivité nationale les a désenlisées de leur propre histoire. Mais elles ont du coup valorisé leur mémoire, faite de récupération d'un passé, vrai ou faux. L'émancipation mémorielle est un puissant corrosif de l'histoire, qui était au centre de l'identité française. Nous avons intérêt à ce que les politiques prennent conscience des nouvelles données. La succession des identités nous en donnera de nouvelles. La nation de Renan, funèbre et sacrificielle, ne reviendra plus. Les Français ne veulent plus mourir pour la patrie, mais ils en sont amoureux. C'est peut-être mieux. Au fond, ce n'est pas la France qui est éternelle, c'est la francité.

Propos recueillis par Sophie Gherardi

(« Le nationalisme nous a caché la nation », *Le Monde*, 17 mars 2007)

Paysages médiatiques

Ce chapitre sur les médias vous propose un regard panoramique sur le paysage audiovisuel français (PAF) dans son ensemble, en même temps qu'une présentation des <u>enjeux</u> impliqués par les défis principaux auxquels les grands médias font face. Certains pensent par exemple, que les nouvelles technologies menacent la survie même des médias traditionnels ; d'autres conçoivent ces <u>défis</u> plutôt comme des opportunités, tant commerciales que médiatiques. La loi de 1881 sur la liberté de la presse, la liberté d'expression protégée par l'article 11 de la Déclaration des droits de l'homme <u>suffiront</u>-elles à garantir l'avenir des grands médias ?

stakes

challenge

enough

La presse écrite

La presse écrite en France, malgré sa longue tradition et une histoire liée de près aux guerres et aux crises qui ont affligé le pays, a toujours été une presse en quête de lecteurs, et les défis qu'elle affronte ne font que se multiplier avec le développement du multimédia, les avancées technologiques, et la compétition d'autres formes de publication telles que les hebdomadaires, les mensuels, les magazines, les journaux gratuits ou l'Internet – la télévision et la radio ne sortent pas indemnes de cette compétition tous azimuts. Pour des raisons autant commerciales qu'éditoriales, la presse s'adapte et évolue et elle crée des supports qui ont pour but d'assurer sa survie et même son développement ; les grands journaux achètent les petits, la presse nationale et la presse régionale se réinventent et se diversifient pour se protéger, et les grandes maisons de presse ouvrent des gratuits, des sites Internet, et des chaînes de télé pour fidéliser ses lecteurs ou attirer un lectorat plus jeune. Est-ce que cette « concentration » menace l'indépendance éditoriale ? Certains le pensent, d'autres s'inquiètent plus de l'effet « pipolisation » des médias et regrettent le temps où la presse s'abstenait de publier des détails concernant la vie privée des hommes politiques. L'État continue son action de mécénat, vital pour les médias, que ce soit en faveur de l'Agence France Presse, de Radio France ou de grands quotidiens ; mais est-ce qu'ils peuvent continuer à compter dessus ?

3.1 Petite histoire du journalisme

Les premiers journalistes, au XVIIe siècle, sont soumis au pouvoir royal. Leur liberté d'expression s'affirme avec la Révolution. Les différentes facettes du journalisme moderne apparaissent tout au long du XIXe siècle.

La naissance

Le journalisme fait son apparition en France avec la création de *La Gazette* par Théophraste Renaudot. Jusqu'à la Révolution, le journalisme sera très étroitement contrôlé par la censure royale. Face à celle-ci, une autre forme très insolente, mais clandestine de la profession, celle des nouvellistes, s'exprimera au travers de « libelles » très virulents à l'égard de la royauté.

Avec la Révolution, qui affirme la liberté d'expression dans l'article 11 de la Déclaration des droits de l'homme, une multitude de journaux fleurissent à Paris et en province. Des journalistes, comme Camille Desmoulins ou Marat, deviennent de véritables hommes publics, très influents.

Le combat pour les libertés

Le Premier Empire, puis la Restauration, ramènent la censure et la contrainte politique pour les journalistes. Cette période ne prend fin qu'avec l'adoption d'une loi sur la liberté de la presse en 1881. À cette époque, des hommes comme Girardin inventent un journalisme beaucoup plus diversifié, découvrant le fait divers, le reportage, l'enquête, etc.

Avec la IIIe République, la presse se renforce et attire à elle de nombreux écrivains, tels Honoré de Balzac, Guy de Maupassant et surtout Émile Zola. Ceux-ci collaborent largement aux journaux, en leur proposant des feuilletons, mais en réalisant aussi de nombreux reportages, enquêtes sociales, critiques artistiques, chroniques, éditoriaux. Chacun se souvient du fameux « *J'accuse* » de Zola, prenant la défense, à la une de *l'Aurore*, du capitaine Dreyfus, injustement accusé de l'espionnage.

Nouvelles fondations

Le journalisme du début du siècle va progressivement aborder les sports, la santé, les sciences, les grandes découvertes techniques, telle l'aviation ou l'automobile, et surtout le monde, que les grands reporters vont apporter chaque jour au domicile des lecteurs les plus modestes. La Seconde Guerre mondiale provoque un traumatisme : une partie des journalistes va collaborer avec l'occupant allemand, alors que d'autres au contraire résisteront dans une presse totalement clandestine, au risque de leur vie. À la Libération, ce seront ces journalistes, Hubert Beuve-Méry, Albert Camus, Pierre Lazareff et bien d'autres, qui se verront confier la renaissance de la presse, à laquelle ils s'emploieront à redonner une dignité et une indépendance qui lui avaient fait si cruellement défaut.

(Jean-Marie Charon, *Le journalisme*, Éditions Milan, 1995, pp. 16–17)

Note culturelle

Théophraste Renaudot fait ses études de médecine à Montpellier, puis travaille dans l'entourage de Richelieu. Il crée la première publication régulière, *La Gazette*, en 1631, étroitement contrôlée par le pouvoir royal. Ses descendants continueront à publier *La Gazette* jouissant d'un privilège d' « exclusivité à perpétuité ».

3.2   Naissance des gratuits

Le 18 février 2002 était distribué, pour la première fois à Paris, *Metro*, un quotidien gratuit. Quelques semaines plus tard, il fera également son apparition à Marseille, après qu'un gratuit - *Marseille Plus* - a été lancé par l'éditeur régional de *La Provence* pour tenter de précéder l'arrivée de ce nouveau concurrent. Le 15 mars, c'était au tour de *20 Minutes* d'être proposé sur tout le réseau SNCF de la région parisienne, simplement déposé dans les présentoirs *ad hoc*, les « racks ». En quelques semaines, ce ne sont pas moins de 800 000 exemplaires de quotidiens qui sont ainsi mis à la disposition des Franciliens. La France est loin d'être en pointe dans ce domaine, puisque le groupe Metro International, dont le siège est en Suède, a lancé son premier gratuit dès 1995. Il propose maintenant dans le monde vingt-cinq éditions différentes, pour une diffusion estimée à un peu plus de 12 millions d'exemplaires. *20 Minutes* de son côté est lancé à l'initiative d'un éditeur norvégien, allié pour la circonstance avec le groupe Ouest France. Il est également diffusé dans plusieurs pays européens.

Les réactions à ces lancements seront aussi vives du côté des éditeurs, qui vont violemment critiquer cette menace pour leurs titres payants, que du côté des ouvriers du livre. Ces derniers, emmenés par leur syndicat, vont s'employer à perturber la distribution de *Metro*, jetant à terre des paquets de journaux. Cette forme d'action suscitera plutôt l'incompréhension du public, notamment des plus jeunes, qui font bon accueil à cette nouvelle forme de publication. Un compromis sera finalement trouvé, moyennant un aménagement des conditions de fabrication des nouveaux titres. Les annonceurs, de qui dépend la survie de cette forme de presse, seront d'abord assez réservés, inquiets des perturbations dans la distribution, s'interrogeant sur l'accueil du public. Ils réviseront cependant assez rapidement leur analyse au regard des performances de lectures enregistrées, tant à Paris que dans les différentes métropoles régionales où les gratuits sont progressivement proposés.

L'installation des gratuits vient modifier largement la situation de la presse quotidienne française. Ils renvoient d'abord au magasin des idées fausses l'affirmation très répandue selon laquelle les Français ne seraient pas des lecteurs de quotidiens. Ce sont en effet près de trois millions de personnes qui lisent un gratuit régulièrement. Ces journaux transforment profondément les conditions de développement de la presse populaire, constituant une concurrence redoutable pour les titres payants, *Le Parisien-Aujourd'hui* et *France Soir*. Ils accélèrent également la remise en cause nécessaire des conditions de lecture des grands quotidiens régionaux, dans chacune des villes métropoles de leurs zones de diffusion, à commencer par des villes comme Marseille, Lyon, Lille.

(Jean-Marie Charon, *La presse quotidienne*, Éditions La Découverte, Paris, 2005, pp. 22–3)

3.3 Concentration dans le Grand Sud Ouest : une atteinte grave au droit à l'information

Publié le 23 octobre 2007 (première publication le 22 septembre 2007)

[...]

L'imminence du rachat du groupe Midi Libre par le groupe Sud Ouest, alors que ce dernier vient de se rapprocher du groupe La Dépêche du Midi en constituant le GIE (groupement d'intérêt économique) Média Sud Europe, ne peut qu'inquiéter les lecteurs de la presse quotidienne régionale et départementale de cette vaste région du grand sud ouest de la France, et plus généralement, tous ceux qui sont attachés au pluralisme de l'information. L'axe Bordeaux – Toulouse – Montpellier ouvre, aux dires même des acteurs de ce rapprochement, une autoroute à toutes les « rationalisations » et « synergies », lourdes d'atteinte au droit à une information complète et indépendante de tous les pouvoirs.

Certes, la concurrence commerciale entre les groupes Sud Ouest, La Dépêche du Midi et Midi Libre n'est pas une garantie de la qualité de l'information, minée par la précarité galopante des journalistes (qui réduit au silence les plus fragiles), et par la complaisance, voire la connivence de tant de chefs de services, avec les pouvoirs internes ou externes. Certes, cette même concurrence ne garantit pas non plus que tous les journalistes respectent la déontologie professionnelle et se souviennent qu'ils doivent ce respect d'abord aux lecteurs. Certes, la pluralité des groupes et des titres n'assure pas tous les mouvements sociaux et politiques et leurs représentants qu'ils pourront se faire entendre des rédactions et que leur propre droit d'informer sera satisfait. Mais, au moins, parce que la concurrence commerciale impose aux directions d'avoir les yeux également rivés sur les chiffres de la diffusion, les responsables associatifs, syndicalistes, militants et élus locaux pouvaient jusqu'à présent trouver auprès de quelques journalistes une oreille attentive, pour peu que ceux-ci sachent utiliser auprès de leur direction, ce sésame efficace : « *si ne je sors pas cette info, on risque d'être doublé par la concurrence* ».

La concentration Sud Ouest / La Dépêche / Midi Libre risque grandement de porter un coup fatal à ce qui restait de ce pluralisme, pourtant mutilé par la course à la publicité et la dégradation des conditions de travail des journalistes. Dans des départements comme l'Aude (où sont diffusés *Midi Libre / L'Indépendant* et *La Dépêche du Midi*), l'Aveyron (*Centre Presse, Midi Libre, La Dépêche*), le Gers (*Sud Ouest, La Dépêche*), le Lot-et-Garonne (*La Dépêche, Le Petit-Bleu d'Agen, Sud Ouest*), la presse quotidienne régionale, nous le redoutons, ne parlera plus que d'une seule voix. Sans doute, les responsables d'édition plus sensibles au marketing qu'à la mise en valeur de l'information sauront-ils habiller cette « mutualisation » des moyens rédactionnels qu'annoncent leurs patrons. Mais c'est le même journal, fait par les mêmes journalistes, puisant aux mêmes sources, et confrontés aux mêmes rétentions d'information, qui sera proposé au lecteur. On gardera son nom à chaque titre, on modifiera l'apparence de la première page, mais le contenu sera tristement identique. Les exemples sont multiples (voir dans les Hautes-Pyrénées ou les Pyrénées-Orientales).

Plus généralement, et plus insidieusement encore, la concentration du pouvoir dans les mêmes mains et le partage du territoire en toute « cohérence » qui s'ensuivra auront forcément des conséquences sur la ligne éditoriale de l'ensemble du groupe, afin d'éviter que ne paraisse une information « gênante » pour les détenteurs du groupe de presse comme pour le pouvoir politique ou économique, puisque ces derniers tiendront désormais d'une seule main, une seule régie publicitaire, l'ouverture ou la fermeture du robinet aux publicités payantes.

Face aux lourdes menaces qui pèsent sur l'indépendance rédactionnelle de chaque titre concerné par cette concentration et sur le pluralisme que cette indépendance, bien que relative, permettait encore d'assurer, les journalistes et l'ensemble des personnels qui ne savent que trop ce que « rationalisation » signifie en termes d'emplois et de conditions de travail, doivent bénéficier du soutien de tous. Mais parce que la défense du pluralisme de l'information et l'indépendance des journalistes n'est pas seulement l'affaire de ces derniers, nous appelons les responsables associatifs, militants, syndicalistes, élus locaux et tous les citoyens attachés à la liberté de la presse à manifester leur refus de ces concentrations. Ce refus peut s'exprimer en interpellant les pouvoirs publics et le gouvernement (avant que la direction de la concurrence qui dépend du ministère des finances ne donne une fois encore son feu vert à ce type d'opérations), mais ce refus peut aussi et avant tout s'exprimer en interpellant les actionnaires du groupe en formation afin d'obtenir de leur part des engagements clairs, concrets et précis.

Aux côtés des syndicats de journalistes et des organisations professionnelles, l'Association Action-Critique-Médias (Acrimed) entend contribuer aux débats et aux mobilisations nécessaires, dans notre région comme partout ailleurs en France, où les mêmes concentrations produisent déjà leurs néfastes effets.

[...]

Acrimed-Toulouse

(www.acrimed.org, dernier accès 30 juin 2009)

Note culturelle

le groupe Midi Libre Ce groupe est constitué de trois quotidiens : *Midi Libre, L'Indépendant* et *Centre-Presse*. Le groupe La Dépêche est constitué de *La Dépêche, La Nouvelle République des Pyrénées* et *Le Petit-Bleu d'Agen*. Le groupe Sud Ouest est constitué de *Sud Ouest, La République des Pyrénées, La Charente Libre, La Dordogne Libre* et *L'Éclair des Pyrénées*.

3.4 Recommandations pour la presse écrite

Après deux mois de travaux, les États généraux de la presse écrite ont accouché d'un livre vert revu et corrigé par l'Élysée. Le Groupement français de l'industrie de l'information et le Groupement des éditeurs de services en ligne réagissent à ses quatre-vingts recommandations.

À ce jour, cent mille salariés travaillent dans le secteur de la presse en France. Combien dans deux ans ? Dans cinq ans ? Et que sera devenue la presse ? Poser la question, c'est commencer à y répondre. Depuis 2000, le chiffre d'affaires de la presse n'a cessé de décliner : à la baisse des ventes de 10% entre 2000 et 2006 s'ajoute une diminution des revenus publicitaires. Autant le dire tout de suite, le salut des quotidiens et magazines passera par une nouvelle offre éditoriale et la création d'un nouveau modèle économique. Mais en la matière, les éditeurs de presse naviguent à vue et marchent sur des œufs. Lancés par le président de la République le 2 octobre dernier, les États généraux de la presse écrite ont réuni pendant deux mois des éditeurs de presse, des journalistes et des représentants de l'État. Deux mois pour réfléchir aux métiers du journalisme, aux processus industriels et à la migration numérique des journaux au format papier. Résultat : quatre-vingts propositions qui devront, pour certaines, obtenir le blanc seing de la Commission européenne. Citons pêle-mêle un moratoire sur l'augmentation des tarifs postaux, une exonération temporaire de certaines charges sociales, « *un nouveau pacte social* » avec le syndicat du livre pour baisser le coût de fabrication des journaux… Sans oublier l'idée d'offrir un abonnement gratuit à un quotidien de leur choix pour les jeunes de 18 ans.

L'année de tous les dangers

Bernard Spitz, délégué à la coordination des États généraux, n'y va pas par quatre chemins : « *Il y a urgence ! L'année 2009 sera celle de tous les dangers* ». Une année d'autant plus difficile à passer que la crise économique est venue alourdir un contexte déjà délicat. Aux yeux de Bernard Spitz, le travail accompli par les États généraux de la presse écrite ne sont « *que des propositions, c'est l'exécutif qui décidera* ».

Dommages collatéraux

Du côté des professionnels de l'infodoc, les réactions à ce corpus de propositions n'ont pas manqué. Le Groupement français de l'industrie de l'information (GFII) « *se réjouit de la majorité des recommandations figurant dans le livre vert, mais s'inquiète de certaines propositions susceptibles d'avoir des conséquences dommageables pour le marché de l'information professionnelle* ». Point positif pour le GFII, l'accès et l'utilisation des données de l'administration et des pouvoirs publics par les éditeurs de presse en ligne. En revanche, l'association critique la proposition relative au statut d'éditeur en ligne. Cette recommandation préconise de retenir trois critères d'éligibilité à la qualification d'éditeur de presse. L'un de ces critères mentionne l'emploi régulier de journalistes professionnels, « *or, au sein de* la presse professionnelle, de nombreux contributeurs aux revues ne sont pas des journalistes, mais des chercheurs ou des universitaires : c'est le cas notamment dans la presse scientifique, médicale et juridique », selon le GFII.

Autre récrimination, le maintien d'une TVA discriminante entre les quotidiens et magazines généralistes (2,1%) et les autres titres de presse soumis à une taxe de 5,5%. Le Groupement des éditeurs de services en ligne (Geste), quant à lui, salue « la mise en place d'une véritable politique d'aide au développement des sites de presse en ligne ». Le Geste souligne que l'adaptation du droit d'auteur à l'ère numérique impliquera une modification du code de la propriété intellectuelle. Au delà du droit d'auteur, si l'ensemble des recommandations devait être adopté, il entraînerait des modifications des textes législatifs et réglementaires, tant au niveau des contenus éditoriaux, de la concentration des titres que de la migration numérique.

Bruno Texier, *Archimag*, mars 2009

(D'après http://archimag.com/fr, dernier accès 30 juin 2009)

Spokesperson

3.5   Distinction entre les faits et les commentaires

Francis Balle, sociologue, professeur de sciences politiques, et membre du Conseil d'administration de la société Radio France

La question se pose exactement pour tous les médias d'information et tous les médias d'opinion. Il faut quand même distinguer selon que les médias se veulent indépendants et impartiaux ou à l'inverse le porte-drapeau d'une conviction. *Standard bearer* Dans les pays anglo-saxons et même en Allemagne les choses sont simples. Les choses sont simples parce qu'il y a des journaux qui se disent indépendants et qui par conséquent pratiquent un journalisme qui essaye d'être aussi impartial ou aussi objectif que possible. Puis il y en a d'autres qui ne mettent pas leur drapeau dans la poche, qui disent par conséquent et dont tout le monde sait qu'ils sont soit démocrates soit républicains, soit travaillistes, soit conservateurs. En France les choses ne sont pas claires. Ils se veulent tous praticiens d'un journalisme objectif. Aucun ne se dit le porte-parole d'un courant – je ne parle pas de *L'Humanité*, je ne parle pas de *La*

Croix qui ont chacun des publics bien particuliers, le public des catholiques ou le public du parti communiste. Là les drapeaux ne sont pas dans la poche. Mais *Le Monde* et *Le Figaro*, ils veulent avoir du recul, ils prétendent à une certaine impartialité tout en disant que l'objectivité n'est pas possible, tout en disant que l'impartialité c'est un dogme dont les Anglo-Saxons se satisfont facilement parce que ce sont des naïfs, parce qu'ils croient que l'on peut faire la distinction entre les faits et les commentaires, ce que les Français n'admettent pas et donc *Le Monde* et *Le Figaro* sont dans une situation délicate parce que tout le monde sait qu'ils ont un courant de pensée derrière eux et ils se veulent quand même des journaux indépendants alors ils sont assis, comme on dit en français, entre deux chaises. Ils ne sont ni vraiment impartiaux, ni vraiment, pour l'un, la courroie de transmission du centre-droit et, pour l'autre, la courroie de transmission d'une gauche de gouvernement. [...]

Selon mes propres convictions je ne lis pas avec les mêmes lunettes, à travers les mêmes filtres, *Le Monde* ou *Le Figaro*, *L'Humanité* et *La Croix*. Si je suis évidemment communiste je prends pour argent comptant tout ce que me dit *L'Humanité*, je regarde avec une certaine réserve ce que dit *Le Monde*, évidemment je jette au panier *Le Figaro* qui ne peut pas être, aux yeux du communiste, le porte-parole des patrons, du patronat.

Par conséquent il faut regarder les lunettes que chaussent les lecteurs [...] et ces lunettes il y en a beaucoup et elles se trompent souvent parce qu'entre *Le Monde* et *Le Figaro* ... parfois *Le Monde* tient des propos qui seront ceux plutôt d'une droite modérée et même parfois un peu dure et à l'inverse *Le Figaro*, de temps en temps, publie des articles qui sont dignes du parti socialiste, de la branche même la plus « leftist » du parti socialiste donc c'est quand même un peu surprenant. Donc on est surpris et donc on ne les croit pas. On ne les croit pas, si on est du centre-droit on ne croit pas *Le Figaro* et on ne croit pas non plus *Le Monde*. Donc la baisse de crédibilité elle dépend aussi de ça.

(Francis Balle, interviewé par Pete Smith, février 2009)

3.6 Les groupes de presse et les journaux indépendants de province

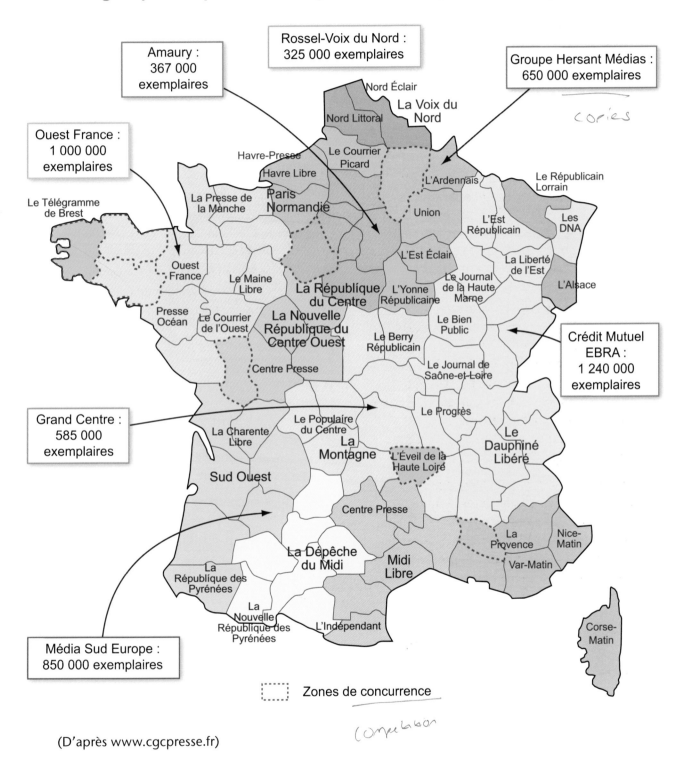

(D'après www.cgcpresse.fr)

3.7 La presse régionale en France

La Voix du Nord

Nord/Éclair

Normandie

Courrier Picard

Le Républicain Lorrain

Le Parisien

L'Union

DNA

Ouest France

L'EST

Le Maine

Le Télégramme

LA RÉPUBLIQUE

L'ALSACE

Le Courrier

LE BERRY

LE BIEN PUBLIC

Presse Océan

LE JOURNAL

La Nouvelle République

L'Éclair

Charente Libre

LE POPULAIRE

Le Progrès

LA MONTAGNE

L'Écho

Le Dauphiné

SUD OUEST

La Provence

Nice-Matin

LA DÉPÊCHE

Var-Matin

Midi Libre

La Marseillaise

CORSE-MATIN

(D'après www.cgcpresse.fr)

Médias et politiques

3.8 Affaire de Filippis : l'indignation s'amplifie

Des personnalités politiques demandent l'ouverture d'une enquête sur l'interpellation d'un journaliste de *Libération*

L'interpellation musclée vendredi de l'ex-PDG et ex-directeur de la publication de *Libération* en 2006, Vittorio de Filippis, contre lequel a été délivré un mandat d'amener dans une banale affaire de diffamation, a suscité ce week-end de très nombreuses réactions indignées.

Laurent Joffrin, l'actuel directeur de la publication et de la rédaction de *Libération*, estime que la juge Muriel Josié a utilisé « une lettre de cachet » à l'encontre du journaliste « avec attaque de la maréchaussée à l'aube, fouille au corps et enfermement temporaire ». La Société civile des personnels de *Libération* (SCPL) et le site Rue89, fondé par des anciens de *Libération*, ont demandé l'ouverture d'une enquête.

« Un traitement surréaliste »

Du côté des politiques, Christine Albanel, ministre de la Culture et de la Communication, « sans se prononcer sur le fond de l'affaire », a demandé hier que « toute la lumière soit faite sur les circonstances » de cette interpellation. Dès samedi, l'UMP, par la voix de l'un de ses porte-parole,

Frédéric Lefebvre, a demandé l'ouverture d'une enquête. « Le traitement subi par le responsable de *Libération*, arrêté dans le cadre d'une affaire de délit de presse non passible de prison, paraît surréaliste », s'est indigné le député des Hauts-de-Seine.

À gauche, Martine Aubry, premier secrétaire du Parti socialiste, a demandé que « toute la lumière soit faite dans les plus brefs délais sur cette affaire, qui constitue manifestement une grave atteinte à la liberté de la presse et aux libertés individuelles ». Jack Lang, ancien ministre de la Culture, a quant à lui écrit hier à la ministre de la Justice Rachida Dati.

Même indignation chez les syndicats de journalistes. Le Syndicat national des journalistes (SNJ) a dénoncé la « démesure avec laquelle sont désormais instruits certains délits de presse ». L'Union syndicale des journalistes CFDT s'inquiète de méthodes « totalement disproportionnées ». Reporters sans frontières a jugé ces faits « intolérables », affirmant que la France « détient le triste record européen du nombre de convocations judiciaires, mises en examen et placements en garde à vue de journalistes ».

De son côté, Gérard Gachet, porte-parole du ministère de l'Intérieur, a expliqué que « dans ce genre d'affaire, la police est à la disposition du juge d'instruction et c'est le juge d'instruction qui décide des modalités de l'interpellation, de l'heure, etc. ».

(D'après www.lefigaro.fr, dernier accès 30 juin 2009)

3.9 Un ex-PDG de *Libération* en garde-à-vue : « Je me suis retrouvé en slip »

Vittorio de Filippis raconte ses 5 heures de garde-à-vue dans le cadre d'une affaire qui l'oppose au fondateur de Free.

C'est quoi cette histoire ?

Libération publie en Une le témoignage du journaliste Vittorio de Filippis, ancien directeur de la publication et ex-PDG du quotidien. Ce vendredi, il a été placé pendant 5 h en garde-à-vue, après avoir été « brutalement interpellé », explique le site Internet.

 Police custody [handwritten note]

Que s'est-il passé ?

« Vers 6 h 40, j'ai été réveillé par des coups frappés sur la porte d'entrée de ma maison », raconte le journaliste qui détaille heure par heure son interpellation à son domicile, son arrestation devant son fils, son transfert au tribunal de grande instance de Paris, son placement en garde-à-vue et les heures passées dans une cellule du sous-sol du tribunal…

« On contrôle mon identité puis on m'emmène dans une pièce glauque, avec un comptoir en béton derrière lequel se trouvent trois policiers dont un avec des gants », précise Vittorio de Filippis. Puis d'ajouter : « On me demande de vider mes poches, puis de me déshabiller. […] Je me retrouve en slip devant eux, ils refouillent mes *shabby* [handwritten note] vêtements, puis me demandent de baisser mon slip, de me tourner et de tousser trois fois. »

Mais pourquoi toute cette histoire ?

Il s'agit d'une mise en examen dans le cadre d'une affaire qui oppose Xavier Niel, fondateur de Free, au journal *Libération*. L'homme d'affaires a plusieurs fois attaqué le quotidien en diffamation après des articles évoquant ses démêlés avec la justice. Cette fois-ci, c'est pour un commentaire déposé sur le site liberation.fr il y a un an et demi. « Il n'est pas acquis qu'un directeur de publication soit responsable des commentaires des internautes » ont expliqué des juristes au *Monde*.

Des réactions ?

« Nous demandons qu'une enquête soit ouverte sans délais sur ces méthodes », exige la société civile des personnels de *Libération*, actionnaire du journal.

« Je suis choqué par la violence avec laquelle son interpellation a été menée », explique Jean-Paul Lévy, l'un des avocats du quotidien. « En trente ans, c'est la première fois que j'entends ou vois une chose pareille ».

(*Sources* : Liberation.fr, Le Monde)

(D'après www.lepost.fr, dernier accès 30 juin 2009)

La société numérisée

3.10   Les nouveaux médias : des jeunes libérés ou abandonnés ?

Les jeunes, fers de lance de la révolution numérique

Les jeunes sont les fers de lance de la révolution numérique. En effet, ils se servent davantage et souvent mieux des nouveaux médias que leurs parents.

60% des jeunes de 12 à 17 ans sont ainsi des utilisateurs de la messagerie instantanée, et la France est championne du monde du nombre de blogs adolescents.

Un jeune sur trois en aurait créé un. Plus impressionnant encore, 67,5% des jeunes déclarent se servir de plusieurs médias en même temps !

Une génération multimédias est donc née et bouleverse les rapports de la jeunesse au divertissement, à l'information et à l'enseignement.

Cette évolution est durable et se renforcera avec la miniaturisation des équipements, et son corollaire, la convergence numérique.

Le rapport estime donc qu'il est inutile de se lamenter sur « l'invasion des nouveaux médias » mais qu'il faut, bien au contraire, réfléchir dès maintenant aux meilleurs moyens d'encourager les pratiques numériques des jeunes en faisant en sorte qu'elles leur soient le plus profitable possible.

Chiffres du Centre interassociatif enfance et médias (septembre 2007)

96% des 10 – 17 ans et 77% des 6 – 17 ans surfent presque tous les jours sur l'Internet.

8 ans, c'est l'âge moyen à partir duquel l'enfant a le droit d'accéder à Internet seul.

70% des moins de 18 ans ont déjà chatté sur MSN.

72% des parents admettent laisser leurs enfants surfer seuls.

46% de ces parents pensent qu'il n'y a pas de risque.

97% des parents connaissent l'existence des logiciels de contrôle parental.

51% d'entre eux pensent qu'il est primordial de les améliorer.

40% des familles en ont un sur leur ordinateur.

Les nouveaux médias, risque ou opportunité pour la jeunesse ?

Une chance pour la jeunesse

Les bienfaits des nouveaux médias sont au demeurant nombreux :

– ils permettent, en premier lieu, une libération de la parole de nombreux adolescents qui ont des difficultés à s'exprimer et à s'intégrer dans la vie réelle. Le rapport rappelle, à cet égard, qu'un adolescent sur quatre se suiciderait parce qu'il a du mal à assumer son homosexualité et, qu'à ce titre, tout lieu d'expression libre et anonyme est intéressant ;

– ils sont un facteur de socialisation. Les sites de réseaux sociaux rencontrent ainsi un vif succès. Les jeunes immigrés ou de familles divorcées peuvent, quant à eux, grâce à Internet, communiquer avec les membres de leur famille dont ils sont éloignés ;

– ils sont aussi des catalyseurs de compétences. Une étude britannique a démontré que la pratique des jeux vidéo développe les capacités de concentration des enfants tant qu'ils ne sont pas utilisés de manière excessive. Ils développent aussi leur habileté motrice et leur faculté à apprendre par tâtonnement ;

trial + error

– ils permettraient également aux jeunes de renforcer leurs qualités de persévérance. Loin des maux que l'on a attribués à la télévision, qui entraînerait passivité et tendance au zapping, les nouveaux médias rendraient les jeunes actifs, habiles et exigeants ;

– ils sont aussi un vecteur culturel extraordinaire. Sans contester les torts réels que le téléchargement illégal fait au droit d'auteur, M. David Assouline souligne ainsi le fait que la musique n'a jamais été aussi accessible qu'avec les échanges de pair à pair. Les blogs ou certaines vidéos diffusées sur les sites de partage montrent également la vitalité de la création de la jeunesse française ;

– ils ont enfin un intérêt pédagogique certain, en valorisant des compétences et des élèves qui ne sont pas nécessairement reconnus à l'école. Le développement des tableaux numériques est, par ailleurs, une piste intéressante afin de diminuer le poids du cartable.

Néanmoins, dès lors que l'on reconnaît une influence à l'image et aux médias, il faut aussi admettre qu'ils peuvent nuire à l'équilibre de leurs jeunes utilisateurs.

Une menace pour la jeunesse ?

L'un des principaux risques de ces nouveaux médias est qu'ils entraînent un **amaigrissement de la sphère de l'intime**, notamment parce que les jeunes n'ont pas conscience de la publicité donnée aux informations qu'ils diffusent sur leurs blogs, sur les messageries instantanées et sur les sites de réseaux sociaux.

Les **menaces sur la santé** sont également souvent mises en avant :

– les dangers de la cyberdépendance et de l'addiction aux jeux vidéo, bien que réels, sont plutôt relativisés ;

– si les risques liés à l'épilepsie ou à l'utilisation du Wifi sont également faibles, l'exposition des jeunes enfants aux téléphones portables devrait en revanche être limitée.

L'omniprésence de la publicité sur les médias a un impact encore mal connu sur leurs comportements de consommation, notamment alimentaire. De nombreux pays ont toutefois d'ores et déjà pris des mesures restrictives dans ce domaine.

Internet fait par ailleurs éclater l'univers médiatique et remet en cause le journalisme traditionnel. Bien que des informations très intéressantes soient diffusées sur Internet, il est aussi le lieu où les accusations calomnieuses et la théorie du complot font florès, particulièrement auprès des jeunes.

Le rapport souligne enfin **l'impact de la diffusion de contenus violents dans les nouveaux médias**. Par le biais des jeux vidéo guerriers et sanglants, des images brutales et pornographiques sur Internet, les nouveaux médias mettent la violence à portée de tous et notamment des plus jeunes. Si les analyses psychologiques et sociologiques montrent que l'impact du spectacle de la violence physique est relativement faible, notamment grâce aux messages pédagogiques délivrés par les familles et les institutions, elles mettent aussi en exergue les risques de la pornographie, qui tend à modifier les comportements sexuels des adolescents.

La maîtrise des nouveaux médias : du contrôle à l'éducation

Un contrôle nécessaire mais insuffisant

Le système de protection des mineurs dans les médias traditionnels fait l'effet d'un mille-feuilles administratif. Quatre structures sont en effet chargées du contrôle de la presse, des supports vidéo, du cinéma et enfin de la télévision (voir ci-dessous), alors qu'aucune n'existe pour Internet :

La presse : commission chargée de la surveillance et du contrôle des publications destinées à l'enfance et à l'adolescence ;

Les DVD : commission de contrôle des supports vidéo ;

Le cinéma : commission de classification des œuvres cinématographiques ;

La télévision : conseil supérieur de l'audiovisuel.

La maîtrise d'Internet est pourtant possible grâce au développement des logiciels de contrôle parental, de plus en plus efficaces, qui contiennent **soit des listes blanches** réunissant des sites autorisés, **soit des listes noires** interdisant l'accès à un certain nombre de sites prohibés. La protection de l'enfance peut également être améliorée sur la télévision mobile personnelle et les sites de vidéo à la demande.

Afin de définir des règles communes de protection pour l'ensemble des médias, anciens et nouveaux, le rapport propose la **création d'un organisme en charge de la protection de l'enfance sur les médias**, qui se substituerait à l'ensemble des commissions existantes, et dont la composition serait élargie à la société civile.

Par ailleurs, le caractère transnational d'Internet impose un renforcement de la coopération européenne et internationale, notamment sur la constitution des listes noires. En dépit du réel intérêt de contrôler les contenus dans le but de protéger la jeunesse, les limites des solutions techniques inhérentes au foisonnement d'Internet et à la rapidité d'évolution des nouveaux médias imposent le renforcement de l'éducation aux médias.

Voici quelques citations qui ont alimenté les réflexions de votre rapporteur :

Déclaration de Grünwald : « Plutôt que de condamner ou d'approuver l'incontestable pouvoir des médias, force est d'accepter comme un fait établi l'impact significatif qui est le leur et leur propagation à travers le monde et de reconnaître en même temps qu'ils constituent un élément important de la culture dans le monde contemporain […] Les systèmes politiques et éducatifs doivent assumer les obligations qui leur reviennent pour promouvoir chez les citoyens une compréhension critique des phénomènes de communication ».

Jean-François Cerisier : « De l'enfant éduqué au sein d'une communauté fermée dans une logique d'héritage culturel et de tradition orale, nous sommes passés à l'enfant surexposé à l'information fragmentée accessible à travers des moyens technologiques ».

Anne Roumanoff : « Internet : on ne sait pas ce qu'on y cherche mais on trouve tout ce qu'on ne cherche pas ».

L'impératif éducatif

Remarquant qu'en dépit de l'arrivée de la radio, de la télévision et aujourd'hui d'Internet, le modèle de l'éducation ayant pour support privilégié le livre imprimé n'a pas évolué, le rapport estime que l'éducation aux nouveaux médias permettrait pourtant :

– d'apprendre aux enfants à adopter une distance critique vis-à-vis des informations délivrées par les médias ;

– de motiver les élèves ;

– de consolider leurs capacités d'analyse ;

– et de renforcer leur engagement citoyen.

Bien que présente dans les programmes, elle n'est aujourd'hui que peu enseignée en raison des contraintes horaires, de son caractère facultatif, et des résistances de l'institution scolaire. Le rapporteur fait donc des propositions pour développer l'éducation aux médias, au collège et au lycée.

[…] Rapport de l'Inspection générale de l'éducation nationale sur l'éducation aux médias (Juillet 2007) « *Malgré l'existence de pratiques et d'initiatives multiples depuis une trentaine d'années, impulsées la plupart du temps par le CLEMI (Centre de liaison de l'enseignement et des médias d'information), sous la houlette du ministère, « l'éducation aux médias » est demeurée l'affaire de militants, parfois contestée dans le cadre scolaire, et paraît peu présente en tant que telle dans les politiques éducatives.* »

(D'après www.senat.fr, dernier accès 30 juin 2009)

3.11 Quel paysage pour la société des médias ? Nouveaux marchés, nouveaux lecteurs, nouvelles régulations

Un nouvel univers

La presse française, héritière d'un modèle appliqué depuis plusieurs décennies, doit aujourd'hui affronter les changements de comportements du public et la concurrence des nouveaux médias. Ce constat partagé par tous, même si la situation de la presse est heureusement très diverse, a donné naissance aux États généraux de la presse. Mais il est également valable, en grande partie, pour l'audiovisuel. Ces deux secteurs sont confrontés de la même façon à un paysage médiatique qui s'élargit, confrontés à un marché publicitaire qui se déplace vers d'autres horizons bien qu'il représente une part majeure des revenus, confrontés à de nouveaux modes de consommation de la télévision, plus éclatés, plus immédiats.

Chacun rencontre à sa façon ce nouvel univers, alors même que certains problèmes structurels n'ont pas encore été réglés. J'ai pourtant une conviction : de même que la radio et la télévision n'ont pas tué la presse, de même internet ne tuera ni l'audiovisuel ni la presse.

Surtout, que personne ne voie dans ces bouleversements une excuse à ses propres faiblesses, mais bien au contraire une chance de bâtir de nouvelles stratégies, de corriger les insuffisances et les défauts, de toujours innover. Dans ce contexte, le développement plurimédias peut être non seulement un facteur de croissance, mais aussi un moyen de renforcer les fondements mêmes de la presse et de l'audiovisuel. Cependant, si le leitmotiv du plurimédia est abondamment décliné d'analyses en rapports, sa réalité reste encore faible. Quelles sont les complémentarités qui peuvent se développer entre la presse et l'audiovisuel ? En quoi peuvent-elles apporter des réponses aux difficultés que connaissent ces secteurs ? En quoi sont-elles un instrument pour la conquête d'internet par les deux secteurs ?

Nos grands médias sont indispensables à la vie de notre société et à la construction de nos identités de citoyens. Ils ont en commun le professionnalisme de leurs créateurs, la richesse et la variété de leurs contenus, le poids de leur audience. Avec ces atouts, ils joueront forcément un rôle majeur dans notre univers médiatique, pour peu que, sans perdre leur âme, ils investissent les multiples supports que le public a désormais à sa disposition. Mais c'est un énorme défi auquel il est urgent d'apporter une réponse.

La numérisation, le développement des contenus sur internet, la gratuité

La numérisation, le développement des contenus accessibles sur internet, la gratuité sont autant de phénomènes qui touchent à la fois la presse et l'audiovisuel.

Les problématiques qui affectent ces deux secteurs sont en effet très proches, qu'il s'agisse de la concurrence de nouveaux supports, du thème de la gratuité ou de la rémunération des contenus.

L'extension de l'offre et l'apparition des nouveaux supports sont la tendance forte de ces dernières années.

Le développement de la télévision numérique terrestre, avec une offre gratuite passée de six à dix-huit chaînes nationales, bouleverse le paysage audiovisuel en remettant en cause les modèles des chaînes dites « historiques » – expression malencontreuse – qui étaient diffusées, et qui continuent d'être diffusées, en mode analogique. La concurrence se joue également entre les supports, avec la multiplication des offres nouvelles sur internet, avec l'essor de modes de diffusion délinéarisés comme la vidéo à la demande ou la télévision de rattrapage. Il en résulte une fragmentation de l'audience et, avec un temps de retard, un éparpillement des ressources publicitaires.

Pour la presse, la concurrence s'exprime d'une manière différente. Ce n'est pas l'apparition de nouveaux titres qui peut expliquer la baisse continue de la presse quotidienne d'information politique et générale. Les vraies causes sont multiples, et de nombreuses études les décrivent ; je ne rappelle pas ce que vous savez, tous, mieux que moi : hésitations éditoriales, coûts de fabrication, coûts de distribution, faiblesse des points de vente,… nombreux sont les facteurs endogènes de ces difficultés. La presse a également dû faire face à la concurrence des quotidiens gratuits, une concurrence peut-être plus importante sur le plan publicitaire que sur le plan du lectorat, une concurrence qui a en tout cas obligé la presse payante à se positionner par rapport aux quotidiens gratuits, en termes économiques comme s'agissant du contenu.

Je préfère me concentrer sur le défi commun à la presse et à l'audiovisuel qu'est le développement d'internet, avec ses conséquences : la multiplication des sources d'information, la perception d'un accès gratuit à tous les contenus, l'immédiateté et la sélectivité requises par le consommateur, et même l'effacement de la différence entre professionnels du contenu et simples particuliers.

Ces phénomènes obligent les éditeurs à s'interroger sur leur développement sur les nouveaux supports, car ils altèrent durablement l'audience et les recettes publicitaires et donc la santé économique des groupes audiovisuels et des groupes de presse traditionnels.

Il faut reconnaître la réalité : le transfert du marché publicitaire vers de nouveaux supports est un mouvement durable ; alors que sa progression est faible, voire inexistante, pour la presse, la télévision ou la radio, la publicité progresse en France sur internet de manière exponentielle, et ce, à un moment où les recettes publicitaires représentent près de la moitié des ressources de la presse et plus de la moitié de celles de la télévision. Au regard de l'ampleur de la fuite des ressources financières vers internet - mais aussi vers les quotidiens gratuits dans le cas de la presse, vers les nouveaux entrants de la TNT dans le cas de l'audiovisuel -, les transferts entre presse et audiovisuel, qui avaient été ressentis comme importants sur le moment, se révèlent en fait marginaux, comme le montrent l'exemple de la publicité pour la grande distribution ou, à l'inverse, les perspectives de report des recettes de France Télévisions vers la presse.

La différence dans les comportements du public est également à prendre en compte. Les jeunes sont de grands consommateurs multimédias, attentifs à tous les supports. Cela les rend à la fois plus exigeants et plus volages. La télévision et la radio comme la presse ne doivent pas se cristalliser dans le passé ou le présent ; elles doivent davantage veiller à fidéliser l'audience des jeunes publics, car ce qui constitue aujourd'hui leur socle d'audience est un lecteur, un auditeur ou un téléspectateur d'un autre type, peut-être même vieillissant. La différenciation des contenus jouera un rôle important dans cette reconquête.

Ces mutations posent enfin de nouvelles questions en termes de rémunération des contenus et de pratique professionnelle. Comment les éditeurs gèrent-ils la question des droits d'auteur sur de multiples supports ? Plus largement, comment rémunérer les contenus dans un monde médiatique caractérisé par l'essor de la gratuité ? Quelles sont les conséquences de l'accès à des contenus de moins en moins professionnels pour le statut de producteur de contenus ? Autant de questions qui se posent pour l'audiovisuel comme pour la presse. La gratuité de l'information est également problématique en elle-même. Comme le disait Émile Augier, « *la presse* étant un _sacerdoce_, il faut bien pourvoir aux frais du culte ». Plus sérieusement, la question de la valorisation de la gratuité, au profit d'autres mécanismes économiques de marchandisation, rompt le lien direct entre le créateur et son public ; elle entame donc la responsabilité liée à l'information.

Pourtant, comme je l'ai déjà rappelé, il n'est pas possible de voir dans ces phénomènes la seule explication des difficultés de la presse. En France, la vente des journaux s'établit à moins de 200 exemplaires pour 1 000 habitants, contre près de 700 en Norvège, pays de naissance du groupe de publications gratuites _20 Minutes_, ou près de 300 aux États-Unis, pays de naissance d'internet. Il faut donc plutôt étudier les marges réelles de progression qui existent pour la presse française, sans considérer que le déclin serait inexorable. Bien loin d'accélérer l'effritement de la diffusion, certaines de ces innovations sont, au contraire, des chances à saisir pour construire le renouveau de la presse.

Dans l'audiovisuel aussi, la révolution numérique oblige les éditeurs à repenser leurs modèles historiques. Il faut suivre le marché publicitaire sur ses nouveaux territoires, répondre aux nouvelles exigences des consommateurs, toucher de nouveaux publics.

Il y aura donc toujours de la place pour ces médias de masse et de référence. Mais les stratégies qu'ils mettront en œuvre pour être présents sur internet seront déterminantes. […]

Complémentarités, synergies, approche plurimédia

Des complémentarités, des synergies, voire une approche plurimédia entre presse et audiovisuel, pourraient être bénéfiques dans le contexte d'élargissement du paysage médiatique.

[…]

Le support le plus évident pour une telle complémentarité est internet, qui rend accessibles au public l'écrit comme l'image et le son. La fourniture de contenus audiovisuels pour les sites internet des journaux – et inversement – peut bénéficier de partenariats réguliers, afin de professionnaliser des contenus secondaires qui sont aujourd'hui très hétérogènes. C'est en s'alliant que la presse et l'audiovisuel pourront être les plus pertinents sur internet. Pour faciliter ce développement, les aides à la modernisation de la presse devraient également inclure la diversification audiovisuelle.

[…] S'il est en revanche un domaine qui connaît un premier développement plurimédias, c'est celui de la presse quotidienne régionale ou départementale avec la télévision locale.

Pendant longtemps, cette presse s'est tenue en retrait des télévisions de proximité, craignant une concurrence directe sur le marché de la publicité locale. Son attitude a évolué avec la conscience que la collecte et la diffusion de l'information par la presse pouvaient être utilement complétées par la collecte et la diffusion d'images sur les chaînes locales, sans parler d'une présence renforcée sur internet, et avec la possibilité de proposer de véritables offres plurimédias en publicité.

Le Conseil supérieur de l'audiovisuel conduit depuis deux ans une politique très volontariste de développement des télévisions locales, dans le cadre du passage au « tout-numérique ». Au fur et à mesure de la disponibilité de la ressource en fréquences, il assure le passage en mode numérique des vingt-deux télévisions locales existantes diffusées en mode analogique par voie hertzienne. Sept chaînes locales numériques ont été lancées en Île-de-France, et le Conseil a déjà sélectionné dix-sept projets en province pour les premiers appels à candidatures qu'il a lancés. À la fin de l'année 2008, quarante-six télévisions locales émettront en mode numérique ou auront été autorisées à diffuser en mode numérique.

La présence de la presse quotidienne régionale dans les dossiers sélectionnés, ainsi que dans les télévisions existant aujourd'hui en mode analogique, apparaît comme une constante. Outre la dizaine de télévisions locales dans lesquelles les éditeurs de la presse régionale ont des participations majoritaires, cette presse est généralement présente dans d'autres chaînes locales par une participation minoritaire.

Cette constante témoigne de la volonté du CSA de faire confiance aux professionnels de terrain, ceux de la presse régionale, et de son intérêt pour la constitution de groupes plurimédias.

La logique de passerelles entre les différents supports doit permettre à la presse régionale ou départementale de rajeunir un lectorat vieillissant et ainsi de lutter contre l'érosion de la publicité locale, les nouveaux lecteurs appelant un renouveau de la dynamique publicitaire. Tout en s'orientant vers une stratégie multimédias, la presse régionale demeure très attachée à l'identité et à l'indépendance éditoriale de chacun des supports.[…]

Comment faciliter ce travail en commun ? D'abord, en ciblant davantage les aides destinées à la modernisation de la presse ; ensuite, en facilitant les passerelles entre la presse et l'audiovisuel ; enfin, lorsque cette question sera vraiment posée, en veillant à ce que le cadre juridique permette les rapprochements plurimédias, tout en respectant le pluralisme. C'est ainsi que la presse écrite et l'audiovisuel pourront se développer ensemble sur internet. Internet apporte une somme d'informations jamais atteinte, accessible à tous, partout et gratuitement. Mais il ne signifie pas, bien au contraire, la fin de nos médias traditionnels, qui gardent un rôle très important dans un contexte de liberté de l'information et de la communication, une liberté qui, sans leur analyse et leur professionnalisme, serait trompeuse. La liberté de la presse, comme le disait Chateaubriand, est celle de nos libertés qui les veut toutes. Car elle les exprime toutes. La presse professionnelle, l'audiovisuel professionnel obéissent à des règles de déontologie ; l'audiovisuel est régulé dans ses contenus pour être mis au service de la société. L'orientation que les médias de ces deux secteurs doivent prendre avec l'arrivée d'internet sera déterminante : il en va de leur solidité économique, il en va de leur audience, il en va de la qualité toujours renouvelée et enrichie de leurs contenus, il en va également de la pérennité du rôle civique, du rôle pédagogique, du rôle social que doivent tenir nos médias.

(D'après www.csa.fr, dernier accès 30 juin 2009)

3.12 Mon cellulaire, mon portable, mon confident !!!

Lundi le 24 novembre, 2008

Subtil cocktail de jeux vidéo, de MP3, d'appareil photo, de caméra, de GPS, de WEB, d'album photo, de télévision, de gadgets bureautiques, mais …

– Que lui manque-t-il encore ?

– La parole ?

– Peut-être !

Sa diffusion a littéralement explosé de l'enfance à l'âge mûr malgré son coût et son utilité relative ; c'est à se demander comment nos aïeux ont survécu sans ce lien aujourd'hui aussi vital que le cordon ombilical maternel pour le fœtus !

– J'appelle et j'écoute qui je veux, quand je veux !

Cette nouvelle autonomie fascine son propriétaire qui y voit un nouveau lien tribal, personnalisable, identifiant, si simple d'usage et si peu encombrant.

teddy bear

pillow

Il remplace chez certains nounours ou l'absent(e) sur l'oreiller, chez d'autres le « tout-en-un professionnel » indispensable 24 h sur 24, chez d'autres encore, l'accessoire au look d'enfer à emporter avec soi en toute occasion.

Les offres succédant aux offres, le téléphone s'écoute toujours certes, mais aussi se lit, se touche et se regarde sur son écran à haute définition.

Non, pour l'instant, il ne se mange pas encore ! …

Bien que, avec les biotechnologies tout soit envisageable; pensez donc, un portable semi-organique mangeable.

Berk, berk, berk ! *yuk*

Les SMS à la syntaxe minimaliste, les photos instantanées, les vidéos sur écran extra large le rendent encore plus indispensable pour meubler les heures d'attente insupportables, reléguant au rang de tristes ringards, le journal ou le jeu vidéo d'appoint.

Les sonneries téléchargeables, personnalisables et signifiantes, deviennent des mélodies singularisant un propriétaire avide de reconnaissance sociale et de nouveauté.

D'un mois à l'autre, le super top devient une antiquité : le toujours plus « new » est une vraie fuite en avant, un moderne supplice de Tantale.

Le progrès pousse le consommateur « dépendant » de la dernière nouveauté à consommer toujours plus et plus vite bien sûr !

Et puis, les « cellulars » sont sexués !

Vous reconnaîtrez les féminins, par leur design plus soigné, leurs arrondis pleins de promesses, leurs « coques » interchangeables au gré des envies et leurs boutons de nacre.

Vous ne pouvez manquer les masculins, par leur technicité d'agent secret ou de cadre branché.

Demain, ne manquez pas le téléphone à câliner avant et après utilisation !

Après l'ipod, l'ilove.

Toutes les offres avec des forfaits d'enfer sont là pour tenter le plus grand nombre.

Pour quel usage, en fait ?

Pour communiquer avec qui ?

Trouver l'interlocuteur à la mesure de cette prouesse technologique et à la mesure des attentes qu'elle suscite, attentes d'amitié, d'amour, de complicité, d'attentions, de conversations et de rires, constitue la deuxième phase à parfaire. Et ce n'est pas la plus facile …

La dimension quasi instantanée du transfert d'émotions n'autorise pas la modération que seul le temps peut apporter.

Un battement de cœur fera le tour des ondes en quelques secondes et une remarque cinglante blessera plus surement qu'une arme à feu de haute précision à plusieurs centaines de kilomètres de distance.

Devenu un nouvel organe communiquant, un véritable parasite des temps modernes, va-t-il enchaîner son maître tout en l'isolant encore plus au milieu de la foule ?

Docteur Henri PULL

(http://planete.qc.ca/henripull, dernier accès 1 octobre 2009)

Note culturelle

supplice de Tantale   dans la mythologie grecque, le roi Tantale tue et sert aux dieux son propre fils Pélops pour tester leur omniscience. Zeus aurait ordonné de ramener l'enfant à la vie et de remplacer par un bout d'ivoire son épaule consommée. Les dieux, offusqués, condamnent le roi au « supplice de Tantale » : passer l'éternité dans le Tartarus (pire que l'enfer), souffrir un triple supplice.

3.13   La concurrence de l'internet et la riposte des journaux

Panneau publicitaire pour la version numérique du journal *Sud Ouest*

La concurrence de l'internet…

Marc Tessier et Maxime Baffert, dans leur rapport *La presse au défi du numérique* (2007), analysent : « À ce jour, l'arrivée d'un nouveau média n'a jamais fait disparaître les autres médias. L'arrivée de la radio n'a pas fait disparaître les journaux, de même que le développement de la télévision n'a pas empêché le maintien d'une présence forte de la presse et de la radio. Cependant, si l'irruption d'un nouveau média n'entraîne pas la disparition des autres, elle remet en cause leurs positions acquises. Elle conduit ainsi, le plus souvent, à une réduction de leur place ainsi qu'à un bouleversement des équilibres économiques sur lesquels ils avaient bâti leur croissance. En particulier, les médias déjà en place sont conduits à renoncer à certaines activités et certaines fonctions que le nouveau venu réalise de façon plus efficace ou plus avantageuse. Les spécificités des médias numériques font que cet impact est particulièrement fort pour la presse. En effet, ces nouveaux venus présentent la caractéristique de proposer tout ce que les autres médias proposent déjà – écrit, son, image, vidéo… – selon des modalités et des caractéristiques qui lui sont néanmoins propres. Internet oblige donc les autres médias, tout particulièrement la presse écrite, à prendre en compte cette concurrence frontale et à gérer un risque de « cannibalisation » beaucoup plus fort. »

La concurrence de l'internet se manifeste, outre sur le terrain de la recherche de ressources publicitaires, par la réduction du capital-temps disponible pour la lecture de la presse et par la gratuité, totale ou partielle, de nombreux sites.

…et la riposte des journaux

Pierre Albert, dans *La presse française* (La Documentation française, 2008), souligne que « Les journaux ont réagi à cette menace des réseaux numériques d'abord en plaçant leur production en ligne : aujourd'hui, pratiquement tous les quotidiens, la très grande majorité des magazines d'informations et bien d'autres périodiques sont présents sur l'internet. Le discours des entreprises de presse est à ce sujet révélateur de leur volonté d'investir dans ce qui est pour elles plus qu'une seconde édition de leur publication sur papier, puisque leurs sites, très bien achalandés, offrent aussi bien d'autres services diversifiés. Le financement de ces « suppléments » numériques pourra-t-il être assuré par la publicité et/ou par abonnement, voire par paiement de consultations ponctuelles ? En tout cas, en France, les sites du *Monde*, du *Figaro* et bien d'autres sont déjà (et parfois très) rentables. Reste que le marché de l'internet est encore trop peu stabilisé pour que l'on puisse projeter pour un avenir à moyen et long terme leurs chances de réussite : les sociétés gérantes des grands portails du net sont aussi présentes sur ce marché. »

(D'après www.ladocumentationfrancaise.fr, dernier accès 19 novembre 2009)

La radio

Les Français restent confiants en leur radio. De plus, les chaînes, grâce entre autre à leur prise en compte du multimédia et de l'Internet, et la participation plus importante de leurs auditeurs dans les émissions en direct, continuent à se défendre. Mais, les blogs et les tchats des sites Webs associés seront-ils garants de leur existence ? Et à quel prix ? Pour chaque nouveau jeune qui écoute la radio par l'Internet ou par podcast, combien d'auditeurs deviennent « naufragés des ondes traditionnelles » ?

3.14 « Doit-on utiliser le multimédia comme une illustration et un prolongement de l'antenne ou l'intégrer au cœur même de la radio ? »

Nathanaël Charbonnier, rédacteur en chef adjoint de France Info. Groupe Information dans les chaînes nationales

Mon premier sentiment, au terme des deux réunions, est qu'elles ont mobilisé en priorité des gens passionnés. Tout le monde a considéré qu'il se fait beaucoup de choses en matière de multimédia – chaque chaîne a son Web – mais qu'il manque une vision d'ensemble, susceptible d'optimiser les actions afin de rendre Radio France plus efficace sur la toile. Beaucoup ont noté que Radio France avait été en avance mais que nous avions maintenant pris du retard. Les membres du groupe ont exprimé une formidable envie d'agir mais ont pointé de nombreuses lacunes : les mises en œuvre se font souvent avec des bouts de ficelle, parfois en dehors des heures de travail et

la mobilisation de l'encadrement est jugée insuffisante pour donner une impulsion plus productive. Internet est incontournable si l'on ne veut pas passer à coté des auditeurs, notamment des jeunes qui ont de nouveaux réflexes en matière d'écoute et de consommation des médias, mais dans quel sens souhaite-t-on aller ? Utiliser le multimédia comme une illustration et un prolongement de l'antenne ou l'intégrer au cœur même de la radio ? Si l'on considère qu'un sujet est désormais à la fois du son, de l'image et du texte, cela modifie l'approche et les moyens, le journaliste ne pouvant tout faire. Il faudra repenser les compétences de tous les métiers et ne pas avoir peur des conséquences, tant sur la forme que sur le fond, sur notre activité actuelle.

(*Texto Radio France*, le magazine interne de Radio France no. 9, novembre-décembre 2008)

3.15 Nouveau site du Mouv' – Pour les « natifs numériques »

Environ 50% des moins de 25 ans et des étudiants écoutent aujourd'hui la radio sur Internet de manière régulière. Le Mouv' conçoit une version 2 de son site Internet destiné à faire de la chaîne une radio de référence pour la génération des « natifs numériques ».

La multiplication des supports numériques transforme les comportements des consommateurs de médias. C'est plus vrai chez les 15–20 ans que dans toutes les autres tranches d'âge. Pour Le Mouv', il était naturel de refondre la première version de son site Internet pour accompagner cette évolution. La chaîne avait déjà anticipé cette mutation puisqu'elle avait intégré le podcast aussitôt après son lancement.

La version 2, qui sera lancée officiellement début 2009, servira au plus près les attentes des jeunes en matière de radio. « D'abord, nous mettons en avant notre spécificité, à savoir que nous sommes une radio jeune et musicale » commente Sylvain Arramy, délégué à la direction de la Communication du Mouv'. « Mais les jeunes écoutent de plus en plus la radio sur l'Internet et le site du Mouv' enregistre plus d'écoutes que de visites. Nous avons, dans ce but, rendu le nouveau player exportable et intégrable par d'autres sites ou par les internautes eux-mêmes dans leur blog. De même, il apparaît que les jeunes zappent, dans un même moment, entre plusieurs médias ou supports (ordinateur, téléphone mobile, télé, web-TV…). Pour coller à ce comportement volage, le player comporte la fonction « TimeShifting », qui permet de suspendre ou de reprendre l'écoute de la radio à sa guise, sans rien perdre de l'émission en cours. La webradio Francosonik […] participe aussi de cette démarche de complémentarité antenne + Internet. »

Plus d'interactivité

Les jeunes sont également friands d'interactivité sur les contenus. Ils aiment participer, commenter, classer ou voter. Le site du Mouv' satisfait ces demandes en exploitant au maximum les capacités et fonctionnalités du Web 2.0. « Internet devient un vecteur de diffusion, de diversification et d'extension de ce qui se passe à l'antenne » poursuit Sylvain Arramy. Deux exemples illustrent cette orientation : des modules éditoriaux de l'antenne ou de la rédaction sont diffusés

en version longue sur Internet ; *La minute culturelle* est diffusée à l'antenne le mercredi, et sa version vidéo est aussitôt mise en ligne sur le site. Elle est d'ailleurs régulièrement mise en avant sur MySpace, ce qui contribue à accroître la notoriété de la radio.

Génération numérique

Pour mettre en œuvre ce challenge « pour que le Web s'intègre parfaitement à l'antenne », le Mouv' a mis en place un comité opérationnel Web qui rassemble tous les métiers de la station. Il se réunit tous les mardis pour planifier et coordonner les actions et contenus. « La sortie prochaine du nouveau site du Mouv' est un point de départ » conclut Sylvain Arramy. « Il doit faire de la chaîne une radio de référence pour la génération des « natifs numériques ». Ce site est développé spécifiquement pour une mise en ligne début 2009. Le département Convergence et Applications plurimédia l'adaptera à la plateforme commune de création des sites Web pour les développements futurs.

(*Texto Radio France*, le magazine interne de Radio France no. 9, novembre-décembre 2008)

La télévision

La télévision, elle, dépend essentiellement de revenus indépendants. Cependant, une nouvelle proposition de loi sur l'audiovisuel propose de mettre fin aux revenus publicitaires sur les chaînes publiques ; certains estiment que cette loi aura des conséquences néfastes sur l'indépendance éditoriale de ces chaînes.

3.16   Les grandes dates de la télévision française

1935   Premiers programmes de télévision en France.

1937   Émissions régulières de télé (une demi-heure par jour).

1946   Premier bulletin TV météo.

1948   Première arrivée du Tour de France en direct à la télévision.

1949   Création de la Radiodiffusion et télévision française (RTF). Premier journal télévisé (29 juin) qui devient quotidien en octobre. Première redevance télévisuelle.

1950   La télévision commence à sortir de Paris.

1963   Début officiel de la deuxième chaîne en noir et blanc.

1964   Loi créant l'ORTF (Office de Radiodiffusion Télévision Française).

1967   Début des émissions en couleur que pouvaient capter 1 500 téléviseurs couleur en service.

1968   Début des messages publicitaires à la télévision (textile, alimentation et énergie).

1972   Lancement de la troisième chaîne en couleur.

1974   Éclatement de l'ORTF en six entités.

1982   Création de la Haute Autorité et naissance de l'Audimat.

1984   Création de la chaîne cryptée privée Canal Plus.

1986   Début des émissions de La Cinq de Berlusconi et de TV6. La Haute Autorité est remplacée par la Commission nationale de la communication et des libertés (CNCL).

1987   Privatisation de TF1, dont la concession est accordée au groupe Bouygues. TV6 doit céder la place à M6.

1989   Le Conseil supérieur de l'audiovisuel (CSA) succède à la CNCL.

1992   Arrêt des émissions de La Cinq le 12 avril. La chaîne culturelle franco-allemande Arte commence à diffuser sur le même réseau le 28 septembre. Canal Plus lance le bouquet CanalSatellite.

1994   Démarrage des programmes de La Cinquième, chaîne du savoir.

1996   Lancement de TPS (télévision par satellite).

2005   Démarrage de 14 chaînes gratuites de la télévision numérique terrestre (TNT). Annonce du nom de huit autres chaînes retenues pour la TNT gratuite ou payante. Démarrage de chaînes payantes de la TNT.

(www.humanite.fr, dernier accès 30 juin 2009)

Note culturelle

l'Audimat   la mesure de l'audience des émissions, créée aux États-Unis, et développée en France à partir de 1981

Pierre Bourdieu (1930 – 2002), Sociologue

Le mieux connu de ses livres, *La Distinction : Critique sociale du jugement* publié en 1979, est une analyse des relations entre les systèmes de classement (le goût) et les conditions d'existence (la classe sociale).

J'ai choisi de présenter à la télévision ces deux leçons afin d'essayer d'aller au-delà des limites du public ordinaire d'un cours du Collège de France. Je pense en effet que la télévision, à travers les différents mécanismes que je m'efforce de décrire de manière rapide – une analyse approfondie et systématique aurait demandé beaucoup plus de temps –, fait courir un danger très grand aux différentes sphères de la production culturelle, art, littérature, science, philosophie, droit ; je crois même que, contrairement à ce que pensent et à ce que disent, sans doute en toute bonne foi, les journalistes les plus conscients de leurs responsabilités, elle fait courir un danger non moins grand à la vie politique et à la démocratie. Je pourrais en faire aisément la preuve en analysant le traitement que, poussée par la recherche de l'audience la plus large, la télévision, suivie par une partie de la presse, a accordé aux fauteurs de propos et d'actes xénophobes et racistes et par les concessions qu'elle fait chaque jour à une vision étroite et étroitement nationale, pour ne pas dire nationaliste, de la politique. Et pour ceux qui me suspecteraient de monter en épingle des particularités exclusivement françaises, je rappellerai, entre mille pathologies de la télévision américaine, le traitement médiatique du procès d'O.J. Simpson ou, plus récemment, la construction d'un simple meurtre comme « crime sexuel », avec tout un enchaînement de conséquences juridiques incontrôlables. Mais c'est sans doute un incident survenu récemment entre la Grèce et la Turquie qui constitue la meilleure illustration des dangers qui fait courir la concurrence sans limite pour l'audimat : à la suite des appels à la mobilisation et des proclamations belliqueuses d'une chaîne de télévision privée, à propos d'un minuscule îlot désert, Imia, les télévisions et les radios privées grecques, relayées par les quotidiens, se sont lancés dans une surenchère de délires nationalistes ; les télévisions et journaux turcs, emportés par la même logique de la concurrence pour l'audimat, sont entrés dans la bataille. Débarquement de soldats grecs sur l'îlot, déplacement des flottes, et la guerre n'est évitée que de justesse. Peut-être l'essentiel de la nouveauté, dans les explosions de xénophobie et de nationalisme, qui s'observent en Turquie et en Grèce, mais aussi dans l'ancienne Yougoslavie, en France ou ailleurs, réside-t-il dans les possibilités d'exploiter à plein ces passions primaires que fournissent, aujourd'hui, les moyens modernes de communication.

Pour essayer de respecter le contrat que je m'étais assigné dans cet enseignement conçu comme une *intervention*, j'ai dû m'efforcer de m'exprimer de manière à être entendu de tous. Ce qui m'a obligé, en plus d'un cas, à des simplifications, ou à des approximations. Pour mettre au premier plan l'essentiel, c'est-à-dire le discours, à la différence (ou à l'inverse) de ce qui se pratique d'ordinaire à la télévision, j'ai choisi, en accord avec le réalisateur, d'éviter toute recherche formelle dans le cadrage et la prise de vues et de renoncer aux illustrations – extraits d'émissions, fac-similés de documents, statistiques, etc. – qui, outre qu'elles auraient pris sur un temps précieux, auraient sans doute brouillé la ligne d'un propos qui se voulait argumentatif et démonstratif. Le contraste avec la télévision ordinaire, qui faisait l'objet de l'analyse, était voulu, comme une manière d'affirmer l'autonomie du discours analytique et critique, fût-ce sous les apparences pédantes et pesantes, didactiques et dogmatiques d'un cours dit magistral : le discours articulé, qui a été peu à peu exclu des plateaux de télévision – la règle veut, dit-on, que dans les débats politiques, aux États-Unis, les interventions n'excèdent pas sept secondes – reste en effet une des formes les plus sûres de la résistance à la manipulation et de l'affirmation de la liberté de la pensée. J'ai bien conscience que la critique par le discours, à laquelle je me trouve réduit, n'est qu'un pis-aller, un substitut, moins efficace et divertissant, de ce que pourrait être une véritable critique de l'image par l'image, telle qu'on la trouve, çà et là, de Jean-Luc Godard dans *Tout va bien*, *Ici et ailleurs* ou *Comment ça va* jusqu'à Pierre Carle. Conscience aussi que ce que je fais s'inscrit dans le prolongement, et le complément, du combat constant de tous les professionnels de l'image attachés à lutter pour « l'indépendance de leur code de communication » et en particulier de la réflexion critique sur les images dont Jean-Luc Godard, encore lui, donne une illustration exemplaire avec son analyse d'une photographie de Joseph Kraft et des usages qui en ont été faits. Et j'aurais pu reprendre à mon compte le programme que proposait le cinéaste : « Ce travail, c'était commencer à s'interroger politiquement [je dirais sociologiquement] sur les images et les sons, et sur leurs *rapports*. Ce n'était plus dire : « C'est une image juste », mais : « C'est juste une image » : ne plus dire : « C'est un officier nordiste sur un cheval », mais : « C'est une *image* d'un cheval et d'un officier ». »

Je peux souhaiter, mais sans me faire beaucoup d'illusions, que mes analyses ne soient pas reçues comme des « attaques » contre les journalistes et contre la télévision inspirées par je ne sais quelle nostalgie passéiste d'une télévision culturelle style Télé Sorbonne ou par un refus, tout aussi réactif et régressif, de tout ce que la télévision peut, en dépit de tout, apporter, à travers par exemple certaines émissions de reportage. Bien que j'aie toutes les raisons de craindre qu'elles ne servent surtout à alimenter la complaisance narcissique d'un monde journalistique très enclin à porter sur lui-même un regard faussement critique, j'espère qu'elles pourront contribuer à donner des outils ou des armes à tous ceux qui, dans les métiers de l'image même, combattent pour que ce qui aurait pu devenir un extraordinaire instrument de démocratie directe ne se convertisse pas en instrument d'oppression symbolique.

(Pierre Bourdieu, *Sur la télévision*, LIBER éditions, 1996, pp. 5–8)

3.18 Communiqué de presse

Le 29 décembre 2008

FRANCE TÉLÉVISIONS CONFIRME SA POSITION DE LEADER DANS L'UNIVERS DE LA TÉLÉVISION NUMÉRIQUE GRATUITE

Le groupe France Télévisions recueille une part d'audience de 34,7% sur l'année 2008 : avec 17,5% de part d'audience pour France 2, 13,3% pour France 3, 0,9% pour France 4 et 3% pour France 5[1].

Depuis plus de 3 ans, le virage éditorial voulu par Patrick de Carolis a permis aux chaînes du groupe de renforcer leur identité, d'accentuer leur complémentarité et de rester concurrentielles malgré une progression accélérée des chaînes de la TNT, du câble et du satellite, les « autres TV », qui affichent cette année une croissance record de 36%.

France Télévisions résiste bien à la montée en puissance des « autres TV » (France 2 étant la chaîne historique qui résiste le mieux en valeur relative). Le groupe France Télévisions a su installer de vrais rendez-vous avec ses téléspectateurs sur toutes ses antennes. Une offre culturelle, de création, d'information et sportive plébiscitée par les téléspectateurs. France Télévisions s'installe en vrai média global avec des records de fréquentation sur ses sites Internet.

Avec 17,5% de part d'audience, France 2 est la chaîne hertzienne qui se maintient le mieux par rapport à l'année 2007. Elle ne perd que 3,6% de son audience face à la montée historique des Autres TV.

En multipliant les prises de risques, c'est la chaîne qui a mis le plus de nouveaux programmes à l'antenne à la rentrée et malgré des résultats contrastés, France 2 réduit l'écart avec le leader qui n'a jamais été aussi faible (seulement 9,7 points).

Seule offre événementielle généraliste, la diversité des genres et l'exigence restent la force et l'exclusivité de France 2.

Avec 13,3% de part d'audience, France 3 conforte sa place de 3e chaîne généraliste. Une année marquée par la vitalité de l'ensemble des rendez-vous identitaires de la chaîne (*Thalassa, Des Racines et des ailes, Plus belle la vie, Louis la Brocante,* les *Spéciales santé, Ce soir (ou jamais !), Questions pour un champion* et *Toowam*), les performances de ses rendez-vous d'information locale, régionale, nationale et internationale (les soirées électorales pour les municipales et ses éditions *12/13, 19/20* et *Soir/3*), et les succès de ses œuvres de création (les documentaires à 20h 50 comme *Jeunes, seules, sans travail et déjà mères* ou *Des Femmes en blanc,* et les fictions unitaires comme *L'Amour dans le sang, Marie-Octobre, La Femme tranquille*). Les nouveautés de la rentrée se sont installées et progressent (*Comme un vendredi* présenté par Samuel Étienne, *Le mieux c'est d'en parler* avec Marcel Rufo et *@ la carte* animé par Valérie Durier) tandis que les prises d'antennes exceptionnelles en régions sur des événements culturels et sportifs en direct recueillent l'adhésion du public comme le dispositif déployé par France 3 Ouest pour le *Vendée Globe 2008*.

Avec 3% de part de marché nationale sur 24h, le bilan 2008 de France 5 se caractérise par des performances d'audience stables avec un équilibre entre la journée et la soirée, une image et une satisfaction sans équivoque auprès du public et des audiences Internet en forte croissance.

En journée, (de 6h 45 à 19h), la chaîne rencontre des belles performances sur ses rendez-vous *C dans l'air, Ripostes, Les Escapades de Petitrenaud* ou encore le doc du dimanche.

---

[1] Source Médiamat-Médiamétrie/Individus 4 ans et +.

En soirée dès 20h 35, l'audience de France 5 progresse de 52% depuis la rentrée de septembre, avec des succès tout au long de l'année comme *L'Enfer de Matignon, Échappées belles, Question Maison* ou les documentaires tels *Sale temps pour la planète ! - USA, le colosse aux pieds d'argile* et *Empreintes*.

France 4 fait plus que doubler son audience en passant de 0,4% en 2007 à 0,9% en 2008 soit un chiffre multiplié par 2,25 (+125%). La chaîne est aujourd'hui reçue par ¾ des foyers français soit 41,5 millions d'individus. À souligner les succès tels les spectacles en direct *Les Chevaliers du Fiel, Montreux Festival du rire, Gala ni putes ni soumises*, les fictions ou le sport.

RFO affiche des résultats très satisfaisants pour ses télévisions et ses radios. En télévision, le Réseau RFO atteint en Martinique 38,7% de part d'audience ; en Guadeloupe, il avoisine les 49,7% de Pda (vs 48,3% en 2007). En Guyane, il rassemble 47,8% de Pda pour la vague de septembre-novembre 2008. À la Réunion, avec 36,7% de Pda chez les + de 15 ans, RFO reste leader face à la concurrence locale. Dans le Pacifique, RFO atteint 67% de Pda en Nouvelle Calédonie et avec 56,5% de PdM, Télé Polynésie progresse de 1,5 points.

Concernant les radios du Réseau RFO, Radio Guyane reste stable avec 45,6% de Pda (sondage de septembre – novembre 2008), de même que Radio Guadeloupe avec une part d'audience de 27,9%.

Radio Martinique évolue de 22,4% à la fin 2007 à 23,8% au 1er semestre 2008. Radio Réunion réunit 10,8% de Pda. Dans le Pacifique, RNC est désormais n° 1 sur l'ensemble de la Nouvelle-Calédonie avec une audience 23,1% de PdM contre 21,7% en 2007.

[…]

L'ensemble de ces performances encourage le groupe public à poursuivre sa stratégie : soutenir la création, la culture, la découverte, l'information sur ses antennes en proposant une télévision différente, généreuse, événementielle et innovante avec des rendez-vous en soirée dès 20h 35 dès le 5 janvier.

Qui, si ce n'est France Télévisions peut se féliciter d'avoir, dans ses 20 meilleures audiences annuelles en prime du théâtre, de la fiction française, du documentaire, du cinéma, du sport et du divertissement ?

Du 31 décembre 2007 au 28 décembre 2008

[…]

(www.francetelevisions.fr, dernier accès 30 juin 2009)

3.19   L'audiovisuel public attend

Sud Ouest Lundi 24 Novembre 2008, Jean-Paul Taillardas

Les membres du personnel de France Télévisions appellent à une journée de grève demain.[2])

Six semaines. C'est le laps de temps qui reste avant la révolution de soirées télévisuelles sans publicité sur les chaînes publiques. Une réalité génétique pour Arte mais qui va atteindre les réseaux de France Télévisions, d'abord à partir de 20 heures, dès le 5 janvier, puis toute la journée en décembre 2011. Ces six semaines risquent d'être agitées à l'Assemblée, au Sénat, où le projet de loi va être débattu, ou parmi les membres du personnel de France Télévisions, qui sont appelé à une journée de grève et de mobilisation demain.

Vingt minutes par soir

Reprise par le président de la République, cette idée de la gauche, que celle-ci avait renoncé à exécuter aurait pu être un coup de génie stratégique. À condition de ne pas la lancer

---

[2]   L'Assemblée nationale entamait le lendemain l'examen du projet de loi sur l'audiovisuel public.

comme ce fut le cas dans une improvisation de dilettantes. D'autant que Nicolas Sarkozy n'en a fait que selon son bon plaisir : en décidant de nommer lui-même le futur président de France Télévisions ; en écartant les propositions de la commission de réflexion Copé ; en feignant d'ignorer que les chiffres sont têtus. Et que les fortunes nécessaires au fonctionnement d'une télévision ne se trouvent pas sous le sabot d'un cheval.

Côté téléspectateurs, la réforme se traduira par un gain de vingt minutes chaque soir, avec des émissions qui débuteront sur la plupart des grandes chaînes à 20 h 35. Il devrait bénéficier de plus de programmes culturels à de bonnes heures sur les canaux publics délivrés de publicité. Avec les risques que cela comporte : « *Le Malade imaginaire* » a récemment valu à France 3 une dérouillée : à peine 2 millions de spectateurs alors que l'ami du président, Christian Clavier, était en vedette au générique. À moins que ceci n'explique cela.

Quelques libéralités

M. Sarkozy pensait aussi faire plaisir aux chaînes privées : leur panière publicitaire va déborder des budgets que France Télévisions abandonne. D'autant que s'ajoute une libéralité qui va abonder leurs recettes d'une manne incalculable : l'autorisation d'une deuxième coupure pendant les fictions et les films. Or, les directions de ces chaînes privées ne sont même pas reconnaissantes. Ces ingrates renâclent à mettre au pot la contribution au financement de l'audiovisuel public. Raisons invoquées pêle-mêle : la crise, les bénéfices en baisse, la sauvegarde de l'emploi, etc.

Et voilà que, la semaine dernière, les députés UMP soufflent le château de cartes concocté à l'Élysée. Pour financer sa réforme, le chef de l'État exigeait une taxe de 3% (80 millions escomptés) sur les recettes publicitaires de TF1, M6 et Canal+, et une autre de 0,9% (environ 370 millions) sur le chiffre d'affaires des opérateurs télécoms. Les troupes de droite de l'Assemblée se sont mises d'accord pour limiter à 1,5% en 2009 la dîme des chaînes privées. Elles ont tenté aussi de revoir la contribution des opérateurs téléphoniques, mais cet amendement pourrait rester dans le domaine des velléités. Si les députés UMP vont au bout de leurs propositions, M. Sarkozy se retrouverait toutefois devant un gouffre de près de 40 millions d'euros à trouver pour assurer les fins de mois de France Télévisions. Or, le gouvernement a promis de compenser à l'euro près le manque éventuel à gagner.

[…]

(http://archives.cedrom-sni.com, dernier accès 30 juin 2009)

Pipolisation, strass et paillettes

3.20   Une tendance « irréversible » ?

Cité le 6 septembre 2006 par le quotidien francophone suisse *Le Temps*, le Français Roland Cayrol, directeur de l'institut CSA et chercheur à la Fondation nationale des sciences politiques, estime que la « peoplisation » est une tendance à la fois irréversible et de mieux en mieux installée : « Il y a une acceptation plus tranquille des candidats à se mouvoir dans l'univers people. Avant, ils avaient une réticence. Ils se disaient : *« On n'est pas des stars du show-biz. »* Ils comprennent davantage aujourd'hui – et les électeurs aussi – que la posture de l'homme politique n'est plus seulement celle de la rationalité, mais celle de l'émotion. C'est ce que disait Nicolas Sarkozy à Didier Barbelivien, son ami et compositeur : *« On fait le même métier, qui est de susciter des émotions chez les gens. »* ».

De son côté, dans une dépêche de l'AFP du 11 août 2006, le chercheur Dominique Wolton, spécialiste de communication politique, s'inquiète de ce qu'il considère comme une « dérive » de la presse française. Il s'insurge que les médias français se fassent « complices de cette pipolisation des politiques » même s'ils sont encore « loin de la presse de caniveau » britannique. « Que Ségolène Royal soit en maillot de bain, ce n'est pas une déclaration politique », estime Dominique Wolton.

Un avis également partagé par le journaliste Alain Duhamel qui, dans l'édition dominicale du 10 septembre 2006 du quotidien *Sud Ouest*, s'inquiète de la pipolisation de la vie politique. Selon lui, « la « pipolisation » est vraiment montée en puissance ces derniers mois. Je suis d'autant plus déçu que j'ai toujours été un partisan de l'économie de marché : naïvement, je pensais que la concurrence à la télévision, entre les chaînes et les rédactions, allait améliorer l'information politique. Ce n'est évidemment pas le cas. Les politiques sont obligés de se faufiler dans les émissions de variétés, là où ils pensent être écoutés ».

Interrogé par l'hebdomadaire *Le Point* (édition du 31 août 2006), René Rémond, se voulait, lui, plus prudent : « Je crois qu'il ne faut pas céder à cette « pipolisation ». Si les tentations sexuelles des hommes politiques ont un effet sur leurs décisions et instituent une sorte de magistrature d'influence avec des maîtresses ou des épouses qui n'ont aucune légitimité politique, alors oui, on a le devoir d'en parler. Mais, sinon, cela relève du voyeurisme, voire du puritanisme. Les hommes politiques, contrairement aux comédiens, ont en charge la politique de la cité. Je pense qu'au moment où les citoyens doivent choisir entre des personnes il est effectivement important de bien les connaître. Mais est-ce pour autant raisonnable d'effacer une frontière entre le public et le privé, qui pourrait avoir pour conséquence, je crois, l'absorption du privé par le public, et la dissolution de la politique dans le social ? Il faut être strict, car on encourage là

une curiosité qui n'est pas saine, et qui n'apporte rien à la compréhension du fonctionnement des institutions, ni à un choix lucide et éclairé pour les citoyens. On flatte là quelque chose qui n'a rien à voir avec la compréhension de la vie politique et qui pourrait s'apparenter à un dérapage. Motivé cette fois non par le sexe, mais par l'argent. Qui, comme vous le savez, est un autre aphrodisiaque... »

Dès 1992, l'ethnologue français Georges Balandier, spécialiste d'anthropologie politique, réactualisait le concept antique de « théâtrocratie » pour qualifier le besoin qu'éprouvent les institutions à parader, quêtant autant l'admiration que la légitimité : « Le mal démocratique, aujourd'hui, c'est l'anesthésie cathodique de la vie politique. »

(http://fr.wikipedia.org/wiki/Peoplisation, dernier accès 30 juin 2009)

3.21 La médiatisation de la vie privée des hommes politiques

Une analyse de cas : La réconciliation de Cécilia et Nicolas Sarkozy dans la presse écrite française

Eva-Marie Goepfert, Doctorante en sciences de l'information et de la communication, Université Lumière Lyon 2, ATER à l'Institut d'Études Politiques de Lyon

Sujet d'actualité, la médiatisation de la vie privée des hommes politiques fait de plus en plus parler sur les plateaux de télévision et dans la presse écrite. Hommes politiques, journalistes, citoyens/spectateurs et scientifiques témoignent dans leur savoir-dire et dans leur pouvoir-dire de cette évolution médiatique de la communication politique. De nombreux auteurs en sciences de l'information et de la communication, comme dans d'autres disciplines, se sont attachés à étudier ce mouvement à la télévision. Cependant, rares sont les écrits concernant cette médiatisation dans la presse écrite, qu'elle soit d'informations générales et d'opinion ou people, certainement conséquent de la nouveauté de cette médiatisation dans ce type de presse. Cet écrit va s'attacher à comprendre en quoi le traitement médiatique de la vie privée des hommes politiques tend à construire une nouvelle image de ce dirigeant et en quoi cela l'insère dans des considérations plus propres au monde de l'opinion et, plus simplement, au people.

[...]

La mobilisation de la vie privée d'un homme politique dans les médias révèle d'autres rôles joués par cet homme politique que sa fonction ne semble pas requérir. C'est dans ces considérations que le concept d'identité et, plus particulièrement, d'identité plurielle, mobilisé par divers sociologues[3] semble pertinent. En effet, les médias ont contribué ces dernières années à modifier les frontières entre espace privé et espace public en tant qu'ils opèrent une publicisation de la vie privée et une privatisation de l'espace public. (…) En effet, la frontière entre espace privé et espace public est flexible et donc constamment en redéfinition et re-délimitation. Comment alors intégrer ce qui est de l'ordre du privé et ce qui est de l'ordre du public ? Quels sont les éléments qui peuvent permettre de les distinguer ? Pouvons-nous nous contenter de considérer ce qui est connu comme de l'ordre du public ? Si oui, comment alors saisir le privé en tant que justement il ne m'est pas accessible parce qu'il est non-dit ou non-connu ? Si non, comment séparer le connu public du connu privé ? Face à ces questionnements, l'ouvrage de Luc Boltanski et Laurent Thévenot semble apporter un nouvel élément… De la dyade espace privé/espace public, cet ouvrage va nous amener à penser à travers une triade : monde domestique/monde de l'opinion/monde civique[4] et à construire ainsi des indicateurs méthodologiques nous permettant d'attraper ce qui est en jeu dans le traitement médiatique de la vie privée d'un homme politique. (…) Bien que les définitions de chacun des espaces restent floues, elles nous permettent de comprendre et d'approcher les concepts inhérents à cette étude : celui de visibilité, de secret, de publicité et de personnification. [...]

Cette étude traite d'un évènement en janvier 2006 qui répond à ces prérogatives et qui concerne un homme politique : la réconciliation de Nicolas et Cecilia Sarkozy, début janvier 2006. (…) L'enjeu de cette recherche est de voir, à partir d'un évènement a priori privé, comment les différents journaux le rendent visible, comment sa mise en scène s'organise et porte un jugement sur l'évènement et légitime la présence du privé dans les journaux en tant qu'espace public. L'évènement de la réconciliation de Nicolas et Cecilia Sarkozy oscille entre monde civique de par la fonction et le statut de Nicolas Sarkozy, monde de l'opinion par leurs renommées et leurs mobilisations dans les médias français et enfin, monde domestique par la nature de l'évènement et le lien interpersonnel qui les unit. (…) En effet, l'homme politique est désormais visible dans les trois mondes qu'il traverse au fil de ses journées, c'est son identité plurielle qui est

---

[3]   Lahire, B. (2001) *L'homme pluriel*, Paris, Nathan, 2e édition. De Singly, F. (2003) *Les uns avec les autres : Quand l'individualisme crée du lien,* Paris, Armand Colin.

[4]   Boltanski, L. & Thévenot, L. (1991) *De la justification : Les économies de la grandeur*, Paris, Gallimard.

rendue visible bien que la loi française donne droit à l'oubli et interdit ainsi la redivulgation d'informations privées. Il devient un *homo cathodicus* qui bâtit sa popularité sur sa singularité. La politique tend donc de plus en plus à se personnifier par la personnification des candidats. L'homme politique peut donc désormais être considéré comme un people.

« *Il n'y a pas deux vies. Comme si la part de soi la plus intime et la plus intéressante, il fallait l'abandonner jusqu'au samedi matin et au dimanche soir inclus. Le domaine de la vie privée n'a pas de sens. C'est le domaine de la vie tout court.* » Nicolas Sarkozy.

L'analyse du cas de la réconciliation de Nicolas et Cécilia Sarkozy m'a permis de plonger cette étude dans la réalité confuse de l'espace public et de l'espace privé et de leur évolution quant à la publicisation de l'espace privé et la privatisation de l'espace public mais aussi dans la réalité théorique des mondes de Boltanski et Thévenot et dans la réalité méthodologique de l'analyse narrative de Greimas. Mais plus loin encore et par ces réalités, cette analyse m'a permis de vérifier que les journaux et les magazines français traitent de ce sujet en cohésion avec leur posture éditoriale quant à la médiatisation de la vie privée et quant à la transparence, une médiatisation qui, bien loin de dévoiler des secrets, construit une image de l'homme politique, une nouvelle image constitutive de la nouvelle visibilité des hommes politiques face à l'évolution du métier, des médias et de la reconnaissance du public. C'est au prisme de cette analyse que la considération de l'homme politique comme people prend sens et s'ouvre à de nouvelles questions. Cette recherche prend fin avec cette conclusion ou du moins celle datant de janvier 2006. Car à l'heure de la remise de ce mémoire, dans les kiosques, nous pouvons lire sur la une de *VSD* que le couple, qui s'était à nouveau séparé, s'est à nouveau réconcilié. Cependant, cet évènement dans la vie privée de Nicolas Sarkozy permet au magazine de traiter plus généralement des possibles futures *first ladies*… Sujet d'actualité, disions-nous en introduction ? La campagne présidentielle devrait voir se propager dans les médias une transparence accrue des hommes politiques ? Quel traitement et quelle influence de cette visibilité sur le résultat de cette campagne ? En quoi les journaux people et Internet permettront une communication politique alternative qui permettra de donner de la visibilité aux plus transparents et médiatisés ? Comment penser les processus de médiatisation par la presse écrite et par Internet dans le contexte d'une campagne présidentielle ? Peut-on exclure une rhétorique politique de la médiatisation de la vie privée ? Quels ethos seront les plus utilisés et les plus exposés dans cette communication alternative ?

« *Derrière tout président, il y a un homme qui se frotte à la vie, comme tout un chacun, connaît des brisures, goûte à l'espoir…* » Gala. n° 455.

(http://memsic.ccsd.cnrs.fr, dernier accès 30 juin 2009)

Note culturelle

VSD (*Vendredi Samedi Dimanche*) un magazine hebdomadaire « d'informations du weekend », accompagné d'un site Internet www.vsd.fr

3.22 La « pipolisation » des politiques gagne du terrain

Mardi, 15 août 2006

Des photos volées de Ségolène Royal montrant la favorite des sondages à gauche pour la présidentielle de 2007 en bikini ont été publiées cette semaine dans la presse française, une première dans un pays où le phénomène « people » gagne peu à peu la classe politique.

L'hebdomadaire *VSD* a publié sur la même page de une des photos de son rival de droite, le ministre de l'Intérieur Nicolas Sarkozy, torse nu en plein footing avec ses gardes du corps sur une plage d'Arcachon. En titrant juste sous les photos : « Duel au soleil ».

Dans *VSD* comme dans *Closer*, l'autre magazine « people » à avoir édité la série de Ségolène Royal, montrée en famille sur une plage de la Côte d'Azur, le ton reste élogieux : « Et dire qu'elle a 53 ans ! » et qu'elle a eu quatre enfants, s'enthousiasme *Closer*, pendant que *VSD* parle de sa « silhouette de sirène ».

D'habitude, les photos de « people » en maillot de bain qui s'étalent dans la presse concernent des personnalités du show-biz. On avait cependant déjà vu l'été dernier des photos (posées) du Premier ministre Dominique de Villepin sortant des flots sur une plage de la côte atlantique.

Spécialiste de communication politique, le chercheur Dominique Wolton s'inquiète de ce qu'il considère comme une « dérive » de la presse française. Il s'insurge que les médias français se fassent « complices de cette pipolisation des politiques » même s'ils sont encore « loin de la presse de caniveau » britannique. « Que Ségolène Royal soit en maillot de bain, ce n'est pas une déclaration politique », fait-il valoir.

Pendant longtemps, étaler la vie privée des personnalités politiques et de leurs proches relevait quasiment du tabou en France. Liaisons extra-conjugales, enfants « illégitimes » : ces sujets, s'ils étaient parfois connus, n'étaient pas abordés. De nombreux journalistes politiques connaissaient ainsi l'existence de la fille cachée de l'ex-président socialiste François Mitterrand, Mazarine, mais l'ont longtemps tue. Aujourd'hui, « il y a un intérêt décuplé de la part du grand public » pour les politiques, plaide le rédacteur en chef délégué de *VSD*, Marc Dolisi.

Le marché de la presse people a explosé ces dernières années en France, avec une demi-douzaine de titres tirant chacun à plusieurs centaines de milliers d'exemplaires, malgré la menace de sanctions judiciaires élevées pour atteinte à la vie privée. « Ségolène Royal comme Nicolas Sarkozy n'ont pas hésité à user de leurs vies privées dans des mises en scène. Ils sont eux-mêmes sortis du cadre », assure Marc Dolisi.

De fait, les deux aspirants à la présidence du pays misent tous deux sur une campagne médiatique très centrée sur leur personnalité. Dès 1992, alors qu'elle était ministre de l'Environnement, Ségolène Royal avait posé pour la presse après avoir accouché, s'affichant avec sa dernière née en une du quotidien populaire *France-Soir*. Plus récemment, les médias ont couvert de près les déboires de Nicolas Sarkozy et de son épouse Cécilia, dont il a été un temps séparé, un sujet qu'il évoque d'ailleurs ouvertement dans son livre « Témoignage », devenu un best-seller de l'été.

Ségolène Royal a fait savoir qu'elle ne porterait plainte. Selon son entourage, elle n'a pas apprécié les clichés d'elle à la plage, reproduits ensuite dans d'autres journaux, mais « ne veut pas donner à ce fait plus d'importance qu'il n'en a ».

Les médias anglo-saxons ont consacré plusieurs articles à ces photos de Ségolène Royal, y voyant un épisode significatif de la bataille présidentielle qui s'annonce avec Nicolas Sarkozy.

(www.actuchomage.org, dernier accès 30 juin 2009)

3.23 Cette culture, elle est celle dans laquelle on baigne

« Cette culture, elle est celle dans laquelle on baigne » France, États-Unis, utilisation des médias dans le domaine politique, avec un certain charme. Est-ce que ça ne fait pas partie de l'ambiance générale dans les médias qui est la culture people, la culture « strass et paillettes », « bling » en anglais, et quel est le rôle justement joué par cette culture « strass et paillettes » à la radio, par opposition à la télé, la presse écrite, les magazines, etc... Là c'est visuel donc on comprend très bien le rôle de la peopolisation et la vie des stars et des vedettes, etc... mais cette culture strass et paillettes a une telle influence à la radio ?

Cette culture, elle est celle dans laquelle on baigne, cette culture elle est incontestablement favorisée à la fois par l'hédonisme de la société, le goût du bonheur, l'individualisme et en même temps la volonté de se retrouver dans une tribu, dans une communauté, à la fois individualisme et communautarisme. Donc s'il n'y avait pas ces tendances lourdes dans la société incontestablement les médias ne pourraient pas surfer sur la vague. Jouer sur ce fond qui consiste à confondre la vie publique et la vie privée, à s'interroger sur la vie privée des hommes et des femmes publics et donc à faire du people avec des gens qui normalement ne sont pas des stars de cinéma. À ça, le phénomène est amplifié parce que tous les médias sont à la recherche de recettes pour progresser et que pour le numérique, pas seulement Internet, le numérique les atteint tous de plein fouet : la presse parce qu'elle manque de publicité et parce que les jeunes ne lisent pas, la radio parce qu'elle se dit : « Mais si je ne prolonge pas avec du podcasting et avec des webradios je ne vais pas survivre avec seulement la radio généraliste par ondes hertziennes et la télévision parce qu'elle est elle aussi défiée par le cinéma et par Internet et par les autres spectacles vivants, [...] donc les trois grands médias sont défiés considérablement. C'est un « challenge » comme vous dîtes qui est extrêmement important pour eux. Ils ne savent plus très bien à quel saint se vouer, ils savent plus très bien quoi faire, ils sont à la recherche tous les trois de recettes nouvelles et parmi ces recettes il y a évidemment la peopolisation de la vie politique et de la vie publique. C'est les émissions de télé-réalité à la télévision, c'est les émissions où on interroge les hommes publics sur leur vie privée à la radio et c'est le succès de journaux dont la presse anglaise a le génie, c'est à dire ce qu'on appelle à Paris la presse de caniveau, la presse de trottoir où vous avez le *Sun* etc. qui ne sont pas des journaux de qualité. Mais nous, nous avons aussi *Closer*, nous avons *Gala*, nous avons *Voici*, c'est à dire des magazines qui ne parlent que des people, où se mélangent les stars de cinéma, les vedettes de la chanson et les hommes publics qui assistent à des galas, qu'ils aient lieu à Paris ou à Monaco, des galas soi-disant de bienfaisance mais où ces gens-là se mélangent et se mélangent d'ailleurs un peu trop parce que finalement ça amuse évidemment un certain public mais ça déconsidère incontestablement ceux qui devraient garder une certaine distance et c'est vrai que la France a la chance ou la malchance d'avoir un président de la République qui a épousé quand même un top model qui est une chanteuse à succès, qui incontestablement est plus belle que la reine d'Angleterre, pardon, qui est un peu notre Diana à nous. Mais Diana est malheureusement pour vous morte à Paris. Par conséquent vous êtes bien obligés de vous réfugier derrière Carla et par conséquent la photo de l'échange, de la rencontre entre la reine Élisabeth et Carla a fait le tour du monde et elle a fait les « choux gras » comme on dit vulgairement de la presse people française mais j'imagine anglaise aussi. On a beaucoup, beaucoup vu. C'est notre Diana à nous. Nous n'en avions pas eu. Les américains avaient eu Jackie Kennedy. Vous avez eu Diana et nous, nous avons maintenant Carla. Donc voyez, ça a favorisé incontestablement en France quelque chose qui existait déjà, surtout que, en plus, Sarkozy avait voulu, au nom de la diversité, prendre deux femmes, qui étaient, l'une représentative des françaises d'origine maghrébine et l'autre, Rama Yade, qui était une femme très jolie et qui était la représentation de la réussite d'une femme qui est noire et qui est très belle, donc ces trois femmes occupent tout...[...]

Nous avons une tradition en France qui a voulu pendant longtemps que la vie privée demeure à l'abri du regard des médias et vous, vous avez cette presse de caniveau qui n'a jamais respecté cette barrière. Nous ça a commencé avec Pompidou qui était souffrant et dont le microcosme parisien savait – parce qu'il le voyait – qu'il était gravement malade et dont on a tu la maladie jusqu'au dernier jour, jusqu'à l'image de Reykjavik révèle évidemment ce que tout le monde disait à demi-mots mais c'est vrai Mitterrand a pu vivre toute sa vie avec un double foyer, avec une fille illégitime sans que jamais la presse ne le dise. Mais maintenant ce ne serait plus possible ! Ce ne serait plus possible, en un sens ce serait peut-être mieux mais en même temps il faut pas non plus, dès lors que, effectivement, ça peut avoir des conséquences sur la vie publique, il est normal qu'on en parle mais il ne faut pas non plus aller jusqu'à ne faire que ça.

(Francis Balle, interviewé par Pete Smith, février 2009)

La culture dans tous ses états

La culture peut prendre des formes infiniment variées, depuis la culture avec un grand « C », que l'on trouve dans les volumes reliés cuir, les musées de prestige, les salles de concert ou la statuaire des rues des grandes villes, jusqu'à la culture avec un petit « c », tout aussi riche mais traditionnellement moins <u>prisée</u>, des bacs de bandes dessinées dans les magasins, des soirées polar devant la télé, ou encore des nouvelles pratiques sociales sur l'Internet. Ce sont tous ces aspects, et la façon dont l'État français les prend, ou non, en charge, que vous allez découvrir dans ce chapitre.

prized

Chapitre 4

Tintin et Le cheval sans tête

4.1   Gaston Lagaffe en breton !

Gaston Lagaffe en breton !

Gaston fait toujours autant de gaffes, mais il les fait... en breton ! Les aventures du garçon de bureau le plus ingénieux (et le plus maladroit) sont enfin disponibles en langue bretonne grâce à la maison d'édition Yoran Embanner. Cet éditeur, spécialisé dans les « micro-dictionnaires » en dialectes et langues minoritaires, compte bien profiter de son expérience pour permettre à Gaston de s'exprimer dans de nouvelles langues (basque, corse ou occitan...)

Comment vous est venue l'idée de traduire Gaston Lagaffe en breton ?

« En réalité, l'idée est venue du traducteur Alan Monfort. Ce Vannetais est un fan de Gaston, comme beaucoup de gens de plusieurs générations. Cette idée m'a plu, même si elle n'était pas tout à fait dans ma politique éditoriale. Mais cela n'a pas été facile. Il a fallu négocier directement avec les éditions Dupuis à Bruxelles. Je les ai rencontrés lors de la foire du livre de Francfort en 2005. L'affaire a pris plus d'un an. »

Pourquoi vouloir traduire Gaston dans d'autres langues ?

« Mon expérience dans les micro-dictionnaires de langues européennes m'a fait réfléchir. Je connais de nombreux potentiels dans d'autres pays, et j'ai un bon réseau de traducteurs dans de nombreuses langues (corse, basque, occitan, savoyard, gallois, cornique, romanche...). Les auteurs auxquels j'ai soumis cette proposition ont tous été enthousiastes. Mais attention : tous les pays d'Europe n'ont pas la même culture BD.

Cette culture est évidente en Belgique, France et Suisse. Elle est pratiquement inexistante en Allemagne ou en Angleterre. L'Espagne, pour sa part, est centrée sur ses propres héros. La traduction de Gaston en basque sera donc une véritable nouveauté pour le Pays Basque sud. Cerise sur le gâteau : c'est moi qui vais assurer la traduction de Gaston en wallon, alors que Dupuis est un éditeur... belge ! »

Comment va se développer Gaston en breton ?

« Je compte éditer un nouvel album par an. Pour ce premier tome, nous avons tiré à 4 000 exemplaires. Cela nous laisse le temps de voir venir et ne nous impose pas un retirage tout de suite. Gaston Lagaffe est l'un des quatre « grands » de la bande dessinée, avec Tintin, Astérix et Lucky Luke. Je ne doute pas qu'il sera apprécié des bretonnants ! »

(Texte de Yoran Delacour, *Le Télégramme de Bretagne*, 21 décembre 2006)

Vocabulaire

Vannetais   habitant de la ville de Vannes, en Bretagne

cornique   langue de Cornouaille bretonne

Note culturelle

BD (bande dessinée)   la BD est une importante industrie, justifiant un Festival international de la bande dessinée. Ce festival, et la foire du livre de Francfort, sont les deux principaux événements où se négocient les achats et ventes, ainsi que les traductions des BD les plus connues, comme Gaston Lagaffe.

4.2 Foire aux questions sur la BD

Les 10 questions que vous vous posiez sur la BD

1 Certains pensent que les gravures satiriques anglaises du XVIIIe siècle sont les vraies premières bandes dessinées. D'autres penchent plutôt pour les « Histoires en estampes » de Rodolphe Töpffer. Mais c'est surtout lorsqu'on invente la « bulle » que la BD trouve sa forme définitive.

2 Oui, en Amérique du sud, en Italie, en Belgique ou en Espagne, la création de BD est très active. En revanche, elle l'est beaucoup moins dans certaines parties de l'Afrique, où elle n'est pas économiquement viable, et dans l'ancienne URSS, qui lui a longtemps été hostile.

3 Pour certains, c'est l'observation de la société qui lui dicte un jour une idée (*Charlie Brown*), pour d'autres, ce serait plutôt la mise en œuvre d'une technique destinée à provoquer le rire (*Astérix*). Pour d'autres encore, c'est l'imagination qui prime (*Mandrake*).

4 Les animaux ont toujours représenté la société humaine, dans les fables comme dans les contes de fées. La BD ne fait que poursuivre cette tradition.

5 Par opposition à la BD pour enfants, on rassemble sous le terme général de BD adulte une multitude de genres tels que la BD d'horreur, la BD policière, les bandes autobiographiques, les magazines contestataires comme *Hara-Kiri*, et bien d'autres.

6 Tintin, création du Bruxellois Hergé, est né en 1929. Ce qui n'empêche pas aujourd'hui les lecteurs de « 7 à 77 ans » de se précipiter sur ses aventures. Vaillant, héroïque, bien entouré par des personnages toujours fidèles à eux-mêmes, Tintin poursuit ses aventures dans les familles de génération en génération.

7 L'Algérie, Cuba et la Chine utilisent la BD pour expliquer et instruire. Dans un pays comme la France, on trouve des BD dans les livres de lecture des écoliers. Ils sont invités à réfléchir sur ces œuvres tout comme sur les ouvrages littéraires du programme.

8 Incontestablement, les auteurs des BD qui « marchent », qui se vendent dans le monde entier et qui sont traduites dans des dizaines de langues, gagnent très bien leur vie. À l'inverse, de nombreux créateurs ne franchiront jamais le seuil d'une maison d'édition. En ce qui concerne la BD publiée en français, on compte entre 400 et 600 personnes qui, d'une manière ou d'une autre, vivent de la BD.

9 Ils emploient des matériaux très divers, qui incluent la gouache, l'aquarelle, les encres de couleur ou, tout simplement, les crayons de couleur. Mais quel qu'en soit le support, la mise en couleurs est presque toujours faite à la main.

10 L'histoire voit le jour sous forme de scénario. Le scénariste indique au dessinateur où seront les personnages, comment les cases vont s'organiser les unes par rapport aux autres, et, parfois, quels seront les différents plans, comme au cinéma. Puis le dessinateur met son talent au service de l'histoire, reproduisant fidèlement ou au contraire interprétant les indications du scénariste.

Faites de la musique

4.4 Avec leur meilleur souvenir

À l'occasion de la Fête de la musique, le 21 juin, la Fnac organise, en partenariat avec L'Express, 14 concerts dans toute la France. Quatre des chanteurs invités évoquent cette journée inimitable. Propos recueillis par Gilles Médioni

Camille Bazbaz

« Ma première Fête de la musique, c'était un concert bordélique avec les potes de mon premier groupe, *le Cri de la mouche*. On avait l'impression d'amener le rock'n'roll sur le trottoir. Maintenant, je joue plutôt dans les bars de mon quartier ou simplement dans la rue, en me branchant sur l'électricité de la boucherie d'à côté. Je répète l'après-midi, à l'heure des poussettes. À mesure qu'on avance dans la nuit, tout s'amplifie et, si un spectateur veut saisir le micro pour chanter ou tenir la basse et nous accompagner, y a pas de guerre de l'ego, c'est pas la tournée des Enfoirés. »

Dernier album : *Le Bonheur fantôme* (STG/Sony BMG). Concert : Trophée d'Auguste, La Turbie (Alpes-Maritimes).

Rokia Traoré

« C'est grâce à la Fête de la musique que j'ai connu mon baptême de la scène, au Centre culturel français de Bamako (Mali), en 1994. À l'époque, on était très au courant de ce 21 juin célébré en Occident et on le vivait sur place comme une vraie fête. Je débutais à peine et j'assurais des play-back pour la Radio Télédiffusion du Mali. Ce soir-là, j'ai interprété deux chansons avant le spectacle d'Ali Farka Touré. Lorsque j'ai participé par la suite à un concert à l'Olympia lors d'une Fête de la musique, le symbole était très fort pour moi. »

Dernier album : *Tchamantché* (Universal Jazz). Concert : château de Vincennes (Val-de-Marne).

Alain Schneider

« Ce jour-là, je me débrouille toujours pour déambuler dans les rues les mains dans les poches, à la recherche d'amateurs talentueux. Il y en a. Je me souviens d'un groupe brésilien, à Nancy, ou de jazzmen, à Paris. Chaque année, qu'il pleuve ou qu'il vente, mes filles m'accompagnent. C'est un rituel. Cette fête est un moyen supplémentaire de vivre quelque chose avec ses enfants. Ou bien de créer un événement qui leur est destiné. Cette année, je leur consacre un concert en plein air ! »

Dernier album : *Entre le zist et le zest* (ULM/ Universal). Concert : place Saint-Urbain, Troyes (Aube).

Thomas Dutronc

« J'ai souvent tendance à me planquer chez moi le jour de la Fête de la musique et à organiser des soirées autour des disques de Brassens ou de Brel, comme ma grand-mère le faisait avec Mozart. Je me souviens d'un soir où deux amis jazzmen, l'un branché be-bop, l'autre Django Reinhardt, nous ont fait écouter chacun à leur tour leurs morceaux préférés. Ma première Fête de la musique en tant que guitariste a été un peu improvisée. J'ai rejoint un copain qui travaillait rue Charlot, à Paris. On a installé des tabourets devant un bar et on a pris nos guitares. »

Dernier album : *Comme un Manouche sans guitare* (ULM/ Universal). Concert : château de Vincennes (Val-de-Marne).

(*L'Express*, 19 juin 2008)

Vocabulaire

La FNAC chaîne de magasins vendant des livres, des CDs et DVDs, du matériel micro-informatique, des appareils photos etc.

à l'heure des poussettes à l'heure où les parents promènent leurs bébés en poussette (Bazbaz veut indiquer par là que ses horaires sont surprenants pour un rocker !)

surprising

c'est pas la tournée des Enfoirés nous ne sommes pas des imbéciles (le comique Coluche, 1944–1986, a mis à la mode l'expression argotique « les Enfoirés » qui veut dire « les imbéciles » et que revendiquent de nombreux artistes quand ils chantent ou jouent pour les œuvres de charité lancées par Coluche. Il serait imbécile pour les musiciens de Bazbaz d'empêcher les spectateurs de participer.)

mingle with crowd / walkabout

jostling

j'assurais des play-backs j'enregistrais de la musique pour servir d'accompagnement à des artistes plus connus

4.5 La musique en fête dans le monde

De l'Australie au Maghreb, de Paris à Londres et à Rome, les amateurs de musique se retrouvaient samedi pour des milliers de concerts.

Au total, la Fête de la musique sera cette année célébrée dans plus de 100 pays et 340 villes.

Et, en France le choix du thème de la 27e édition s'est porté sur la musique de film, dont on célèbre le centenaire. C'est en effet en 1908 que le public a pu entendre la première musique de film originale, composée par Camille Saint-Saëns pour *L'assassinat du duc de Guise* d'André Calmettes et Charles Le Bargy.

Dans le monde, et pour la première fois, Melbourne (Australie), Sacramento (États-Unis), Erbil (Kurdistan irakien), Cebu (Philippines), Port-Moresby (Papouasie Nouvelle-Guinée), Hanovre (Allemagne), Ostrava (République tchèque), Malaga (Espagne) ou Québec (Canada) seront de la fête.

À Paris, où Nicolas Sarkozy avait ouvert le palais de l'Élysée au public pour la première fois, le président et son épouse Carla Bruni-Sarkozy ont pris un bain de foule dans la cour d'honneur. Au programme de la journée : orchestre de la garde républicaine, jazz et musique brésilienne.

Carla Bruni-Sarkozy sort un troisième album aux influences pop, intitulé *Comme si de rien n'était*, le 21 juillet en France et pendant l'été dans d'autres pays.

Dans le sud-ouest de la France, l'opéra de Bordeaux avait organisé une fête pour les petits enfants qui se bousculaient sur les marches du Grand Théâtre.

Et dans le sud, la fête est entrée en prison dans la région Provence-Alpes-Côte d'Azur et en Corse.

En Grèce, des concerts gratuits de musique folklorique, moderne, classique ou de jazz sont organisés dans 17 villes.

À Londres, le « Music Day » regroupe « plus de 150 spectacles musicaux et trente événements, expositions et présentations d'ensembles architecturaux. La Fête de la musique a en effet décidé de s'allier au « London Festival of Architecture ».

Les spectacles se dérouleront un peu partout dans la capitale britannique avec en particulier une apparition du couple aveugle malien Amadou et Mariam dont l'univers mélange le blues-rock, le funk et la musique traditionnelle malienne.

bird

À Milan, dans le nord de l'Italie, trente artistes se sont succédé toute la journée de samedi pour un grand concert de musique électronique à l'intérieur d'un parc. Au programme samedi soir à Rome, un concert de l'orchestre de Piazza Vittorio dont les 16 musiciens sont originaires de neuf pays et qui joue toutes les musiques du monde.

Au Maroc, deux festivals sont organisés à l'occasion de la fête de la musique. À Salé, près de Rabat, 16 troupes musicales seront en lice et à Fès le festival célébrera le 1 200ᵉ anniversaire de la création de la ville.

Mais si la Fête de la musique, d'année en année, ne devait laisser qu'un souvenir, ce serait sans doute celui de promeneurs se laissant guider par leur[s] pas au hasard des rues, et de milliers de musiciens amateurs se prenant pour U2 ou les Clash sur *Sunday Bloody Sunday* ou *Should I stay or should I go ?*, avec parfois des fausses notes, mais toujours avec du cœur.

(*Agence France Presse*, 21 juin 2008)

4.6　La musique de film au cœur de la fête

La thématique de la 27ᵉ édition de la Fête de la musique conduit à une mobilisation singulière autour d'oeuvres mariées au 7ᵉ art

C'est une première en France. Le thème retenu pour la Fête de la musique veut déployer toutes les forces artistiques autour de partitions composées pour le cinéma.

« À l'occasion du centenaire de la musique de films, il nous a semblé important de mettre en œuvre ce thème, d'autant qu'on n'en fait pas souvent cas », souligne Sylvie Canal, coordinatrice générale de la Fête de la musique. Mais au-delà d'une commémoration, c'est le patrimoine commun que représente la musique de films qui en fait une thématique attractive.

De nombreuses manifestations mettront au goût du jour le lien insécable entre musique et cinéma : projections en plein air, Ciné-Mix (recompositions musicales jouées en « live » lors d'une projection cinématographique) et ciné concerts à foison.

Dans la mouvance des Ciné-Mix, des groupes de musique électronique œuvreront pour mêler leurs créations à des films muets d'avant 1930, notamment à Lille. « L'un des intérêts du Ciné-Mix est d'allier deux publics : les cinéphiles s'ouvrent ainsi à la musique électro, et les amateurs d'électro découvrent des films qu'ils n'auraient jamais regardés sans cela », explique Steff Gotkovski, de l'agence « La lune rousse », qui produit régulièrement des Ciné-Mix en partenariat avec la Cinémathèque française.

Très en vogue, les ciné concerts seront les formules les plus plébiscitées. « Nous avons appelé toutes les institutions musicales et les collectivités à se mobiliser pour organiser des ciné concerts, et nous voyons que les villes s'impliquent de plus en plus dans la fête », assure Sylvie Canal.

Les orchestres des conservatoires et des écoles de musique, mais aussi les formations amateurs de la Confédération musicale de France se prêteront aisément au jeu, après avoir sélectionné dans leur répertoire les œuvres adéquates, de *Pulp Fiction* à *West Side Story*. Pour les y inciter, le site officiel de la Fête de la musique a mis à leur disposition les partitions et fichiers MP3 d'une quinzaine de musiques de films, à télécharger gratuitement.

Quant aux futures éditions de la fête, elles mettront encore davantage le cap à l'étranger. « Nous allons essayer de développer toujours plus la Fête de la musique au-delà de nos frontières, car nous y sommes très attachés », explique Sylvie Canal. Cette année déjà, nombre d'instituts culturels, résidences et associations à l'étranger seront de concert avec les villes françaises, de Prague à Osaka, en passant par Abou Dhabi.

(Maryline Chaumont, *La Croix*, samedi 21 juin 2008)

Batailles culturelles

Une controverse durable a opposé pendant une décennie le public, l'artiste Daniel Buren et l'État français. Voici d'abord un texte rédigé pendant le premier acte du scandale, en 1986, et qui décrit les positions respectives de ces participants à la controverse, y compris les pouvoirs publics français, incarnés par le Ministre de la Culture d'alors, Jack Lang.

4.7   *Les Deux Plateaux*

Une mise en question du lieu

L'installation des colonnes rayées de Buren dans le jardin du Palais-Royal a certainement été l'un des plus grands scandales qu'aient vécus les Parisiens dans les années quatre-vingts à une époque où leur sensibilité était déjà souvent agressée. *Les Deux Plateaux* ont été mis en place malgré l'opposition des conservateurs en chef des Monuments historiques avec l'appui personnel de Jack Lang, qui a préféré ignorer l'avis des sages dignitaires. Les panneaux entourant le chantier sont restés longtemps couverts de graffiti taxant Buren de charlatan, de provocateur, de décorateur du club Méditerranée. Buren, par cette intervention, signale la continuité de sa démarche introspective de questionnement du lieu. *Les Deux Plateaux* constitués de rangées de colonnes de hauteur variée, mais toutes à rayures noires et blanches verticales strictement égales, ont été installés dans l'un des cadres les plus élégants de Paris, ce vénérable bâtiment du XVIIᵉ siècle abritant aujourd'hui le Conseil d'État et, justement le ministère de la Culture.

(Edina Bernard, *Les Hauts Lieux de l'art moderne en France*, Bordas, Paris, 1991)

Note culturelle

décorateur du club Méditerranée   allusion péjorative à l'organisation de tourisme de masse, le club Méditerranée, ici utilisée pour suggérer une inspiration un peu vulgaire

4.8   Le drame des colonnes Buren continue

Deuxième acte du scandale : mal aimées de certains depuis leur implantation dans les Jardins du Palais-Royal, célébrées au contraire par d'autres comme symbole d'une renaissance artistique, les colonnes Buren se sont tellement détériorées au fil des années que l'artiste lui-même, Daniel Buren, avait menacé de les détruire si rien n'était fait pour leur rendre leur aspect initial et leur restituer l'eau qui, s'écoulant à leur pied, leur donnait l'aspect de fontaine voulu par leur créateur. L'État français a finalement accepté de financer un grand chantier de rénovation, démarré en 2008, non sans provoquer le troisième acte du scandale, mis en scène cette fois-ci par les administrateurs du célèbre Théâtre de la Comédie Française situé juste à côté, pour qui cette décision « désastreuse » signifiait l'impossibilité pour les acteurs d'utiliser les salles de répétition jouxtant le chantier. Le drame continue !

Sculptures en fer dans les Jardins du Palais-Royal, exposition temporaire octobre - novembre 2008

4.9 La culture vous accueille

NOTRE PROPOSITION	VOTRE DEMANDE
Tout pour vous servir	Accéder aux petites annonces des métiers culturels
Louez vos places	Réserver des billets pour les spectacles et expositions
Ce qui se passe en ce moment....	Avoir des infos pratiques sur l'offre culturelle de votre région
Entrez dans l'histoire	Visiter un château, un parc ou une cathédrale
La vie d'artiste	Connaître les conditions juridiques et syndicales des métiers artistiques
Des oeuvres chez vous	Consulter le catalogue des ventes des boutiques des musées nationaux

La Culture vous accueille

le site des associations culturelles francophones

Faciles, pratiques et vite trouvées, toutes vos infos culturelles!

- toute votre actu artistique et culturelle
- l'accès direct à tous les box-offices
- la vente et l'achat en ligne de vos reproductions préférées
- sans oublier des renseignements sur les métiers des arts

4.10 Tout est proche mais on ne cesse de se perdre

Globalement, le quartier d'affaires satisfait ses usagers, mais le pari de rapprocher l'urbain de l'humain n'est pas encore gagné

La Défense, premier quartier d'affaires européen... Pour le cinquantenaire du lieu, les superlatifs sont de mise. Mais vendredi dernier, en bas de la tour Areva, coincée dans un mini-renfoncement pour éviter la pluie en fumant sa cigarette matinale, une employée râlait contre les escalators, trop souvent en panne. *« On parle de tours très hautes pour être à la mode du XXIe siècle, mais la maintenance reste d'un autre siècle... »*, fait remarquer un autre habitué.

La future tour Signal dessinée par l'architecte Jean Nouvel, sera, selon Patrick Devedjian, président de l'Epad, *« le geste architectural le plus important depuis la tour Eiffel »*. Mais en bas des tours, lors de la pause déjeuner, on ne parle guère architecture, plutôt du parcours du combattant pour obtenir une table dans un restaurant correct. Pas plus qu'on ne glose sur les personnages fantastiques de Joan Miro, le « Grand Stabile rouge » d'Alexander Calder et la soixantaine d'œuvres, qui font de l'esplanade de la Défense un immense musée d'art contemporain à ciel ouvert. Plus facile de trouver une sculpture que des toilettes publiques, proteste une habitante du quartier...

Efforts d'« humanisation »

Cinquante ans après l'apparition du CNIT, nul ne peut contester que la Défense a gagné un pari esthétique. Ici, l'urbanisme sur dalle, depuis très décrié, a permis avant toute prise de conscience écologique, de libérer l'espace de la voiture et de construire peu à peu une « œuvre » cohérente. Toutefois, la beauté des objets architecturaux n'est pas toujours en phase avec la vie quotidienne. Même si d'immenses efforts ont été faits pour « humaniser » ce quartier d'affaires.

Ainsi, parmi les nombreux chantiers menés sur le site, celui qui emporte aujourd'hui tous les suffrages, c'est la rénovation du centre commercial des Quatre Temps, achevée cette année avec l'ouverture de Castorama. « *Question boutiques de fringues, il y avait le choix, mais voilà enfin un commerce utile !* », blogue Gilles, visiblement peu adepte de la mode.

Globalement, la plupart des usagers de la Défense plébiscitent aujourd'hui le côté « pratique » du quartier. « *On a tout sous la main ; si vous avez oublié un cadeau de dernière minute, c'est facile* », note ce jeune homme dans la galerie commerciale. Les efforts menés pour animer le parvis remportent aussi les suffrages : « *Nous, nous adorons l'été à la Défense. Il y a le festival de jazz, le stand de salsa derrière le Calder, les cours de tangos près du Dôme et les terrasses* », souligne un groupe de jeunes filles. L'hiver, quand le vent s'engouffre à une vitesse décuplée sous la Grande Arche, l'ambiance est forcément très différente.

Transports saturés

Au fil d'une promenade sur le parvis et des commentaires des uns et des autres, les défauts et qualités du quartier d'affaires apparaissent vite. En positif, un lieu moderne, pratique, confortable, propre et plutôt sûr. En négatif, le vent, l'absence de lieux de convivialité, la difficulté à se repérer dans l'espace. « *Ici, lorsqu'on souhaite se rendre d'un point à un autre, mieux vaut prendre son temps. En apparence, tout est proche, mais on ne cesse de se perdre* », souligne une salariée de Total. La saturation des moyens de transports étant évidemment le grand sujet de plainte des utilisateurs.

« *Rapprocher l'humain de l'urbain* », telle est l'ambition pour les années à venir de Bernard Bled, directeur de l'Epad. Un pari qui, en cinquante ans, n'a toujours pas été gagné. Le lieu continue a être déserté en dehors des heures de bureaux. Le flot des travailleurs qui, telle une colonie de fourmis, envahit puis déserte à heures fixes la Défense, aboutit plutôt à un sentiment de déshumanisation. Il manque surtout à la Défense ce grain de désordre et de folie qui caractérise les centres urbains. « *Si on pouvait transformer le parvis de temps en temps en souk, cela serait sympathique* », soupire une habitante. D'ailleurs, plusieurs personnes citent spontanément l'installation d'un marché de Noël comme une des nouveautés agréables de la Défense. Car, à force de se focaliser sur la « *skyline* », les aménageurs oublient qu'il est impossible de marcher en ne regardant que le ciel.

(Texte d'Anne Bauer, *Les Échos*, 9 septembre 2008)

Vocabulaire

les superlatifs ici, les exagérations, les hyperboles

EPAD Établissement Public d'Aménagement de la Défense

CNIT Centre National des Industries et Techniques

blogue ici, 3ᵉ personne du singulier du verbe « bloguer » (L'orthographe « blogue » est aussi souvent utilisée comme variante de « blog », pour désigner le site Internet d'un « blogueur » ou d'une « blogueuse ».)

Note culturelle

Jean Nouvel Architecte novateur, Jean Nouvel est né en 1945 à Fumel, Lot-et-Garonne. À partir de 1964, il étudie l'architecture à l'École des Beaux-Arts de Bordeaux et à l'École Nationale Supérieure des Beaux-Arts de Paris. Toujours étudiant, il co-fonde sa première agence en 1970. Il obtient son diplôme d'architecte en 1971.

C'est en 1987 que Jean Nouvel devient célèbre en concevant la façade sud de l'Institut du Monde Arabe, l'un des « Grand Travaux » de François Mitterrand. Cette façade permet une solution « high tech » à la régulation climatique du bâtiment ainsi qu'une ornementation géométrique qui rend hommage aux traditions de l'architecture arabe. Depuis, Jean Nouvel s'est spécialisé dans des projets culturels.

Il est connu pour la rénovation de l'Opéra de Lyon (1993), qu'il a doté d'une salle italienne, et sa construction parisienne la plus importante jusqu'à présent est le Musée des Arts Premiers du Quai Branly à Paris, ouvert en 2006.

Une impressionnante série de projets architecturaux en France et dans le monde, dont le Complexe Aquatique du Havre, la Tour Signal à la Défense et le Concert House Danish Radio de Copenhague, vient compléter une œuvre qui fait de Jean Nouvel le personnage dominant de l'architecture française au début du XXIe siècle. Cependant son projet de Tour Signal tout près de la Grande Arche a soulevé des protestations, comme on le voit dans le texte suivant, où cette Tour est qualifiée dédaigneusement de « grand machin ». Paradoxalement, la grand Arche elle-même, lors de sa construction en 1989, avait été l'objet des mêmes critiques !

4.11 « Le grand machin »

[...] Le grand machin, on n'en dirait rien s'il était allé se mettre ailleurs. Le drame avec le concours remporté par Jean Nouvel, c'est qu'on découvre (il faudrait faire attention à tout !) qu'il ne s'agissait pas seulement de proposer un gratte-ciel. Les agences admises à concourir avaient aussi le choix de l'implantation, à l'intérieur du périmètre de la Défense. Si bien que, n'écoutant que sa modestie et contrairement à d'autres candidats plus subtils, Nouvel est allé se mettre en plein là où porte le regard, jusque-là soutenu par un des plus beaux enchaînements au monde, du Louvre à la Grande Arche. Celle-ci ne fermant évidemment rien mais ouvrant au contraire l'imagination sur une suite lumineuse qui appartient à chacun. On lit, consterné,

que Jean Nouvel, pour défendre sa tour, argue de modules percés d'un atrium coloré « à la façon des loggias italiennes peintes ». Reste à expliquer ce que viendront faire, à la Défense et à cette échelle, des loggias italiennes peintes. Patrick Devedjian, président du jury tout en nuances, a déclaré que la tour Signal était le « geste architectural le plus important depuis la tour Eiffel ». Ou depuis l'Acropole ? « Sa silhouette puissante permet de rééquilibrer le paysage de la Défense autour de la Grande Arche », précise encore le président. Hélas, c'est bien le problème.

L'architecture enchante ou écœure parce que le paysage est à nous. Au riche et au pauvre, à l'indigène et au visiteur, à l'homme d'aujourd'hui et à celui de demain. Promenez-vous sur les quais de la Seine, à Issy-les-Moulineaux. Voyez comment les affairistes ont privatisé les berges de notre fleuve, pour y implanter une galerie de mochetés qui bouchent la vue, des centaines de logements construits à l'économie et vendus au plus cher. Comment se fait-il que personne ne veille sur ce patrimoine-là ? N'a-t-on rien retenu des années de folie, pitoyablement qualifiées de « glorieuses », quand les fronts de mer étaient massacrés par les promoteurs et littéralement volés aux promeneurs ?

À l'inverse, pourquoi ne pas s'attarder sur ce qui a marché, ce qui a rendu service tout en réjouissant l'âme ? Entrer au Musée du Louvre est devenu un plein bonheur depuis que la Pyramide en a organisé l'accès en allant au plus simple et au plus lisible. Comme franchir le viaduc de Millau, aussi respectueux de la vallée du Tarn que des besoins des hommes. L'architecture est un art populaire, il concerne tout le monde, tout le monde peut le juger. On tente sans arrêt de le soustraire à l'opinion publique en la saoulant d'un jargon ridicule. Mais les matériaux sont solides et l'évidence inlassable. La tour Montparnasse massacrait, il y a trente-cinq ans, le spectacle de l'École militaire, et elle le massacrera toujours car elle coûtait plus cher à détruire qu'à construire (on parle de 600 millions pour construire la tour Signal à la Défense, d'un milliard pour détruire dans les règles la tour Montparnasse). Les quelques centaines de propriétaires qu'il faudrait indemniser confisquent ainsi à eux seuls un axe historique et un monument à la fois visionnaire et minutieux. Non pas, il est vrai, conçu par un architecte artificiellement lauréat d'une compétition arbitrée par un jury de maires politiques et d'affairistes mais par Gabriel, directement mandaté par le roi, qui ne laisserait pas n'importe quel ego se substituer au sien pour marquer son règne.

Le fait du prince avait ceci de bon qu'il exprimait autre chose que la puissance de l'argent et le mépris des petites gens. Le prince voulait régner sur tout, pour toujours. Ça le condamnait à avoir du goût et à s'engager dans ses choix. S'il se trompait, qu'au moins ce ne soit pas en ayant délégué la satisfaction de son narcissisme à des courtisans et à des ignorants. Enfin c'est fait. Il n'y a plus qu'à prendre les choses avec sérénité, et continuer de chérir sans retenue sa ville natale, la Ville lumière, ses toits, ses ponts, ses passerelles, ses quais et ses perspectives, en sachant que toujours et comme tout sur cette terre, elle n'appartiendra qu'à ceux qui l'aiment.

(Geneviève Jurgensen, *La Croix*, samedi 31 mai 2008)

Notes culturelles

le grand machin   par cette expression l'auteur désigne la tour Signal, proposée par l'architecte Jean Nouvel pour compléter le site de la Grande Arche Défense

le prince   traditionnellement le mécène royal qui commandait aux architectes les grands châteaux etc. Cette expression s'est aussi appliquée au président Mitterand, qui a fait réaliser de nombreux édifices dans Paris

la Ville lumière   Paris

4.12   Le musée de l'informatique

(www.museeinformatique.fr, dernier accès le 30 novembre 2009)

Pour une meilleure lisibilité, nous avons reproduit ci-dessous le texte du site du musée de l'informatique.

Découvrez le musée de l'informatique

Depuis près d'un siècle, les innovations se sont enchaînées et l'informatique est devenue un outil quotidien indispensable à notre vie personnelle et professionnelle. Que nous soyons étudiant, professionnel, père ou mère de famille, retraité... Internet et les ordinateurs ont conquis notre vie quotidienne. Mais savez-vous réellement d'où ils viennent ?

Il y a encore quelques dizaines d'années, un ordinateur occupait bien souvent une pièce entière. Ce n'est qu'au début des années 80 que la micro-informatique a été rendue accessible à tous...

C'est au travers d'une bulle qui vous emmènera en quelques secondes à

110 mètres de haut que vous entrez dans le musée de l'informatique. Vous y découvrez alors plusieurs espaces que vous visitez librement.

La collection permanente vous proposera de suivre le « fil du temps », un grand meuble de couleur orange, ponctué de **nombreuses présentations multimédia**, vous présentera et fera revivre pour vous les grandes étapes de l'histoire de l'informatique, de 1890 à nos jours. Plusieurs **mises en scène** reconstituent fidèlement l'ambiance d'une salle informatique des années 60 ou encore celle de la chambre d'un passionné des années 80. Des **consoles d'arcade** vous permettront de redécouvrir les prémices des jeux vidéo.

Plus de **deux cents pièces** sont présentées. Vous découvrirez par exemple le tout premier micro-ordinateur au monde, un super-calculateur de plusieurs tonnes, le premier PC portable, la première souris... et bien d'autres surprises encore.

Plusieurs expositions temporaires compléteront la visite. Tout d'abord une exposition unique vous fera découvrir **l'histoire cachée de la naissance d'Internet**. Ce réseau que nous utilisons au quotidien est en effet né d'une décision politique prise aux États-Unis en 1957... Il a ensuite fallu des décennies de recherche et d'essais pour parvenir au réseau d'aujourd'hui. Vous découvrirez dans cette exposition les principaux inventeurs, de l'email, du Web... et des machines évoquant ces débuts.

Une autre exposition, proposée par Stéphane Mathon, collectionneur et artiste, vous fera découvrir **l'informatique sous un autre regard**. Celui d'installations artistiques qui marient les objets de l'histoire de l'informatique et ceux du quotidien.

Pour être tenu au courant, en avant-première, de l'actualité du musée de l'informatique, **abonnez-vous gratuitement à notre newsletter**, en inscrivant votre email en haut à droite de cet écran dans la case prévue à cet effet.

Pour tout renseignement sur le musée et poser vos questions, remplissez notre formulaire de contact, envoyez-nous un email à info@museeinformatique.fr ou appelez notre serveur vocal infoservices au **0820 210 230** pour connaître les tarifs, les horaires, les moyens d'accès et le programme des expositions.

4.13 Discours de Jack Lang à Mexico lors d'une conférence de l'UNESCO sur les politiques culturelles, le 27 juillet 1982

Premier point - Trop souvent, Chers Collègues, nos discours sur les rapports Nord-Sud restent des discours et trop souvent nos pays, et je dirais tous nos pays, acceptent passivement, trop passivement, une certaine invasion, une certaine submersion d'images fabriquées à l'extérieur et de musiques standardisées. J'ai sous les yeux un tableau, rassurez-vous je ne le lirai pas, mais je le communiquerai à qui le veut, un tableau accablant pour nous tous. Il décrit les programmations télévisées dans chacun de nos pays. On observe que la majorité des programmations sont assurées par ces productions standardisées, stéréotypées qui, naturellement, rabotent les cultures nationales et véhiculent un mode uniformisé de vie que l'on voudrait imposer à la planète entière. Au fond, il s'agit là d'une modalité d'intervention dans les affaires intérieures des États, ou plus exactement d'une modalité d'intervention plus grave encore, dans les consciences des citoyens des États. Je me dis toujours et quand je parle ainsi je m'adresse aussi à mon propre pays qui pourtant a mieux résisté que d'autres, pourquoi accepter ce rabotage ? Pourquoi accepter ce nivellement ? Est-ce là vraiment le destin de l'humanité ? Le même film, la même musique, le même habillement ? Allons-nous rester longtemps bras ballants ? Nos pays sont-ils des passoires et doivent-ils accepter, sans réagir, ce bombardement d'images ? Et sans aucune réciprocité ? Notre destin est-il de devenir les vassaux de l'immense empire du profit ? Nous souhaitons que cette conférence soit l'occasion pour les peuples, à travers leurs gouvernements, les peuples, d'appeler à une véritable assistance culturelle. À une véritable croisade de cette domination contre – appelons les choses par leur nom – cet impérialisme financier et intellectuel. Cet impérialisme financier et intellectuel ne s'approprie plus les territoires ou rarement ; il s'approprie les consciences, il s'approprie les modes de penser, il s'approprie les modes de vivre. Notre cher Collègue Britannique parlait à l'instant de liberté : oui à la liberté, mais quelle liberté ? La liberté comme nous disons en France du renard dans le poulailler qui peut dévorer les poules sans défense à sa guise ? Quelle liberté ? Une liberté à sens unique ou une liberté partagée ? Mais il ne suffit pas vous le savez bien, chers Collègues, comme je le fais à l'instant de proférer un discours incantatoire. Il faut agir. Et il faudrait que notre conférence soit l'un des moments de notre action. Si nous ne voulons pas demain devenir les hommes sandwich des multinationales il faut que nous prenions des décisions, des décisions courageuses. Par exemple, dans le secteur audio-visuel. Il est indispensable que chacun de nos pays prenne des décisions. Il faudrait, par exemple, qu'une des résolutions de cette conférence convie nos gouvernements respectifs à inviter leurs médias et leurs télévisions à diversifier leur programmation télévisée, et à décoloniser les chaînes de télévision et de radio.

Et puis nous pouvons mieux travailler ensemble, je veux dire nous associer davantage, les peuples libres. Par exemple, en matière de cinéma et de télévision coproduire, échanger ; et depuis quelque temps, nous avons proposé à des pays amis ici présents, de nous engager dans de vastes programmes de coproduction et d'échange et pas à sens unique. Et puis, il y a, toujours par rapport à cette domination financière, notre attitude face aux technologies nouvelles. Naturellement il ne faut pas les fuir – elles sont là – mais nous emparer d'elles avant qu'elles ne s'emparent de nos consciences, les maîtriser pour gouverner l'avenir et pour ne pas être le jouet de cette technologie. [...]

Pour conclure ce premier point, je dirai que l'on ne peut pas ne pas être triste en pensant que certaines grandes nations, certains grands pays nous ont enseigné la liberté et ont appelé les peuples à se soulever contre l'oppression, alors qu'aujourd'hui, provisoirement nous l'espérons, certaines de ces nations puissantes n'ont d'autre morale que celle du profit et cherchent à imposer une culture uniformisée à la planète entière, cherchent à dicter leurs lois aux pays libres et indépendants. Je suis heureux d'apprendre que dans un mouvement de dignité, des pays d'Europe se soient [sont] ressaisis pour dire non à une grande puissance qui entendait interdire – à la France et à d'autres pays libres d'Europe – de conclure des accords commerciaux avec des pays de leur choix. Une puissance qui abuse de son pouvoir connaît la décadence, et notre espoir est que bientôt des rapports plus équitables, des rapports plus justes, des rapports plus respectueux, des indépendances nationales s'établissent sur le plan financier comme sur le plan politique et culturel. [...]

(R. Desneux, *Jack Lang, La culture en mouvement,* Favre, Lausanne, 1990)

Vocabulaire

rabotent les cultures nationales rendent toutes les cultures nationales semblables

bras ballants les bras se balançant dans une position d'attente plus que d'action

les hommes sandwich personnes qui circulent dans les rues en portant deux placards publicitaires, l'un devant, l'autre derrière

4.14 Votre programme de cette semaine

Samedi

France 3	20h50	*Disparition, le retour aux sources*	Série policière française
M6	20h50	*Journeyman*	Série de science-fiction américaine
Direct 8	20h40	*Papa et maman s'ront jamais grands*	Téléfilm français
TMC	20h45	*Commissaire Moulin, police judiciaire*	Série policière française

Dimanche

TF1	20h50	*Fauteuils d'orchestre*	Comédie dramatique française
France 2	20h50	*Match Point*	Film de Woody Allen
France 3	20h55	*Inspecteur Barnaby*	Série policière britannique
Arte	20h39	*Chérie je me sens rajeunir*	Comédie américaine
France 4	20h50	*FBI : portés disparus*	Série policière américaine
Direct 8	20h40	*Un après-midi de chien*	Drame de Sidney Lumet
TMC	20h45	*Road House 2*	Téléfilm américain
NT1	20h45	*Soldier*	Film de science-fiction (GB/USA)

Lundi

TF1	20h50	*Le gendre idéal*	Téléfilm français
France 2	20h55	*Cold case, affaires classées*	Série policière américaine
Canal+	20h55	*Mafiosa*	Série de suspense française
Arte	21h00	*Tenue de soirée*	Comédie dramatique française
Direct 8	20h40	*Tendrement Vache*	Comédie dramatique française
TMC	20h44	*Hulk*	Film d'action américain

Mardi

TF1	20h50	*Les experts Miami*	Série policière américaine
France 3	20h20	*Plus belle la vie*	Feuilleton réaliste français
Canal+	20h50	*Ceux qui restent*	Comédie dramatique française
France 4	20h45	*PJ : Violences*	Série policière française
NT1	20h45	*Au-delà du réel, l'aventure continue*	Série fantastique américaine

Mercredi

France 2	20h55	*Clara Sheller*	Série sentimentale française
Canal+	20h50	*Détrompez-vous*	Comédie dramatique française
M6	20h50	*Merci, les enfants vont bien !*	Téléfilm français
Direct 8	20h40	*La Femme d'un seul homme*	Téléfilm français
TMC	20h45	*New York police judiciaire*	Série policière américaine
NT1	20h45	*Red Skies*	Téléfilm américain

Jeudi

TF1	20h50	*Section de recherches*	Série policière française
France 3	20h55	*L'Oncle de Russie*	Téléfilm français
Canal+	20h50	*Dirty Sexy Money*	Série dramatique américaine
Arte	21h00	*Sous le soleil de Satan*	Drame français
M6	20h50	*Les chevaliers du ciel*	Film d'action français
France 4	20h45	*Les larmes du soleil*	Drame américain
Direct 8	20h40	*Les Malheurs d'Alfred*	Comédie dramatique française
TMC	20h45	*RRRrrrr !!!*	Comédie dramatique française
NT1	20h45	*Jackie Chan dans le Bronx*	Film d'action américain

Vendredi

France 2	20h55	*PJ : Par amour*	Série policière française
France 3	20h55	*L'Oncle de Russie*	Téléfilm français
Canal+	20h50	*Les deux mondes*	Film d'aventures français
Arte	21h00	*La deuxième femme*	Téléfilm allemand
M6	20h50	*MCIS : enquêtes spéciales*	Série policière américaine
France 4	20h45	*Un gars, une fille*	Série humoristique française
TMC	20h45	*Les Cordier, juge et flic*	Série policière française
NT1	20h45	*Une nana pas comme les autres*	Téléfilm français

Notes culturelles

Inspecteur Barnaby   Titre original ; *Midsomer Murders*

Chérie je me sens rajeunir   Titre original ; *Monkey Business*

Un après-midi de chien   Titre original ; *Dog Day Afternoon*

4.15   Festival à deux jambes

Regards d'un grand cinéphile. « Un festival à deux jambes »

Cinéphile très averti, Guy Caro porte un regard extérieur sur le Festival du Cinéma de Douarnenez. Entretien avec un ami de cet événement qui vient juste de baisser le rideau.

Cinéphile et amateur de festivals du cinéma en France, quelle spécificité voyez-vous dans le Festival de Douarnenez ?

De tous les Festivals du cinéma de France, celui de Douarnenez est unique. Il marche sur deux jambes. Le festivalier qui vient ici profite donc de ces deux aspects qui coexistent et bénéficie, en même temps, de deux festivals pour le prix d'un ! Avec un excellent rapport qualité-prix comme disent les économistes et les ménagères... Le Festival de Douarnenez a un esprit constitué à la fois de sérieux dans la connaissance et la transmission d'engagement associatif permanent et bénévole ; de fête simple, populaire où la gastronomie et le savoir-boire sont à l'honneur (lire ci-dessous).

Un festival qui marche sur deux jambes... c'est-à-dire ?

La première jambe est cette volonté de faire connaître d'autres pays, d'autres cultures en braquant les projecteurs sur un invité chaque année. C'est un reflet précieux de la diversité culturelle mondiale et un acteur efficace pour le respect de cette diversité, pour la solidarité, en actes, avec les opprimés ; peuples et individus. La deuxième est de faire connaître, chaque année, la matière cinématographique de Bretagne (N.D.L.R. : avec toute la partie intitulée Grand cru Bretagne). Car plusieurs cinéastes, bretons et non-bretons sont sensibles et talentueux pour réaliser des films en relation avec le contexte historique breton. Comme Pascale Breton, Marie Helia et Pierre Trividic, auxquels je veux rendre hommage.

Un paysage cinématographique breton ?

À l'intérieur d'un cinéma français – qui, par certains aspects, est considéré comme un cinéma de résistance face à l'empire étasunien –, le cinéma breton n'est-il pas, face à Paris et à un système médiatico-parigot-hollywoodien, dans une situation comparable à celle des cinémas de la plupart des pays à travers le monde, dominés et colonisés face à l'empire américain ? Un certain cinéma promu par des cinéphiles, par des amateurs et des amoureux, fait-il partie des forces de résistance des territoires, des terroirs, des cultures, des identités diverses, différentes face aux forces d'uniformisation ?

Un militantisme du Festival du cinéma ?

Oui, pour le cinéma. Car cette deuxième jambe est nécessaire. Comme la cinémathèque de Bretagne, le Festival du cinéma de Douarnenez présente et fait connaître cette matière bretonne. Hélas, cette deuxième dimension est minimisée, traitée avec condescendance, parfois avec mépris. Que font les diffuseurs de cinémas, les responsables politiques, économiques, culturels bretons pour le cinéma en Bretagne ? Quant au militantisme politique qui fait un peu débat en ce moment autour du Festival du cinéma, je dis toujours que je ne veux pas m'immiscer dans les affaires intérieures d'un pays ami. Ce Festival est unique en France et de très haute tenue.

(Propos recueillis par Hubert Orione, *Le Télégramme de Bretagne,* 26 août 2008)

Vocabulaire

un acteur efficace pour [...] la diversité   un moyen d'agir efficacement pour [...] la diversité

N.D.L.R.   note de la rédaction

Grand cru Bretagne   façon de désigner les meilleurs films du festival (meilleurs que les autres, comme le sont les vins de grand cru par rapport aux vins plus modestes)

étasunien   des États-Unis d'Amérique. Cet adjectif s'emploie lorsque l'on veut marquer clairement la différence entre les USA et les autres parties des Amériques

système médiatico-parigot-hollywoodien   système qui allie l'influence des médias de masse, du snobisme parisien et du commercialisme d'Hollywood

4.16   Cinéma breton : L'intérêt des sous-titrages

Samedi après-midi, l'association Gorré ha Goueled a organisé une séance de cinéma en breton à la salle Stérédenn. Ce fut une réussite pour cette animation films-reportages en langue bretonne, avec une trentaine de personnes qui a découvert les films réalisés par Christian Le Bras.

Il a montré l'intérêt d'un sous-titrage en français, qui permet la compréhension. Mais surtout le sous-titrage en breton à la fois pour les personnes qui apprennent le breton et qui ont du mal à passer de l'oral à l'écrit, ou au contraire pour les locuteurs qui ne savent pas écrire et voudraient passer à la langue écrite. Avec des personnes interviewées dans le Morbihan, l'intérêt de la langue écrite devient évident pour une bonne compréhension. La projection a été suivie d'un débat sur la langue bretonne des enfants avec qui les personnes âgées ont parfois du mal à communiquer : la prononciation en est le principal obstacle et c'est bien là l'intérêt des films de Christian Le Bras qui permet de créer un lien. Quant au contenu des films, il y avait une image de la Bretagne vue de l'intérieur à travers une multitude de thèmes : mondes paysans et maritimes mais aussi religion, mariage, le rapport à l'argent ou au travail et bien sûr chants et récits pittoresques ont agrémenté.

(*Le Télégramme de Bretagne*, 11 avril 2008)

Vocabulaire

les locuteurs   les personnes qui parlent (telle ou telle langue)

La prise de la Bastille

Inauguré en grande pompe en 1989, pour l'anniversaire des deux cents ans de la Révolution française, l'Opéra-Bastille a connu depuis lors bien des problèmes. Il a mis très longtemps à convaincre critiques et spectateurs de la qualité de ses productions. Les coûts d'entretien du bâtiment, qui s'est tellement vite dégradé que l'État français a fait un procès en justice aux constructeurs, ont atteint des plafonds astronomiques. Dans cet article, contemporain de l'inauguration, la vision même d'un opéra pour tous est mise en doute.

4.17   La prise de la Bastille

À la fin des années soixante, l'Opéra de Paris était une scène provinciale, les opéras de province avaient un côté Karsenty du lyrique, l'opéra était en France un genre tombé en désuétude, que les intellectuels méprisaient, ne trouvant de salut que dans l'Art de la fugue ou dans les derniers quatuors de Beethoven. Vingt ans après, les salles d'opéra sont combles et refusent du monde. L'on ne peut être branché sans avoir quelque culture lyrique à exhiber. L'opéra est à la mode. Mieux encore, il a dépassé les cercles mondains pour toucher des publics de plus en plus vastes. Deux phénomènes sont à l'origine de ce renouveau spectaculaire. Le premier, c'est l'arrivée en 1972 de Rolf Liebermann à la tête de l'Opéra de Paris, qui saura créer un mouvement de curiosité d'abord, d'intérêt très vite et de passion bientôt autour de l'Opéra redevenu un lieu de fête musicale et vocale en même temps qu'un foyer de confrontations. Le second phénomène est l'explosion du disque lyrique qui va permettre au plus grand nombre de découvrir des chefs-d'œuvre et d'avoir envie d'opéra. L'Opéra de Paris obtient alors des taux de remplissage supérieurs à 100% (car on vend les places aveugles). À Paris, les queues se ferment de plus en plus tôt à la location. Mais on refuse du monde et les mécontents se chiffrent par milliers. Une étude comparative montre que 1 Parisien seulement sur 40 peut aller à l'Opéra chaque année alors que la proportion est de 1 sur 20 à Londres, 1 sur 15 à New York, 1 sur 3 à Berlin, 1 sur 2 à Munich. Même les grandes villes de province sont mieux loties : 1 sur 22 à Lyon, 1 sur 17 à Toulouse. En mars 1982, François Mitterrrand décide donc la construction d'un nouvel opéra qu'il définit explicitement comme « populaire ». Le terme va faire florès mais poser très vite plus de questions qu'il ne donnera de réponses. Aujourd'hui, sept ans après, l'opéra de la Bastille est construit, mais on ne sait toujours pas très bien ce qu'est un « opéra populaire » ni en quoi celui-ce le sera. [...]

Le concert inaugural a bien lieu ce 13 juillet, après avoir connu quelques vicissitudes. Une première question se pose : est-ce le meilleur symbole qu'on pouvait imaginer d'ouvrir un opéra populaire... sans le peuple ? En effet ce concert d'inauguration n'est pas ouvert au public mais réservé aux chefs d'État invités par François Mitterrand, à leurs suites et gardes du corps ainsi qu'à une poignée d'invités dont la qualité « populaire » n'est pas la plus évidente [...] de quatre vingt-dix minutes au départ, il a été comprimé à une petite heure sous prétexte du temps nécessaire à l'accueil protocolaire de chaque chef d'État par le président de la République. D'où un concert réduit à une enfilade de grands airs d'opéras français enchaînés à toute vitesse par des stars du gosier arrivées la veille, sans évidemment la possibilité de rappels et sans que Bob Wilson, engagé pour inventer une scénographie, ne puisse sans doute en montrer mieux que l'esquisse. Une formalité en somme, voire un pensum expédié à la hâte ? Triste inauguration ! Mais le plus « populaire » de l'affaire est-il l'idée de faire habiller chacune des cantatrices de ce concert par un grand couturier parisien ? Il est vrai que le président de l'Opéra a quelques liens avec le Syndicat de la couture, mais est-ce vraiment des défilés de mode qu'on attend d'un opéra « populaire » ? N'est-ce pas la plus sûre manière de renforcer le clan des opposants à cet opéra qu'ils appellent déjà « les Folies-Bergé » ? N'est ce pas même donner raison, *a posteriori*, à Daniel Barenboïm qui stigmatisait à l'avance « une programmation fait par le directeur d'une maison de couture » ? [...] La mondanité branché qui se pique de lyrique est un des effets pervers de la mode de l'opéra. La seule chose qui soit assurée, c'est que l'Opéra-Bastille, pour être populaire, doit être pensé et mis en œuvre pour le public et non pour la vanité de quelques-uns.

(Alain Duault, *L'Événement du Jeudi*, 13-19.7.89)

Vocabulaire

un côté Karsenty du lyrique   une atmosphère d'opéra très conventionnelle (Karsenty était un spécialiste de productions théâtrales destinées à un grand public bourgeois, et le lyrique signifiait l'art du chant.)

faire florès   devenir très connu et avoir du succès

une enfilade de grands airs   des airs d'opéra connus, qui s'enchaînent l'un après l'autre

Folies-Bergé   calembour évoquant le mot « Folies-Bergères », du nom de Pierre Bergé, homme d'affaires dans le milieu de la haute couture, puis président du Conseil d'Administration de l'Opéra-Bastille

Presque 20 ans après les débuts vacillants de l'Opéra-Bastille, cette institution a gagné son pari. La presse et les médias ont presque oublié les bugs techniques et la succession de directeurs qui ont marqué ses premières années de vie : ils préfèrent aujourd'hui parler des spectacles et de la musique elle-même. Mais la présence de l'Opéra a peu à peu transformé le quartier Bastille, d'où ont disparu les ouvriers du bois qui traditionnellement l'habitaient. À leur place ont afflué populations nanties, bars de jazz et boutiques de design. On peut se demander si cette évolution, témoin de la vitalité de la démographie parisienne, ne va pas néanmoins à l'encontre des intentions qui ont présidé à l'idée d'origine d'un opéra populaire.

4.18   L'Opéra de Paris va changer

Entretien avec Gérard Mortier, directeur de l'Opéra Bastille

Vous entamerez, à l'automne, votre cinquième et dernière saison à la tête de l'Opéra de Paris. À quoi ressembleront ces adieux ?

Entre les deux salles de Garnier et de Bastille, nous présenterons quinze ballets et dix-neuf opéras. La programmation a été établie autour de trois thèmes : l'espoir, le 20e anniversaire de Bastille et l'Europe de l'Est. On a parfois tendance à oublier qu'il y a de bons opéras ailleurs. Une trentaine en Russie, qui ont des difficultés. Le 22 décembre, nous avons programmé une coproduction avec l'opéra de Novossibirsk en pleine Sibérie. Il fera moins 40° dehors !

En vingt ans, l'Opéra Bastille a-t-il trouvé ses marques ?

Installé dans un quartier populaire, il a donné à Paris l'opportunité de sortir de sa clientèle des VIIe et XVIe arrondissements. Au point de vue architectural, ce n'est pas très réussi. Mais c'est un instrument technique formidable. Sur la saison, on offre plus de 300 000 places à moins de 60 euros. Avec une visibilité magnifique partout.

Que retenez-vous de votre mandat ?

Nous sommes arrivés à 45% d'autofinancement, ce qui est énorme. En général, c'est plutôt 35%. Nous avons doublé les recettes du mécénat, de 3,5 à 7 millions d'euros, et nous sommes passés de 12 000 à 15 000 abonnés. Il y a aussi les 62 places debout, à 5 euros en fond de salle, mises en vente chaque soir. C'est un succès énorme, on a vu des gens venir quatre heures avant...

Sur le plan artistique, je suis fier de l'ouverture sur le contemporain. Le public a suivi. Un public nouveau, jeune, et un public ancien qui s'ouvre. Il découvre que l'opéra contemporain n'est pas une maladie, mais quelque chose de très beau. […]

Des regrets ?

La lourdeur de l'administration. Pour que j'offre un bouquet à une artiste à la fin d'une représentation, il faut trois signatures !

(Recueilli par Pierre Fornerod, *Ouest-France*, 10 juin 2008 mardi)

Notes culturelles

les deux salles de Garnier et de Bastille   l'Opéra de Paris se répartit deux théâtres : la salle Garnier (aussi appelée « l'Opéra »), construite en 1875 et située au centre de Paris, et le complexe artistique de la Bastille (aussi appelé « l'Opéra-Bastille »), inauguré à la date anniversaire de la révolution française, en 1989

des VIIe et XVIe arrondissements   ces quartiers de Paris sont très bourgeois, et il est convenu de croire que leur population fréquente l'opéra traditionnel

Réflexions

4.19   Pratiques culturelles et usages d'Internet, Olivier Donnat

1   […] Nos modes de vie et de consommation se trouvent profondément transformés par le développement rapide d'Internet en raison de la nature même de ce « média à tout faire », qui permet à la fois d'accéder aux œuvres du passé le plus lointain et aux programmes de la radio et de la télévision, de diffuser et de partager ses propres images, textes ou musiques, de communiquer de vive voix ou par écrit et d'accomplir certaines des tâches les plus triviales de la vie quotidienne.

2   Le fait que désormais près de la moitié des ménages disposent chez eux d'une connexion, associé aux effets de la numérisation, constitue un réel défi pour l'approche traditionnelle des pratiques culturelles, car cela met en question plus ou moins radicalement la plupart des catégories et partages qui permettaient jusqu'alors d'appréhender les activités culturelles : en effet le découpage par domaines ou filières est rendu en partie caduc par la diffusion de la culture numérique où textes, images et musiques sont souvent imbriqués, le clivage amateur/professionnel devient plus incertain, et surtout la cohérence des activités culturelles qui étaient en général étroitement associées à un support physique ou à un lieu – le domicile pour la télévision, les établissements culturels pour la fréquentation des oeuvres, etc. - se trouve fortement ébranlée. Pour ne prendre que quelques exemples, il y a quelques années encore, c'est-à-dire avant la numérisation et la généralisation des appareils nomades (micro, téléphones, lecteur MP3…), écouter de la musique renvoyait aux disques et cassettes qu'on écoutait chez soi, lire aux livres et à la presse papier, regarder un programme télévisé au petit écran du salon, voir un tableau aux musées, etc. Désormais, rares sont les pratiques culturelles ou médiatiques qui se laissent ainsi facilement réduire à l'équation simple « une activité = un support ou un média + un lieu ».

3   D'où un certain trouble de l'appareil statistique, qui éprouve d'autant plus de difficultés à faire évoluer ses nomenclatures et à mettre en place des dispositifs pérennes de mesure que les usages d'Internet tardent à se stabiliser. Trouble persistant, alors que les médias ne cessent de surenchérir sur la révolution numérique, avec une tendance « naturelle » à hypertrophier certains phénomènes marginaux, en suggérant implicitement que leur logique de diffusion est inexorable, ou à les présenter comme résolument novateurs faute de mise en perspective historique. Aussi, l'image que nous avons des utilisations de ce nouveau « média à tout faire » est-elle souvent partielle ou déformée, et il est aujourd'hui bien difficile d'avoir une idée précise de l'importance réelle des usages culturels et de leur dynamique, et par conséquent d'anticiper leurs effets sur les pratiques culturelles et médiatiques « traditionnelles »[1].

4   Le travail dont nous présentons ici les principaux résultats[2] propose une analyse des liens qui sont en train de se tisser entre nouveaux et anciens modes d'accès à l'art et à la culture. En s'attachant à comprendre à la fois comment les usages d'Internet s'intègrent dans les univers culturels qui leur préexistaient et comment ils peuvent contribuer à leur transformation, il fournit – nous l'espérons – des éléments de nature à une meilleure identification des grandes lignes de la reconfiguration en cours.

---

1   Par commodité, nous utiliserons dans la suite du texte le terme de « traditionelles » sans guillemets, pour désigner les activités culturelles et médiatiques qui existaient avant l'arrivée d'Internet.

2   Les données présentées ici sont issues de la partie variable de l'enquête permanente sur les conditions de vie des ménages (EPCV) intitulée « Technologies de l'information et de la communication », que l'Insee a réalisée en octobre 2005 en interrogeant 5 603 personnes représentatives de la population métropolitaine âgée de 15 ans et plus. Elle repose sur les données qui n'ont pas fait l'objet d'une analyse. Pour une présentation des principaux résultats de cette enquête, voir Yves Frydel, « Internet au quotidien : un Français sur quatre », Insee Première, n° 1076, mai 2006 (www.insee.fr/fr/ffc/ipweb/ip1076/ip1076.htm).

Un usage qui augmente avec le niveau de pratiques culturelles…

5 Premier constat : à l'échelle de la population française, la probabilité d'être internaute croît régulièrement avec le niveau général de participation aux pratiques culturelles traditionnelles. Le graphique 1 le montre de manière très nette : l'accès à Internet à domicile comme l'usage au cours du dernier mois, quel que soit le lieu (domicile, travail, lieu public, etc.) augmentent régulièrement en fonction du score obtenu sur un indicateur synthétique traduisant les comportements en matière de lecture de livres, de fréquentation d'équipements culturels (salles de cinéma, de théâtre, de concert, et musées ou expositions) et de pratique en amateur d'activités artistiques[3].

6 En descendant au niveau de chacune des activités retenues pour construire l'indicateur global, on se rend compte que l'engagement dans les pratiques culturelles traditionnelles et le rapport à Internet sont liés de manière différente selon les cas : [...] pour la lecture de livres ou la pratique en amateur d'activités artistiques, le fait d'être non pratiquant est fortement associé au fait de ne jamais avoir eu de contact avec Internet, mais l'intensité de la pratique a peu d'influence : ainsi, par exemple, la probabilité d'être un internaute actif est sensiblement

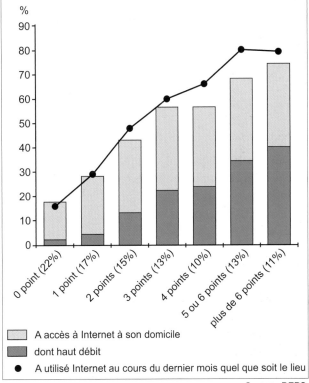

Graphique 1 — Accès à Internet et niveau global de pratiques culturelles

Source : DEPS

la même qu'on soit un faible lecteur (1 à 5 livres par an) ou un fort lecteur (25 livres et plus par an). En revanche, dans le cas de la fréquentation des équipements culturels, la proportion d'internautes augmente régulièrement avec le rythme de pratique tant dans le cas des théâtres ou des concerts que des musées ou des expositions ; et cela est encore plus net dans le cas de la fréquentation des salles de cinéma : 83% des personnes s'étant rendues dans une salle au moins une fois par mois sont internautes (61% ont un usage quotidien) contre 64% de celles qui y sont allées entre une et cinq fois.

7 Notons d'ailleurs que la propension à se rendre sur Internet pour des raisons non professionnelles apparaît beaucoup plus liée au fait de fréquenter les salles de cinéma qu'à celui de regarder des vidéos ou des DVD chez soi, ce qui révèle une des profondes originalités de ce nouveau média : bien qu'utilisé très largement à domicile – les connexions sur appareils nomades restant à ce jour encore limitées –, il apparaît plutôt lié à la « culture de sortie » dont sont porteuses les fractions jeunes et diplômées de la population, celles dont le mode de loisirs est le plus tourné vers l'extérieur du domicile et la sociabilité amicale.

---

3 Cet indicateur synthétique qui traduit l'engagement global dans les pratiques culturelles traditionnelles a été construit à partir de six activités culturelles : la lecture des livres, la pratique en amateur d'activités artistiques, la fréquentation des salles de cinéma, de théâtre, de concert et celle des musées. Pour chacune de ces activités, on a attribué 0 point à ceux qui ne l'avaient pas pratiquée au cours des 12 derniers mois, 1 point en cas de pratique faible ou occasionnelle et 2 points pour une pratique régulière. Le score maximum qui pouvait être obtenu était par conséquent de 12 points.

8 Si la proportion d'internautes augmente régulièrement avec la fréquence d'écoute de musique enregistrée, à peu près comme elle le faisait avec la fréquentation des salles de cinéma, les choses sont différentes pour la radio et la télévision : dans le premier cas, c'est parmi les auditeurs réguliers dont la durée d'écoute est faible (moins de 1 heure/jour) et dans le second, parmi les faibles consommateurs de programmes télévisés qu'on retrouve le plus d'internautes ; mieux, la proportion d'internautes décroît régulièrement à mesure que le temps passé devant le petit écran augmente, alors que – nous venons de le voir – elle a plutôt tendance à augmenter pour toutes les autres pratiques culturelles et médiatiques.

9 On retiendra donc en première analyse qu'à l'échelle de la population française, l'usage d'Internet apparaît comme une activité domestique étroitement associée à l'intérêt manifesté pour l'art et la culture en général, à l'inverse de la télévision dont la durée d'écoute diminue à mesure que la participation culturelle augmente. Ceci suffit à montrer combien ces deux médias fonctionnent sur des registres différents et concernent des publics aux attentes différentes ; aussi est-il difficile de considérer qu'ils sont directement rivaux, même s'il existe bien entendu certaines formes de concurrence, notamment sur le terrain de l'affectation du temps libre, sans parler de celui des recettes publicitaires.

10 Il n'est pas facile de statuer avec certitude sur la nature du lien observé entre l'intérêt pour les pratiques culturelles traditionnelles et celui manifesté à l'égard d'Internet. Il apparaît en effet légitime de considérer que le premier entraîne le second puisqu'il est établi depuis longtemps que la logique du cumul l'emporte souvent dans le domaine culturel : les « publics de la culture » – c'est-à-dire des personnes dont l'intérêt pour l'art et la culture est le plus marqué et la fréquentation des lieux culturels la plus régulière – ont tendance à s'emparer de toute innovation leur permettant d'élargir la palette de leurs préférences ou d'approfondir leurs centres d'intérêt, et c'est ainsi manifestement qu'ils ont pour la majorité d'entre eux appréhendé Internet. Mais il paraît tout autant possible de soutenir l'idée que la « nature » même de [ce] nouvel outil incite à la découverte, aiguise la curiosité, fait découvrir des activités ou des domaines ignorés, bref peut contribuer au renforcement de l'intérêt pour la culture. Autrement dit, un usage régulier d'Internet peut être la conséquence d'un intérêt préalable pour la culture tout en étant aussi à l'origine de son renforcement. Seules, des enquêtes longitudinales qui auraient pris la mesure des pratiques culturelles des internautes avant qu'ils ne s'équipent puis suivi leur évolution au fil du temps auraient permis de trancher cette question. Constatons donc simplement que les internautes – notamment ceux qui se montrent les plus actifs – présentent à l'échelle de la population française un profil très proche de celui des « publics de la culture ».

Profil des internautes et intérêt pour la culture

11 Les principaux facteurs favorisant l'accès à Internet sont aujourd'hui connus[4], et sur ce point les chiffres de la première colonne du tableau 1 […] ne font que les rappeler : le fait d'être un homme, d'appartenir aux jeunes générations – les 15–24 ans sont les plus équipés et on sait que la présence d'enfants et adolescents augmente les chances d'équipement au sein du ménage –, de disposer d'un revenu et plus encore d'un niveau de diplôme élevés, d'habiter la région parisienne figurent au premier rang des facteurs qui poussent à doter son foyer d'une connexion.

---

4   Voir notamment Régis Bigot, *La diffusion des technologies de l'information dans la société française*, Crédoc, novembre 2006.

Tableau 1 — Les déterminants de l'équipement et de l'usage d'Internet

	Proportion disposant d'Internet à domicile	Écarts par rapport à la situation de référence (ref)[1]		Proportion ayant utilisé Internet le dernier mois	Écarts par rapport à la situation de référence (ref)[2]	
Total 15 ans et plus	**43**			**84**		
Sexe						
Homme	45	1,4	***	87	1,8	***
Femme	41	ref		81	ref	
Âge						
15–24 ans	62	1,5	***	98	2,5	***
25–34 ans	53	0,8		97	1,9	**
35–44 ans	56	ref		86	ref	
45–54 ans	51	1,1		71	0,4	***
55–64 ans	33	0,6	***	68	0,3	***
65 ans ou plus	10	0,2	***	51	0,1	***
Diplôme						
Aucun diplôme ou CEP	16	0,5	***	55	0,5	***
BEPC, CAP, BEP	44	ref		79	ref	
Bac ou équivalent	56	1,6	***	91	1,6	***
Supérieur au bac	73	2,7	***	94	2,7	***
Niveau de vie						
1er quartile	25	0,7	***	79	0,8	
2e quartile	37	ref		81	ref	
3e quartile	48	1,3	***	86	1,1	
4e quartile	62	2,0	***	86	0,7	**
Taille de l'unité urbaine						
Commune rurale	37	1,0		82	0,9	
UU 100 000 habitants et moins	38	ref		84	ref	
UU plus de 100 000 habitants	45	1,2	**	82	0,9	
Paris et agglomération parisienne	58	1,8	***	86	1,3	
Situation de famille						
Personne seule	19	0,2	***	92	2,7	***
Famille monoparentale	35	0,4	***	84	0,9	
Couple sans enfant	31	0,5	***	81	1,9	***
Couple avec au moins un enfant	61	ref		84	ref	
Autre type de ménage	39	0,6	***	72	1,0	
Niveau d'engagement dans la vie culturelle						
0–1 point	22	0,5	***	68	0,6	***
2–3 points	54	ref		84	ref	
4–5 points	63	1,2	**	90	1,6	**
6 points et plus	70	1,7	***	91	1,6	**

1. Régression logistique sur le fait de disposer ou non d'une connexion Internet à son domicile (base : 5 603 individus de 15 ans et plus).
2. Régression logistique sur le fait d'avoir utilisé ou non Internet quand on dispose d'une connexion (base : 2 124 individus vivant dans un ménage équipé).

Pour lire ce tableau: 45% des hommes disposent d'une connexion Internet à domicile contre 41% de femmes. Les résultats de la régression logistique (odds-ratios figurant dans les colonnes « Écarts… ») montrent que le fait d'être un homme multiplie par 1,4 les chances d'être connecté « toutes choses étant égales par ailleurs ». Par ailleurs 87% des hommes connectés ont utilisé Internet au cours du dernier mois contre 81% de femmes et le fait d'être un homme, une fois équipé, multiplie par 1,8 les chances de devenir un internaute actif. Les coefficients suivis de *** sont significatifs au seuil de 1%, ceux suivis de ** au seuil de 5%.

Source : DEPS

12 Ces mêmes facteurs jouent en général également au plan de la fréquence et de la diversité des usages : une fois équipés, les hommes sont plus souvent utilisateurs, de même que les jeunes, les diplômés de l'enseignement supérieur et les personnes habitant seules. Ce qu'on appelle communément la « fracture numérique » se joue en effet aussi au niveau des usages. Le profil des 16% de non-utilisateurs vivant dans un foyer équipé est dans l'ensemble très proche de celui des personnes non équipées : ce sont le plus souvent des hommes et plus encore des femmes de plus de 45 ans faiblement diplômés ; ces non-utilisateurs sont un peu moins nombreux quand le foyer dispose du haut débit mais guère moins (14%), ce qui vient rappeler qu'au-delà des inégalités d'équipement et d'accès, des obstacles d'ordre identitaire ou cognitif peuvent être à l'origine d'un manque d'appétence à l'égard de ce nouvel outil domestique.

13 D'ailleurs, les réponses des internautes à la question de savoir ce qui leur manquerait le plus s'ils ne pouvaient plus utiliser un micro-ordinateur confirment qu'une partie d'entre eux n'éprouve pas d'intérêt pour Internet : ainsi, par exemple, 12% des internautes équipés du haut débit répondent « rien » ou « rien de spécial », et ce sont là encore des personnes de 45 ans et plus faiblement diplômées [...].

14 Les résultats confirment le rôle déterminant, tant au plan de l'équipement que de l'usage, que jouent l'âge, les niveaux de revenu et surtout de diplôme, et dans une moindre mesure le fait d'être un homme ; le fait de vivre en couple avec des enfants et celui de vivre en région parisienne jouent seulement au niveau de l'équipement. Mais surtout, les résultats attestent que l'intensité de l'intérêt pour la culture exerce bel et bien une influence « en soi » tant au plan de l'équipement que de l'usage : ainsi, par exemple, si l'on considère une personne faisant partie de ce qu'il est convenu d'appeler les « publics de la culture » (score supérieur à six points sur le score global d'engagement dans les pratiques culturelles traditionnelles, voir *supra* note 3 [...]), sa probabilité de disposer d'Internet est multipliée par 1,7 par rapport à une autre personne ayant les mêmes caractéristiques de sexe, d'âge, de niveau de vie, de diplôme, de lieu d'habitation et de catégorie de ménage mais ayant un engagement seulement moyen (2 ou 3 points sur ce même score) ; et, à équipement équivalent, ses chances d'être un(e) internaute actif sont multipliées par 1,6.

Une combinaison de trois séries de facteurs

15 Au final, il apparaît que la diffusion d'Internet dépend pour l'essentiel de la combinaison de trois séries de facteurs qui jouent d'abord au niveau de l'équipement avant de jouer au niveau de la fréquence et de la diversité des usages.

16 • Être jeune ou plus exactement faire partie des jeunes générations constitue à l'évidence un avantage essentiel : les 15–24 ans sont les plus nombreux à disposer d'une connexion et à l'utiliser fréquemment. Ceci ne surprendra pas, à la fois parce que les jeunes sont en quelque sorte « par nature » portés à s'emparer des innovations technologiques et qu'ils ont souvent été encouragés à investir ce nouveau média par des parents soucieux de les « arracher » à la fascination de la télévision. Plus généralement, les résultats conduisent à distinguer trois attitudes générationnelles à l'égard d'Internet qui tiennent en grande partie à la position occupée dans le cycle de vie au moment de son émergence : celle des moins de 25 ans qui se sont massivement emparés de ce nouveau moyen de distraction, de communication et d'accès à l'information apparu alors qu'ils n'avaient pas encore atteint l'âge adulte ; celle des 25–55 ans qui l'ont aussi assez largement intégré dans leur univers de loisir, d'autant plus facilement que beaucoup d'entre eux avaient eu l'occasion de le découvrir dans le cadre professionnel ou par l'intermédiaire de leurs enfants ; celle enfin des retraités qui sont restés assez largement à l'écart du processus d'équipement.

17 • Les niveaux de ressources économiques et surtout socioculturelles exercent toujours une influence importante, même si la fracture numérique a eu tendance à se réduire ces dernières années. Disposer d'un niveau de revenus élevé contribue bien entendu à lever l'obstacle du prix au niveau de l'équipement, et être doté d'un niveau de diplôme élevé favorise l'accès et plus encore l'appropriation des diverses fonctionnalités offertes par Internet. Ainsi, nombreux sont les facteurs qui expliquent que les cadres et professions intellectuelles supérieures utilisent Internet plus que les autres catégories socio-professionnelles pendant leur temps libre : ils en sont plus souvent utilisateurs dans le cadre professionnel et peuvent transférer le savoir-faire ainsi acquis dans celui des loisirs, et ils ont en général un mode de loisirs plus « actif » et plus diversifié que la moyenne tout en disposant de compétences et de références qui favorisent une utilisation diversifiée et maîtrisée des opportunités offertes par le nouveau « média à tout faire ».

18 • Enfin, un niveau élevé de pratiques culturelles traditionnelles constitue, « toutes choses étant égales par ailleurs », un atout important, car cela conduit en général à appréhender Internet comme un outil permettant de faciliter l'accès aux œuvres et à l'information et d'enrichir son univers culturel. Le fait d'avoir un *hobby*, un intérêt ou même une simple curiosité pour la culture en général ou pour une activité en particulier constitue « en soi », à âge et niveau socioculturel donnés, un facteur qui non seulement favorise l'équipement mais aussi les usages, surtout dans les générations les plus anciennes.

19 On mesure les effets de ces trois séries de facteurs en observant le profil des internautes qui tirent le plus grand profit des opportunités offertes par Internet : les 33% d'internautes haut débit dont les comportements en ligne sont les plus diversifiés (au moins dix usages dans la liste de 23 que comptait le questionnaire) sont souvent des hommes plutôt jeunes, titulaires d'un diplôme de second ou troisième cycle, avec un niveau élevé d'engagement dans les pratiques culturelles traditionnelles.[...]

(Olivier Donnat, *Pratiques culturelles et usage d'internet*, collection «Culture études», 2007–3, Paris)

Découvertes

L'une des grandes puissances économiques mondiales, la France a derrière elle une longue tradition de recherche et d'innovation. Elle s'est aujourd'hui résolument engagée dans un programme d'excellence en matière de recherche, visant à consolider sa position dans les domaines scientifique et technique, en lien avec les autres pays de l'Union européenne. Cette stratégie, qui a pour but de placer la patrie de Pasteur et de Cousteau à la pointe des avancées scientifiques mondiales, dans le domaine des nanosciences et de leur impact sur la santé notamment, a amené la France à faire des choix, et son système de recherche est en pleine mutation.

Chapitre 5

Réseaux et plateformes

Une analyse plus détaillée des succès techniques et scientifiques français montre qu'il existe de nos jours des ressemblances frappantes entre ces différentes réussites :

- D'abord, elles impliquent souvent plusieurs pays, en général des pays de l'Union européenne. C'est la coopération avec la Grande-Bretagne notamment qui a permis la construction de l'Airbus, de la fusée Ariane ou du tunnel sous la Manche. Un pays comme la France ne peut plus aujourd'hui financer seul les travaux de recherche et de développement nécessaires au succès de ces grands programmes.

- Ensuite, le succès est généralement basé sur des réalisations de grande envergure, qui associent étroitement les entreprises nationalisées, les centres de recherche publics, les Grandes Écoles et les subventions de l'État. C'est ce qu'Elie Cohen a appelé le « colbertisme[1] high tech », modèle français par excellence, où l'État joue un rôle de premier plan. Ce modèle est souvent opposé au modèle britannique qui consiste à laisser plus de liberté aux différents organismes concernés.

Soucieuse de susciter une nouvelle génération de scientifiques, la France multiplie ses efforts, depuis quelques années, pour établir, développer et consolider réseaux et plateformes d'échange entre recherche scientifique, technologie, industrie, établissements scolaires et grand public, et par là modifier l'attitude des Français à l'égard des sciences. Ceci se fait au travers de musées interactifs tels que la Cité des sciences et de l'industrie de la Villette et Océanopolis, mais aussi grâce à de multiples initiatives comme la fête de la science. La recherche française est aujourd'hui largement décentralisée et de gros efforts sont faits pour associer plus étroitement les entreprises privées et les universités à la recherche et à ses résultats. L'association des inventeurs et fabricants français (AIFF) et le concours Lépine se chargent quant à eux de soutenir la tradition de créativité des Français, et l'innovation au sein des PME (petites et moyennes entreprises) reste favorisée.

---

1   Colbertisme : du nom de Colbert, ministre de Louis XIV, qui encouragea l'intervention de l'État dans l'économie dès le XVIIe siècle.

Une tradition de recherche et d'innovation

Historiquement, la France a joué un rôle important dans le développement des sciences et des techniques grâce à une solide tradition de recherche pure et appliquée, comme le prouve le nombre de prix Nobel accordés à des savants français. Cette tradition se poursuit aujourd'hui en dépit de l'intensification de la concurrence. Signe d'excellence, c'est en France par exemple que le virus du SIDA a d'abord été identifié par l'équipe du professeur Luc Montagnier – les professeurs Françoise Barré-Sinoussi et Luc Montagnier ont ensuite obtenu le Prix Nobel de médecine en 2008 pour leurs travaux portant sur leur découverte du rétrovirus responsable du SIDA en 1983 à l'Institut Pasteur. Autre progrès majeur : le début des essais cliniques du premier prototype de cœur artificiel autonome, produit par le professeur Alain Carpentier, directeur du laboratoire d'étude des greffes et prothèses cardiaques de l'Université Paris VI. Mais la France est aussi un pays passionné par le bricolage, passe-temps favori de plus de 80% des femmes, et le Concours Lépine a toujours encouragé l'humble inventeur à breveter et à commercialiser ses découvertes.

Ce sont cependant des produits comme le minitel, le TGV, Ariane, l'Airbus ou le tunnel sous la Manche qui ont fait connaître les applications de la recherche française. En un siècle et demi, la vie quotidienne des Français a été profondément transformée par les progrès foudroyants des transports. La voiture a conquis la route et demeure de loin le mode de transport le plus utilisé. Mais c'est surtout l'équipement du pays en chemins de fer qui a marqué le XXe siècle. Depuis la commercialisation du premier train à traction animale entre St-Étienne et Andrézieux, en 1823, que de chemin parcouru ! Le TGV, qui permet aujourd'hui de relier le nord au sud en un temps record et étend progressivement son réseau d'ouest en est et au-delà des frontières, rapprochant la France du reste de l'Europe, a effacé les différences entre la capitale et « la province » et facilité la mobilité de l'emploi et des loisirs. Dans le même temps, l'aviation a aboli les distances et la France s'est engagée dans l'aventure spatiale avec le programme Ariane.

5.1 De grands savants français et leurs découvertes

1536

Le chirurgien Ambroise Paré invente la méthode de ligature des artères et le bistouri. Il est considéré comme le père de la chirurgie moderne.

1637

Le _savant_ et philosophe René Descartes invente la géométrie analytique qui lui permet d'établir la loi de la réfraction en optique.

1639

Le savant, penseur et écrivain Blaise Pascal invente la première machine à calculer.

1670

Gilles de Roberval met au point la balance à deux fléaux, la balance Roberval.

1680

À la suite de ses travaux sur la vapeur d'eau, Denis Papin invente une marmite avec une soupape de sécurité, ancêtre de la cocotte-minute.

1746

Le mathématicien français Antoine Deparcieux publie les _Essais sur les probabilités de la durée de la vie humaine_. Il est considéré comme l'un des fondateurs de l'estimation de la longévité et de tous les concepts qui l'entourent.

1770

Le chimiste Antoine de Lavoisier découvre la composition de l'air.

1782

Les frères Montgolfier inventent le ballon à air chaud, la « Montgolfière ».

1795

L'industriel Nicolas Appert invente un procédé de conservation, « l'appertisation », qui fait de lui le créateur de la boîte de conserve.

1799

L'ingénieur Philippe Lebon invente le gaz d'éclairage.

1818

Le médecin René Laennec invente le stéthoscope.

1820

Le physicien et mathématicien André Ampère découvre l'électromagnétisme. Son nom est donné à l'unité d'intensité des courants électriques.

1821

L'égyptologue Jean-François Champollion déchiffre l'écriture hiéroglyphique.

1828

Le professeur Louis Braille, aveugle dès l'âge de trois ans, invente un système d'écriture en points saillants, le braille.

1829

Le physicien Nicéphore Niepce développe la photographie. Il continue ensuite ses recherches en association avec Jacques Daguerre. Il mourra avant d'avoir obtenu des résultats concluants et c'est Daguerre qui découvrira le procédé permettant de développer (1835) et de fixer (1837) les images.

1853

Le chimiste strasbourgeois Charles Gerhardt développe l'aspirine.

1862

Louis Pasteur découvre les microbes et à partir de là, en 1865, le principe de « la pasteurisation ». Ses recherches sur les microbes bouleversent la médecine. La découverte du vaccin contre la rage en 1885 le rend mondialement célèbre. La création de l'Institut Pasteur permet à ses collaborateurs de poursuivre ses recherches. Savant désintéressé, Pasteur a reçu le titre de Bienfaiteur de l'humanité.

1868

Louis-Guillaume Perreaux, ingénieur-mécanicien originaire de l'Orne, dépose le brevet de la première moto : le vélocipède à vapeur.

1877

Le phonographe est inventé par Charles Cros en France puis par Thomas Edison aux États-Unis.

1887

Début de la construction de la tour Eiffel conçue par Gustave Eiffel et qui resta l'édifice le plus haut du monde jusqu'en 1929. Gustave Eiffel (1832–1923), ingénieur, a aussi construit de nombreux ponts et la structure de la statue de la liberté de New York.

1890

Joseph Opinel crée le petit couteau du même nom.

1895

Les frères Lumière (Auguste et Louis) inventent le cinématographe et montrent le premier film en public à Paris le 28 décembre 1895.

1897

Édouard Branly et Guglielmo Marconi inventent le télégraphe.

1898

Pierre et Marie Curie étudient la radioactivité, ce qui les conduit à la découverte du radium. Ils obtiennent le prix Nobel de chimie en 1903. Après la mort de son mari, Marie Curie continue ses travaux et, en 1911, obtient un second prix Nobel de chimie.

1902

Léon Gaumont invente le chronophone, ancêtre du cinéma parlant.

1906

De 1906 à 1923, Albert Calmette et Camille Guérin mettent au point la méthode de vaccination contre la tuberculose (le BCG).

1915

Le médecin André Boccage invente la tomographie, ancêtre du scanner. Paul Langevin invente le sonar.

1934

Irène Curie, fille de Pierre et Marie Curie, et son mari, Frédéric Joliot, découvrent la radioactivité artificielle. Ils obtiennent le prix Nobel de chimie l'année suivante. Frédéric Joliot dirigera la construction de la première pile atomique française en 1948.

1943

Jacques-Yves Cousteau invente le scaphandre autonome et la plongée sous-marine moderne.

1958

Haroun Tazieff, chargé de cours à la faculté des sciences de Paris, est nommé directeur du laboratoire de volcanologie de l'Institut de physique du globe. Il va donner ses lettres de noblesse à la volcanologie.

1965

Le biochimiste Jacques Monod obtient le prix Nobel de médecine pour ses travaux sur l'information génétique.

1972

François Gernelle invente le premier micro-ordinateur du monde, qui sera ensuite développé et commercialisé par les Américains.

1983

Le professeur Luc Montagnier et son équipe de l'Institut Pasteur découvrent le virus du SIDA.

1989

Le professeur Étienne Beaulieu, médecin et chercheur, obtient le prix Albert Lasker pour ses travaux sur le RU 486, la « pilule du lendemain ».

1991

Le physicien Pierre-Gilles de Gennes obtient le prix Nobel de physique pour ses travaux sur les cristaux liquides et les polymères. Savant enthousiaste, pédagogue passionné, il cherche à désacraliser les mathématiques, trop présentes selon lui dans l'éducation française.

1992

Georges Charpak obtient le Prix Nobel de physique pour l'invention et la mise au point des détecteurs de particules.

1997

Claude Cohen-Tannoudji obtient le Prix Nobel de physique, avec Steven Chu et William D. Phillips, pour une méthode permettant de ralentir et d'isoler les atomes.

2005

Yves Chauvin obtient le Prix Nobel de Chimie, en association avec les américains Robert H. Grubbs et Richard R. Schrock, pour ses 35 ans de travaux de sur le développement de la méthode de la métathèse dans la synthèse organique.

2007

Albert Fert obtient le Prix Nobel de Physique, avec Peter Grünberg, pour ses travaux sur la magnétorésistance géante et sa contribution au développement de la spintronique.

2008

Françoise Barré-Sinoussi et Luc Montagnier obtiennent le Prix Nobel de médecine pour leurs travaux portant sur la découverte, par l'équipe de Montagnier, du rétrovirus responsable du SIDA en 1983 à l'Institut Pasteur.

5.2   Dépasser les frontières

Zoom sur le train à grande vitesse

Le vendredi 14 novembre 2008 à 10:51

Article écrit par Suzi

Le TGV ou train à grande vitesse est une rame électrique capable de rouler à une vitesse de 270 à 320 km/h. Il est en exploitation commerciale depuis plus de vingt ans. Avant de s'imposer dans la vie quotidienne, il a traversé plusieurs étapes de recherche et d'essai. D'abord, la volonté de créer un train à grande vitesse a pris naissance en 1965–66 à la suite de plusieurs signes avant-coureurs à travers le monde. Parmi ces signes, on note l'établissement du record de vitesse de 331 km/h avec des rames à traction électrique classique. Il y a également la présentation du projet allemand de révolutionner ses réseaux ferroviaires et surtout l'aménagement du Shinkansen par les Japonais en 1964. Toutefois, c'est la volonté de la SNCF de reconquérir ses usagers qui était l'élément déclencheur. Le concept du TGV se dessina pour la première fois en 1967 avec le lancement du projet C 03 par la SNCF et l'industrie ferroviaire. Ce projet avait pour but d'étudier les potentialités d'un développement de turbotrain à grande vitesse. En 1971, il s'était concrétisé par l'apparition d'un turbotrain d'expérience, baptisé X 4300 TGS, qui était parvenu à rouler avec une vitesse de 252 km/h. […]

Vers la fin des années 70, le projet de construire un train à grande vitesse a abouti à la conception finale du premier TGV. […] En septembre 1981, après un peu moins de dix ans de recherche et de travaux, le TGV est enfin mis en service commercial. Le lancement a eu lieu quelques jours après l'inauguration de la ligne Paris–Lyon par le président F. Mitterrand.

(www.web-libre.org, dernier accès 17 novembre 2009)

Notes culturelles

SNCF   Société nationale des chemins de fer français

François Mitterrand   (1916–1996) a dirigé la France du 21 mai 1981 au 17 mai 1995

Quand le train concurrence l'avion

Gilles Fumey (université Paris-Sorbonne), Numéro du document: 1099, 27 mai 2007

[…] Ainsi s'est construite la France des trente dernières années. Un territoire ferroviaire qui s'est « rétréci » pour ceux qui ont accès au train rapide, et un territoire immobile pour ceux qui sont à l'écart des lignes à grande vitesse ou loin des nouvelles gares. C'est dire l'événement national qu'est l'ouverture d'une ligne nouvelle comme celle de l'Est. Et quel bilan depuis le premier service commercial de septembre 1981 ! En avril 2007, un milliard deux cents millions de passagers transportés, 1 540 kilomètres de lignes et 250 gares qui ont retouché la géographie de l'espace français. Des rames insuffisantes qu'il a fallu doubler en fréquence et en capacités […].

Le train rapide crée un nouveau style de vie

L'Île-de-France s'est offert une grosse part du gâteau : 80% des liaisons y passent encore et ailleurs, ce sont les métropoles et quelques bourgades qui ont bénéficié d'arrêts « politiques ». Qui sont les voyageurs les plus assidus, abonnés au programme de fidélité Grand Voyageur ? Des navetteurs qu'on reconnaît facilement car ils ne portent pas de bagages. On les appelle dans le triangle Londres–Lille–Bruxelles des *day tripers*, visiteurs d'un jour qu'on peut voir chiner dans le vieux Lille. Ces 450 000 navetteurs ont saisi l'aubaine d'une vie au vert, loin de la capitale : plusieurs milliers dans les villes du Val de Loire prennent le train dès potron minet pour Montparnasse. Entre la Lorraine et Paris, ils seront plusieurs dizaines de milliers à pratiquer la double-résidence et veiller à être les premiers à décrocher les places les plus convoitées du vendredi et du dimanche soir. Ils grossiront la cohorte des « résidents secondaires », enfants des réductions du temps de travail et qui ont rénové moulins et bastides, manoirs et longères de la Bretagne à la Provence. [...] Et puis il y a tous les autres, les touristes d'un week-end ou d'une saison, les étudiants et les seniors, les familles, les cadres qui préfèrent le train à l'avion. Autant de catégories de voyageurs qui y trouvent leur compte pour un voyage fabriqué sur mesure dans des voitures devenues des salons et des bureaux. [...] L'Internet haut débit devrait équiper bientôt les TGV est-européens. La SNCF jure aussi [de] se préparer au vieillissement de la population et [de] mieux s'adapter à l'accès aux handicapés. Côté voyage, l'interopérabilité entre les sept entreprises ferroviaires européennes permettra de proposer des voyages sur l'ensemble du réseau de l'Europe.

Revenons aux très privilégiés Franciliens, au cœur de l'étoile ferroviaire rapide. Ce privilège serait très jacobin si les trajets ne se faisaient pas dans les deux sens. Ainsi, les célèbres turbo-profs des facultés qui quittaient Paris pour faire leurs cours en province sont-ils plus nombreux à se mouvoir dans l'autre sens : ils habitent la Bretagne ou le Vaucluse mais enseignent dans la centaine d'établissements de la capitale. L'opéra de Lyon compte des clients parisiens, Avignon des touristes d'un jour, le Louvre attire des Britanniques tous les dimanches tout comme le *Rijksmuseum* d'Amsterdam. De plus en plus, le TGV quitte ses habits parisiens : Lille–Hendaye est programmé pour éviter Paris tout comme le Calais–Marseille en 3 h 29 depuis 2001. [...]

La France étriquée, l'Europe et le monde de la grande vitesse

Trop à l'étroit dans son pré carré français, le train rapide franchit les frontières nationales, mais aussi technologiques comme en Espagne. [...] D'ici 2020, près de 2 000 km de lignes nouvelles à très grande vitesse seront ouvertes en Europe. Un réseau trois fois plus long qu'en 2007, organisé autour de *hubs* sur le modèle de l'aérien et, surtout, ouvert à la concurrence [...]. L'Espagne développe un réseau étoilé, contrairement à l'Allemagne où les densités sont fortes. Deux logiques d'exploitation vont s'affronter : un système en *hub*, comme dans l'aérien et un système en arête de poisson. Les futurs clients ont fixé la charnière de partage entre l'avion et le train à quatre heures (trois heures, il y a quelques années).

Côté technique, le matériel roulant va être de plus en plus étranger, tel l'ICE$_3$ (*Inter-city express*) allemand. La concurrence va s'exacerber, pour le fret comme pour les voyageurs. Rentables vers la Suisse ou la Belgique, les voyages sont à peine équilibrés vers l'Espagne où la compagnie est étrillée par le *low cost* aérien. Mais de nouveaux opérateurs sont en embuscade, des concurrents sur des corridors recherchés et la concurrence aérienne est forte. Sur Paris–Marseille, c'est Easy Jet qui a déjà jeté l'éponge. Parfois, la concurrence se transforme en coopération : pour remplir certains avions, notamment les long-courriers, il faut... des trains. Jean-Cyril Spinetta, le PDG d'Air France, devrait diversifier ses activités en achetant des trains. Et le renchérissement du coût de l'énergie rogner les marges des compagnies aériennes. Rien n'est écrit sous le ciel européen. [...]

Mode de transport respectueux de l'environnement ? C'est l'argument qu'on donne pour la faible occupation des sols, une consommation d'énergie trois fois inférieure à celle de l'avion et une émission de gaz carbonique quatre fois moindre. Tout militerait-il en faveur de ces autoroutes ferroviaires qui parviennent à transporter 360 000 passagers par jour sur une même ligne, ce record ayant été atteint sur la ligne du Shinkansen Tokyo–Osaka ? Voire. Car les prix du train dissuadent les familles modestes de prendre le TGV. Elles se rabattent sur la voiture qui reste la solution pour les petits budgets. Mais le TGV est surtout un excellent outil d'aménagement du territoire et de développement économique. Alstom Transport qui [était] encore en 2007 le numéro un mondial de la grande vitesse (35% de part du marché mondial) est parvenu à vendre près de cent rames aux Britanniques, Belges, Espagnols et Coréens, et la firme évalue le marché à 10 fois ce chiffre d'ici 2025. Ansaldo-Breda (Italie), Bombardier-Tago (Canada-Espagne), Siemens (Allemagne) et Kawasaki-Hitachi (Japon) veulent leur part du gâteau. La grande vitesse est à la veille d'un âge d'or mais avec des limites car elle ne convient pas à tous les territoires, il faut de 1 à 2 millions de personnes par ligne et par an pour atteindre la rentabilité. C'est pourquoi on peut considérer que le réseau européen sera achevé en 2020.

Le rush sur les billets de train bon marché est l'un des happenings préférés des Français. Nos compatriotes ont une véritable passion pour le train qu'ils célèbrent sur les Champs-Elysées comme les stars. Des mines du Massif Central où furent inventés les premiers wagonnets à la *Bête humaine* de Zola et Gabin et jusqu'au TGV, l'histoire des trains est l'histoire d'un désir de conquête. La France et l'Europe parcourues par ces bolides remplis de voyageurs deviennent un territoire conquis où chacun renouvelle son mythe de la vitesse : aller plus vite, plus loin, pour être plus près des autres.

(www.cafe-geo.net, dernier accès 17 novembre 2009)

Notes culturelles

dès potron minet   dès le lever du jour (littéralement : dès que le chat montre son derrière)

Paris–Marseille   pendant des siècles, la France a été divisée en deux : Paris, où se concentrait le progrès, et la province, dont Marseille, où la vie quotidienne suivait son cours tranquille. Cette situation a progressivement changé depuis les années 1970 et le pays est aujourd'hui largement décentralisé.

jeter l'éponge   abandonner, renoncer

PDG   président-directeur-général

happening   événement collectif, spectacle essentiellement spontané

La Bête humaine   roman d'Émile Zola publié en 1890 et inspiré par les premiers trains

Jean Gabin   (1904–1976) grand acteur de cinéma français

5.3 L'ère du supersonique

rough draft

La **première ébauche** d'un projet d'un avion de ligne supersonique franco-britannique date de 1958. La collaboration entre *Sud Aviation* et *British Aircraft Corporation (BAC)* est finalement signée le 29 novembre 1962, début de ce qu'on a appelé « l'ère supersonique ». L'assemblage final du prototype 001, qui ne trouvera son nom de « Concorde » qu'en décembre 1967, commence dans les hangars de l'Aérospatiale de Toulouse en avril 1966. Ce premier modèle sort le 2 mars 1969 pour un premier vol, et atteint mach 2 l'année suivante après avoir passé le mur du son en octobre 1969 ; le premier vol anglais a lieu le 9 avril de la même année. De Toulouse, le Concorde reliera ensuite Toulouse–Dakar en 2 h 7 min de vol en 1971, avant de se poser successivement aux Açores et à Dallas et de relier Orly à Washington en 3 h 33 . Ce seront ensuite les débuts des appareils de série, puis les certificats de vol français et britannique en 1975. L'année 1976 verra la mise en service du Concorde après plus de 5 000 heures de vols d'essai, et les premières liaisons commerciales effectuées simultanément sur Londres–Bahreïn pour British Airways et sur Paris–Dakar–Rio de Janeiro et Paris–Caracas pour Air France. Le 24 mai 1976, le Concorde s'envole pour les États-Unis, avec un Paris–Washington et un Londres–Washington qui se posent simultanément sur deux pistes parallèles à Washington–Dulles. Le supersonique réussit enfin à relier Paris à New York en 3 h 40 après être venu à bout des controverses qui retardaient son admission à l'aéroport Kennedy et lui interdisaient le survol d'une majeure partie des États-Unis.

Le Concorde transporte jusqu'à 144 passagers avec un équipage de huit personnes. Il parcourt 100 km toutes les 3 minutes soit 555 m par seconde, traversant l'Atlantique en moins de 4 h à 18 000 m d'altitude et à une vitesse de croisière de mach 2,02 (soit 2 179 km/h). Il consomme une tonne de kérosène et son autonomie est de 6 580 km. Son envergure de 25,56 m, son aile delta modifiée (dite « gothique »), d'une surface de 358 m^2, et son nez qui abrite un radar météorologique et des appareils de pressurisation, lui donnent un profil caractéristique. Il est équipé d'un moteur à quatre turboréacteurs Rolls-Royce/Snecma Olympus 593 Mk. 610 de 17 260 kg de poussée chacun. Il mesure 62,10 m de long, 11,40 m de haut et pèse 185 065 kg au décollage. Son revêtement et ses structures sont en alliage d'aluminium classique et ses quarante-deux hublots en quatre couches transparentes de verre. Les vitres du poste de pilotage sont prévues pour résister à l'impact d'un oiseau de 2 kg.

Au début des années quatre-vingts, dix-huit avions seulement sont en service, dont neuf en service commercial. Cet échec relatif est dû en partie à sa trop forte consommation de kérosène et au trop grand nombre de décibels qu'il génère, mais aussi à son coût prohibitif : un aller-retour Paris–New York avoisine les 9 000 euros. Le 25 juillet 2000 à 16 h 45 se produit le seul accident du Concorde, deux minutes après le décollage et qui fait 113 morts à Gonesse, près d'Orly. Alors que les vols du Concorde devaient se prolonger jusqu'en 2020, la fin de l'exploitation commerciale est annoncée simultanément des deux côtés de la Manche en 2003, dans un contexte de crise, après les attentats de New York et le début de la guerre en Irak. Les deux derniers vols New York–Paris de celui qu'on a appelé « l'oiseau blanc » ont lieu le 31 mai 2003 : le « Sierra Delta » atterrit à Roissy vers 17 h 45 et le « Fox Bravo » à 18 h 36 heure locale, avec une centaine de passagers à bord. Les Concorde d'Air France, officiellement à la retraite depuis le 26 novembre 2003, sont aujourd'hui devenus objets de musée.

5.4   En remontant le fil d'Ariane

Le 24 décembre 1979 marque le premier vol d'essai de la fusée Ariane. Un beau cadeau de Noël pour l'Europe qui entre enfin dans l'aventure spatiale. Fleuron de la technologie française, Ariane, lanceur civil de satellites placés en orbite géostationnaire gérée par Arianespace, a connu, depuis ses débuts, de nombreux succès.

Tout a commencé en 1953. La France, consciente de la montée en puissance des deux grandes nations de la conquête spatiale, l'U.R.S.S. et les États-Unis, et soucieuse de rattraper le temps perdu, décide alors, sous l'égide de la D.E.F.A. (Direction et Études et Fabrication d'Armements), de se lancer dans l'aventure spatiale. Véronique, première fusée de la série, lancée depuis la base de Colomb-Béchar, au Sahara, a pour objectif premier d'amener des appareils de mesure au-delà de l'atmosphère, tout en servant de plateforme d'apprentissage aux scientifiques français. Afin de concentrer et d'améliorer le programme spatial français, le Centre national d'Études spatiales (C.N.E.S.) est ensuite fondé en 1961, avec un personnel qui va passer en un an de huit à quatre-vingts personnes.

Alors que ses concurrents bénéficient d'effectifs et de budgets colossaux, la France poursuit ses efforts avec la fusée Diamant et lance ensuite, le 26 novembre 1965, le premier satellite français, le A1, dit Astérix, qui restera en orbite jusqu'en 2165. Cette réussite renforce la position de la France, troisième pays à satelliser un objet artificiel, au sein des puissances spatiales. Le C.N.E.S. s'implante à Toulouse où il ouvre ses portes le 1er avril 1968. Kourou, en Guyane française, choisie en 1964 comme nouvelle base de lancement pour sa situation géographique exceptionnelle, qui permet d'envoyer en orbite 17% de masse de plus que les Américains à Cap Canaveral, effectue son premier lancement la même année.

L'Europe s'est lancée dans l'aventure spatiale au début des années soixante avec la création du futur C.E.R.S. (Conseil européen de recherches spatiales (E.S.R.O. en anglais)) regroupant douze pays adhérents. En 1962, le C.E.R.S. publie le livre bleu détaillant son projet, et ouvrira ses portes deux ans plus tard – l'Europe spatiale est née. Après l'échec du programme Europa 2, et suite à la réussite du programme scientifique français des fusées Diamant, la France, seul pays européen à posséder des fusées, va jouer un rôle clef dans le programme de lanceurs européens. Elle s'investit, plus que ses partenaires, dans le programme Ariane, se chargeant de près des deux tiers (63,9%) du coût du projet, estimé en 1975 à 3,05 milliards de francs – l'Allemagne, quant à elle, finançait le programme à hauteur de 20,1%.

En 2008, Ariane, qui assure depuis longtemps plus de 50% des lancements commerciaux de satellites de la planète, a atteint, pour la première fois depuis sa création, les limites de ses performances, du fait qu'aucun projet d'amélioration n'a été engagé au cours des dernières années. Or il suffirait de réaliser un nouvel étage pour permettre au lanceur de déposer non plus 10 t en orbite de transfert géostationnaire – comme c'est le cas aujourd'hui pour les satellites commerciaux genre télécommunications – mais 12 t. Et cinq années seraient nécessaires pour développer un tel moteur. L'ancien président d'Arianespace souhaite donc que la France propose d'urgence à ses partenaires européens de faire évoluer Ariane au plus vite pour assurer son avenir.

Le dernier lancement de l'année 2008 s'est déroulé le 20 décembre à 22 h 35 (GMT) depuis le centre de lancement de Kourou, avec pour mission de mettre en orbite deux satellites de télécommunications appartenant à l'opérateur européen Eutelsat. Ariane reste aujourd'hui le « cœur de métier » de la société Arianespace, fondée en 1980 et chargée de commercialiser les lancements de la fusée européenne.

Les sciences, du primaire à l'université

La France a élaboré un modèle de développement original en matière de recherche. Comme dans de nombreux domaines, l'État exerce une influence prépondérante sur les priorités données à la recherche par l'intermédiaire de centres qui ont le statut d'établissements publics. Ces centres de recherche travaillent en collaboration étroite avec des musées interactifs comme la Cité des Sciences et de l'Industrie de La Villette ou le Futuroscope de Poitiers, et avec des entreprises, très souvent elles-mêmes nationalisées et donc sous le contrôle de l'État. Enfin, lorsqu'il s'agit de commercialiser les nouveaux produits ainsi développés, on retrouve l'État qui, par l'intermédiaire des commandes publiques, procure un marché à ces produits. La boucle est bouclée !

5.5 Une nouvelle politique de la culture scientifique

En arrivant au pouvoir au début des années quatre-vingts, la gauche développe une politique volontariste dans le domaine de la recherche scientifique : augmentation massive des budgets de la recherche, embauche de jeunes chercheurs, etc. Cette volonté de promouvoir la science trouve son application dans une nouvelle politique de la culture scientifique. [...] On crée, avec l'appui du ministère de la Recherche, des Centres régionaux de culture scientifique et technique.

Échec des « boutiques de science »...

Ces outils de décentralisation de la culture technique s'accompagnent parfois, à l'imitation d'un modèle venu des pays nordiques, de toutes nouvelles « boutiques de science ». L'idée de base consiste à ouvrir boutique à l'enseigne de la science pour répondre aux besoins réels du public en matière de connaissances scientifiques et techniques. Quiconque, particulier, association, entreprise, se pose une question à propos de la science ou de ses applications pratiques trouve en théorie, dans ces lieux ouverts à tous, des scientifiques bénévoles à l'écoute des demandes des profanes. Sans doute ne pourront-ils, compte tenu de leurs propres spécialisations, répondre à toutes les questions, mais ils s'engagent à essayer de traiter le problème en recherchant, si nécessaire, telle ou telle compétence au sein de la communauté scientifique. Être à l'écoute des vrais besoins du public, répondre à ses vraies questions : le modèle s'inspire évidemment des théories développées par les mouvements de critique de la science qui ont émergé dans les années soixante-dix. Il représente l'une des tentatives historiques de recherche d'un meilleur équilibre entre l'institution scientifique qui se développe selon sa propre logique et les demandes du public, rarement exprimées ou prises en compte. Au-delà du volontarisme culturel, la création des boutiques de science répond donc à une option politique de démocratisation de la science par une prise en compte des attentes fondamentales du public. L'idée est évidemment séduisante, mais dans le cas français, après une période d'enthousiasme, l'expérience finit par tourner court. Les boutiques de science fonctionnent peu ou mal, la clientèle n'afflue pas, la traduction des questions profanes en réponses scientifiques n'est pas aisée et la mobilisation bénévole sur une longue période finit par faiblir. [...]

... mais succès des Centres régionaux de culture scientifique et technique...

Vus au travers d'un bilan réalisé quelque quinze ans après leur création, les Centres régionaux de culture scientifique et technique constituent, à l'inverse des boutiques de science, une réussite réelle. L'examen au cas par cas permet de détecter faiblesses et forces du système, mais dans l'ensemble l'institution semble avoir à peu près tenu ses promesses. Au total[2], il existait en 1996 vingt-neuf centres qui touchaient directement près de deux millions de personnes par an. Pourtant, paradoxalement, l'une des faiblesses de ces institutions destinées à promouvoir la culture scientifique et technique au niveau régional est de n'avoir pas pu, avec le temps, résister à la concurrence parisienne. Le danger existait dès l'origine puisqu'au moment même où naissait l'idée de centres régionaux de culture scientifique on envisageait de créer à Paris un grand musée de la science et de la technique. [...] Le projet de musée des sciences et des techniques de La Villette allait peu à peu prendre place et recentraliser sur Paris l'essentiel des ressources consacrées à la culture scientifique et technique. Aujourd'hui le musée de La Villette représente une entreprise culturelle réussie en termes de bilan général. Selon les chiffres présentés par les services de La Villette, chaque année plus de trois millions de personnes visitent la Cité des sciences et de l'industrie.

... et des journées « La science en fête »

Dans les années quatre-vingt-dix, une nouvelle manière de parler de science au grand public va être inventée par des responsables du ministère de la Recherche. Cette fois il ne s'agit plus de musée ni de vulgarisation par l'intermédiaire des médias, mais d'un événement annuel, baptisé de façon heureuse « La science en fête ». Comme il y a une fête de la musique, comme

2 Selon un document rédigé par la Direction de l'information scientifique des technologies nouvelles et des bibliothèques (ministère de l'Éducation nationale, de la Recherche et de la Technologie), « Les Centres de culture scientifique et technique, chiffres clés (1996) », Paris, 1997.

il y aussi des journées « portes ouvertes » de différents monuments du patrimoine historique, on inaugure quelques journées au cours desquelles des scientifiques accueillent dans leurs lieux mêmes de travail le public intéressé. Pour les chercheurs qui acceptent de se prêter au jeu, il s'agit de savoir répondre à la curiosité de tous, de réaliser en direct des « manips » – c'est-à-dire des expériences de laboratoire – qui fassent comprendre aux profanes les réalités de la pratique scientifique. Ce n'est plus le résultat brut de la recherche qui est privilégié, mais l'explication du processus, le dialogue avec le professionnel, la compréhension concrète des enjeux de la science. Si l'on juge par son audience croissante, l'expérience paraît concluante : en 1992 à sa création, « La science en fête » se déroulait dans cinq cent vingt-deux villes et touchait un public évalué à 1,1 million de personnes. En 1996, le mouvement s'était étendu à sept cent vingt-sept villes et l'on estimait que près de cinq millions de personnes (4,8 millions) s'étaient rendues sur les lieux de l'événement.

Daniel Boy
Extraits choisis par la Rédaction des *Cahiers français* dans l'ouvrage de Daniel Boy, *Le progrès en procès*, Paris, Presses de la Renaissance, 1999, pp. 155–9. Le titre et les intertitres sont de la Rédaction des C.F.

(Daniel Boy (janvier–février 2000) « Une nouvelle politique de culture scientifique », dossier Science et société, *Cahiers français* n°. 294, La Documentation française, Paris)

5.6 Mathilde, chercheuse de perles liquides

Mathilde Callies, Doctorante au Collège de France

Je cherche à comprendre pourquoi des gouttes d'eau déposées sur les feuilles de certains arbres restent sphériques et roulent sans s'accrocher. Cette propriété de mouillage tout à fait exceptionnelle est appelée la « superhydrophobie » (en effet, on peut dire que ces feuilles « n'aiment » pas du tout l'eau !). Mon travail de thèse consiste à approfondir pendant trois ans cette problématique. Concrètement, je fabrique, grâce à une collaboration avec un autre laboratoire du CNRS, des surfaces rugueuses bien contrôlées. Ces surfaces dont on maîtrise bien la géométrie à l'échelle du micron (1/1000 de millimètre) modélisent les surfaces naturelles. Notre but ensuite est d'essayer de comprendre les propriétés de mouillage en fonction de la géométrie de la surface. Il s'agit d'y déposer des gouttes d'eau et de regarder si ces gouttes restent accrochées ou au contraire roulent lorsqu'on incline la surface. Je m'intéresse aussi aux impacts de gouttes sur ces surfaces superhydrophobes, en utilisant une caméra rapide qui permet de prendre 1 000 images par seconde ! Cette technique me permet de ralentir des phénomènes trop rapides pour être vus à l'œil nu et donc de décomposer ce qui se passe au moment de l'impact.
La plupart des expériences faites dans mon équipe reposent sur des phénomènes observés dans la vie de tous les jours. Il s'agit par exemple de comprendre pourquoi un baigneur ressort mouillé d'une piscine. Le phénomène sera le même dans l'industrie pour déposer une couche de peinture sur une

tôle que l'on sort d'un bain. On s'intéresse aussi à d'autres phénomènes comme l'éclatement des films de savon ou encore aux gouttes d'eau posées sur une plaque très chaude qui restent sphériques et qui s'échappent rapidement. Je pense que le travail de recherche consiste essentiellement à comprendre les lois de comportement et d'évolution de la matière qui nous entoure. Il nous oblige constamment à nous remettre en question, à être créatifs car lorsqu'une expérience ne marche pas comme on voudrait, il faut trouver une solution. La recherche offre beaucoup d'inattendu car souvent les lois obtenues ne sont pas celles auxquelles on s'attendait … ce qui est assez vivifiant !

La recherche s'effectue en laboratoire, ce qui permet de pouvoir discuter de ses résultats avec d'autres chercheur-e-s et de confronter ses points de vue. Cette vie communautaire est très importante et stimulante au point de vue scientifique. Elle permet de s'ouvrir à d'autres sujets et de rencontrer des chercheurs étrangers à l'occasion de séminaires ou de visites. J'ai aussi la chance de pouvoir collaborer avec d'autres laboratoires et d'avoir un contact industriel, ce qui me donne une plus grande ouverture, avec en particulier l'idée d'appliquer mon travail au monde « réel ».

PARCOURS

Bac S, spécialité mathématiques
Classes préparatoires PCSI puis PC
École d'Ingénieur ESPCI (École Supérieure de Physique et Chimie Industrielles de la ville de Paris)
DEA de physique des liquides. Jussieu.
Doctorat

(www.cnrs.fr, dernier accès 17 novembre 2009)

Notes culturelles

Collège de France   établissement d'enseignement et de recherche ouvert à tous et dispensant des cours gratuits de haut niveau

Bac S   baccalauréat scientifique : diplôme sanctionnant la filière d'études scientifiques au lycée

PCSI   Physique, chimie, sciences et informatique

DEA   Diplôme d'Études Approfondies. Bac+5 ans d'études universitaires. Ce diplôme a été supprimé en 2006, et remplacé par un master à finalité de recherche.

Jussieu   l'un des campus du centre de Paris, situé au Quartier latin (5e arrondissement), et qui abritait jusqu'à la rentrée 2008 l'université Denis Diderot (Paris 7) et deux autres établissements : l'université Pierre et Marie Curie (Paris 6) et l'Institut de physique du globe de Paris (IPGP). Ce campus est temporairement fermé depuis décembre 2008 pour travaux de désamiantage et l'université Paris 7 a donc été relogée sur le nouveau campus de Paris Rive Gauche.

5.7 Le Centre national de la Recherche Scientifique (CNRS)

Établissement public de recherche fondamentale à caractère scientifique sous la tutelle du Ministère de l'Enseignement supérieur et de la Recherche, le CNRS, né à la Libération et héritier de l'affirmation de l'indépendance nationale qui lui était étroitement associée, a une longue tradition d'excellence et constitue par sa taille le premier organisme de recherche fondamentale en Europe. Avec un personnel composé de 26 000 statutaires – 11 595 chercheurs et 14 316 ingénieurs, techniciens et administratifs – et environ 8 400 agents non permanents (doctorants, post-doctorants, chercheurs associés, boursiers), avec un budget 2008 de 3 277 milliards d'euros dont 588 millions d'euros de ressources propres, il exerce son activité dans l'ensemble des domaines scientifiques, technologiques et sociétaux. Il s'appuie en outre sur 1 121 unités de recherche réparties sur le territoire national, dont près de 90% en partenariat avec des établissements d'enseignement supérieur, des organismes nationaux, européens et internationaux et des entreprises privées. Des chercheurs éminents, dont seize lauréats du prix Nobel et neuf de la Médaille Fields, venus de tous pays, ont travaillé, à un moment ou à un autre de leur carrière, dans ses laboratoires.

La politique scientifique du CNRS, aujourd'hui en profonde restructuration dans le cadre de la réforme de la recherche souhaitée par le gouvernement, s'appuie sur une vision claire et partagée des orientations prioritaires, l'interdisciplinarité, la concertation, l'évaluation et la prospective. Pour ce faire, différents moyens d'action sont engagés :

– programmes interdisciplinaires de recherche

– créations d'unités de recherche

– associations avec des laboratoires universitaires, de grandes écoles ou d'autres organismes

– groupements d'intérêt public

– gestion de grands instruments scientifiques en partenariat international

– bourses

– conventions de collaboration de recherche.

Votée par le Conseil d'administration du CNRS au début de 2009 à l'issue de trois ans de réflexion, la réorganisation de l'établissement a créé neuf instituts, de :

– chimie

– écologie et environnement

– physique

– physique nucléaire et physique des particules

– sciences biologiques

– sciences humaines et sociales

– mathématiques

– sciences et technologies de l'information et de l'ingénierie

– sciences de l'univers.

Trois pôles transversaux ont en outre été prévus, représentant « six grands thèmes fédérateurs […] à fort impact culturel et technologique » (*Horizon 2020*[3] p.9) :

---

3 Horizon 2020 – plan stratégique du CNRS, Conseil d'administration du CNRS, réunion du 1er juillet 2008 (v.080629), p. 54, www.cnrs.fr/fr

- Les Hommes dans le système Terre : environnement, sciences du vivant, développement durable, crises et sociétés ;

- Origine et maîtrise de la matière : matériaux, nanosciences, convergence nano / bio / STIC, énergie ;

- La société en réseau : cognition et cerveau, communication, STIC, calcul de haute performance, très grandes bases de données.

Cette réorganisation, qui se déroule parallèlement au développement de l'autonomie des universités françaises, répond au vœu du gouvernement de relier le Centre national de la recherche scientifique aux réseaux mondiaux de recherche, et de le voir renforcer sa collaboration avec les autres organismes de recherche et les agences de financement, et contribuer à l'émergence d'une véritable économie de la connaissance, fondée sur la production et le partage des connaissances, l'innovation technologique et la formation. À l'horizon 2020, « l'objectif des évolutions en cours vise à stimuler l'initiative, simplifier la vie des chercheurs dans les laboratoires et éviter la dispersion dans l'effort de recherche » (*ibid*, p.4). Il s'agit également d'encourager compétitivité et pluridisciplinarité au sein de la recherche française tout en optimisant la gestion des fonds publics.

Le plan stratégique *Horizon 2020* stipule (p.4) que :

« le CNRS est le premier partenaire scientifique des établissements d'enseignement supérieur et de recherche dans de nombreux domaines. Il a une vision nationale et internationale de la recherche, complémentaire de celle des universités. Par sa réflexion prospective, par le recrutement et l'évaluation sélective de ses chercheurs […], il apporte la cohérence et la mutualisation nécessaires à une stratégie de recherche nationale, qu'elle soit disciplinaire ou pluridisciplinaire. Par sa capacité d'organisation à l'échelle nationale et européenne, le CNRS a une responsabilité forte dans la construction et la gestion de plateformes, de grands équipements et d'infrastructures de recherche internationales. Les valeurs qui ont fait la compétence, la crédibilité et la réputation internationale du CNRS sont et doivent rester : l'élitisme du recrutement, l'attractivité, la liberté et la responsabilité au service de la créativité du chercheur, la prise de risque en matière de recherche, la conjugaison entre compétition et collaboration pour mener à bien un programme scientifique, l'ouverture aux disciplines nouvelles et la mise en œuvre de l'interdisciplinarité sur le terrain. Ces valeurs sont les fondements sur lesquels, avec ses partenaires, le CNRS construira sa dynamique afin de répondre aux attentes de la société. »

Les organisations syndicales dénoncent quant à elles la faiblesse actuelle du budget de la recherche et de l'enseignement supérieur. Nombreux sont les chercheurs, longtemps opposés à la restructuration de leur organisme, qui craignent de leur côté un regroupement futur des différents établissements publics de recherche et la disparition, à terme, du CNRS, de l'Inserm et des autres centres de recherche établis de longue date.

statutaires   désignés dans les statuts

Médaille Fields   créée au Canada par John Fields en 1923, cette prestigieuse récompense reconnait l'excellence de travaux effectués par de jeunes chercheurs en mathématiques

STIC   Sciences et technologies de l'information et de la communication

Inserm   Institut national de la santé et de la recherche médicale

5.8   Résolution du Parlement européen du 21 mai 2008 sur les femmes et les sciences (INI/2007/2206)

Le Parlement européen a adopté par 416 voix pour, 75 voix contre et 164 abstentions, le 21 mai 2008, une résolution sur les femmes et les sciences.

Le rapport d'initiative avait été déposé en vue de son examen en séance plénière par Mme Britta Thomsen (PSE, DK) au nom de la commission des droits de la femme et de l'égalité des genres. Le Parlement rappelle que la recherche est un secteur essentiel pour le développement économique de l'Union mais que les femmes constitue[nt] la proportion la plus faible de ce secteur avec seulement 35% des chercheurs féminins dans le secteur public et à peine 18% [*barely*] de femmes dans le secteur privé.

Face à ce constat, le Parlement appelle les États membres à promouvoir la science comme un domaine intéressant les deux sexes et notamment les femmes dès leur plus jeune âge. Il estime qu'il est impératif de lutter fermement contre les stéréotypes sexistes qui ont toujours cours dans le secteur de la recherche. Il encourage les universités et les établissements d'enseignement supérieur à identifier toutes les formes de discrimination dont seraient victimes implicitement les femmes et d'y remédier. Pour favoriser une meilleure intégration des femmes dans le secteur de la recherche et de la science en général, toute une série de mesures sont envisagées. Ces mesures peuvent se résumer comme suit :

- **lutter contre les stéréotypes** : révision du modèle du « bon chercheur » en identifiant des différences entre les carrières scientifiques des hommes et des femmes et en soulignant que les chercheuses apportent une contribution certaine au monde de la recherche ;

- **mieux concilier vie familiale et vie professionnelle** : des mesures sont réclamées pour leur proposer des horaires de travail flexibles, de meilleures infrastructures de garde d'enfants, des conditions d'exercice améliorées pour l'obtention d'un congé parental,… ;

- **bourses d'études** : il faut que l'octroi des bourses d'études de doctorat [respecte] mieux les dispositions nationales régissant le congé de maternité (en effet, les conditions d'âge pour l'octroi de bourses désavantagent les jeunes femmes qui sont mères ou qui ont à leur charge des personnes dépendantes ; il faut donc prévoir que chaque année passée avec une personne dépendante puisse donner droit à un délai supplémentaire pour le dépôt d'une demande de bourse) ;

- **recrutement de femmes aux postes de décision** : il faut revoir les procédures de recrutement afin de favoriser la présence des femmes aux postes supérieurs dans les universités et dans les rectorats (la Plénière suggère à cet égard que l'objectif européen de 25% de femmes aux postes à responsabilité dans le secteur public de la recherche est trop peu ambitieux et insuffisant : il faut donc que la parité entre les sexes implique un taux de représentation des femmes d'au moins 40%) ; de même, il est suggéré d'opter pour des procédures de recrutement plus transparentes et d'imposer une obligation de participation équilibrée entre les hommes et les femmes dans les groupes d'évaluation, les comités de sélection et tous les autres groupes et comités désignés en matière de recherche, en retenant un objectif non contraignant d'au moins 40% de femmes (et de 40% d'hommes) ;

- **sensibilisation** : il faut sensibiliser la communauté scientifique et les décideurs politiques à l'égalité des chances dans la science et la recherche (un engagement des plus hauts responsables est considéré comme essentiel pour réaliser l'égalité hommes/femmes dans la recherche, cet engagement devant être exprimé sur les plans national et institutionnel) ; il importe également que les universités, les établissements de recherche et les entreprises privées mettent en œuvre des stratégies en faveur de l'égalité ; il faut également engager les États membres à conduire des actions de sensibilisation visant à informer les jeunes filles et à les encourager à suivre des études universitaires et à obtenir des diplômes scientifiques ;

- **participation des femmes aux programmes de recherche scientifique** : la Commission est appelée à veiller à ce que les programmes de recherche scientifique tiennent compte de la participation des femmes en assurant une sensibilisation ciblée aux questions de l'égalité entre les sexes pour les décideurs, les membres des conseils consultatifs et des groupes d'évaluation ainsi que les personnes qui rédigent les appels d'offres et les marchés ou négocient les contrats ; il est également suggéré à la Commission de s'assurer d'une représentation équilibrée d'hommes et de femmes dans les soumissions présentées au titre du septième programme-cadre et que les plans d'action en matière d'égalité hommes/femmes soient élaborés au stade de la proposition et de l'évaluation du septième programme-cadre ;

- **promotion des carrières professionnelles féminines dans les filières scientifiques** : il est proposé d'encourager les chercheuses à poursuivre les programmes d'aide et de tutorat dans la mesure où le développement de structures d'aide axées sur l'orientation de la carrière professionnelle et la fourniture de conseils qui s'adressent aux femmes scientifiques, [donneraient] des résultats très satisfaisants ; il faut en outre encourager une plus grande participation des femmes dans des domaines tels que les technologies, les sciences physiques, l'ingénierie, l'informatique ou d'autres domaines ;

- **politique salariale** : il faut favoriser une politique salariale plus juste vis-à-vis des femmes scientifiques et octroyer des fonds de recherche spécifiquement consacrés aux femmes afin de compenser le sous-financement des femmes travaillant dans la recherche (cette même politique devant s'appliquer aux subventions et aux bourses d'études) ;

- **mise en réseau de femmes scientifiques** que ce soit aux niveaux national, régional et de l'Union européenne ; des réseaux devraient être mis en place pour renforcer la position des femmes et les inciter à participer au débat politique en la matière.

(www.europarl.europa.eu, dernier accès 17 novembre 2009)

Science et société : défis, atouts et menaces

Les pesticides nuisent gravement à votre santé et à celle de votre entourage

STOP AUX PESTICIDES NEUROTOXIQUES

Campagne de sensibilisation aux dangers des pesticides neurotoxiques
Grappe - Greenpeace - Fédérations apicoles - IEW - Ligue des familles - PAN Belgium Stop-Poisons-Santé et avec le soutien de Alarme - ACRF - Infor-Vie-Saine - Natagora
Éditeur responsable: Daniel Comblin, 90, rue de Perwez, 5310 Liernu, tél: 081/65 90 34
Exempt de timbre - affichage culturel.

La science, qui faisait autrefois rêver, a montré ses limites. La médecine n'a pas vaincu la mort. Les accidents des centrales nucléaires et les dangers que fait courir au public la gestion des déchets irradiés, la découverte de maladies liées à la pollution, les risques liés aux applications de l'informatique, sont aujourd'hui répercutés par les médias. Cette prise de conscience érode chaque jour davantage la confiance que l'on pouvait encore avoir dans les experts et dans les politiciens. Les Français en sont venus à considérer que la science était une chose trop importante pour être laissée aux seuls scientifiques, dont la bonne conscience apparaît parfois comme de la naïveté, les certitudes comme de l'arrogance. Ils souhaitent désormais contrôler les applications des recherches, voire la nature même de ces recherches.

5.9 Un contre-pouvoir face à l'informatique

« *Mme X a souffert d'une dépression nerveuse, il y a plusieurs années, mais dans le dossier de son employeur figure toujours la mention « état dépressif »*, ou bien encore : « *L'association des anciens élèves de l'école de M.Y a vendu son fichier à un parti politique : depuis, M.Y reçoit régulièrement des lettres d'un parti dont il ne partage pas les idées.* » Voilà deux des exemples que la Commission nationale de l'informatique et des libertés (Cnil) utilise à destination du public pour illustrer les effets pervers de l'informatique. Le premier montre comment la mémoire de l'ordinateur peut menacer notre « droit à l'oubli », le second comment des fichiers peuvent être utilisés abusivement par des tiers. Des exemples presque anodins en regard des menaces que l'ordinateur peut parfois faire peser sur notre vie privée. […] La France s'est dotée le 6 janvier 1978 d'une loi « relative à l'informatique, aux fichiers et aux libertés ». C'est pour faire respecter les dispositions de cette loi que la Cnil a été créée.

Article 1er : L'informatique doit être au service de chaque citoyen (...). Elle ne doit porter atteinte ni à l'identité humaine, ni aux droits de l'homme, ni à la vie privée, ni aux libertés individuelles ou publiques.

Dans ses grandes lignes, la loi du 6 janvier 1978 peut se résumer ainsi : tout traitement d'informations nominatives doit être déclaré à la Cnil. Chaque individu possède un droit d'accès aux données qui le concernent : il peut, le cas échéant, faire rectifier ces informations si elles sont inexactes ou les faire supprimer si elles sont périmées. Sauf dans des cas très particuliers, un fichier ne peut comporter sans accord exprès de l'intéressé des indications relatives aux origines raciales, aux opinions politiques, philosophiques ou religieuses ou bien encore aux appartenances syndicales d'une personne. Les traitements intéressant la Défense, la sûreté de l'État et la sécurité publique peuvent bénéficier de dérogations spéciales par décrets en Conseil d'État, après avis de la Cnil. [...]

Comment donc défendre vie privée, intimité et identité humaine quand l'ordinateur permet de collecter et de stocker un nombre considérable d'informations personnelles, quand bien même elles n'auraient que peu de rapport avec la finalité du traitement, et quand les mémoires informatiques peuvent conserver ces informations *ad vitam aeternam* ? Il fallait bien dresser des garde-fous... et se donner les moyens de les faire respecter.[...]

Article 2 : Aucune décision de justice (respectivement administrative ou privée) impliquant une appréciation sur un comportement humain ne peut avoir pour (respectivement seul) fondement un traitement automatisé d'informations donnant une définition du profil ou de la personnalité de l'intéressé.

Nous sommes tous victimes de boîtes aux lettres engorgées : les messages publicitaires – souvent personnalisés – s'y entassent. C'est la manifestation la plus courante, la plus bénigne aussi, d'un emploi abusif de fichiers. La vente par correspondance et le marketing direct reposent en grande partie sur l'exploitation et la cession de fichiers de clientèle. Les professionnels de ces secteurs se sont toutefois engagés à effacer des fichiers les noms des personnes qui en feraient la demande, afin de respecter le droit de chacun à s'opposer à figurer dans un traitement (article 26 de la loi).

En juin 1985, la Commission était saisie d'une plainte à l'encontre d'une agence matrimoniale ; la plaignante avait eu la surprise d'apprendre qu'elle figurait sur le fichier informatisé de l'agence, alors qu'elle ne l'avait jamais contactée. De plus, ce fichier, qui n'avait pas été déclaré à la Cnil, contenait des informations relatives à la religion des personnes. Cette application contrevenait ainsi à pas moins de trois articles de la loi.

(*Science et technologie*, n° 13, mars 1989)

Vocabulaire

porter atteinte à   mettre en danger

informations nominatives   informations portant le nom d'une personne

ad vitam aeternam   pour toujours (expression latine)

garde-fous   protections

Claire Sauvaire, journaliste indépendante

Campagnes de sensibilisation, promotions tous azimuts : le médicament est un produit qui doit se vendre à tout prix…

En panne de nouveaux traitements, confrontée à une concurrence de plus en plus rude, l'industrie pharmaceutique veut exploiter nos petits maux de la vie quotidienne. Quitte à nous transformer en malades imaginaires. [..]

« L'apparition de la dysfonction sexuelle féminine est l'exemple le plus frappant de la manière dont l'industrie pharmaceutique sponsorise la création d'une maladie », écrivait [le journaliste Ray Moynihan] en avril 2005. Ce n'est pas la première fois que l'authenticité d'une pathologie est contestée par la communauté scientifique. Les « rires et pleurs pathologiques », par exemple. Le laboratoire californien Avanir, qui a mis au point le Neurodex, un médicament destiné aux patients atteints de la maladie de Charcot ou de sclérose en plaques, aurait aimé imposer ce nouveau « syndrome », très contesté par les neurologues. Tout comme la « dysphorie menstruelle », qui n'est autre que l'influence du cycle menstruel sur l'humeur. Autre candidat : la « somnolence diurne excessive », qui toucherait 54% des français. […]

La liste s'allonge au rythme des nouveaux traitements. Avec une coïncidence systématique entre la découverte de la pathologie et la commercialisation du traitement salvateur. En anglais, on parle de « disease mongering », la « vente de maladies ». Le terme désigne une politique marketing bien spécifique, qui vise les marchés solvables de nos sociétés riches et vieillissantes. Objectif : « métamorphoser des individus sains en patients », selon le journaliste allemand Jörg Blech […].

« En l'espèce, on ne peut rien mesurer ou quantifier », explique Bruno Toussaint, directeur de la rédaction de *Prescrire*, la seule revue française destinée aux médecins, indépendante de l'industrie. […] Où s'arrêter ? Pour élargir le marché, la mécanique est simple : monter en épingle une maladie à partir de simples désagréments d'autant plus difficiles à contester que le trouble est du domaine du ressenti. »

Deuxième méthode : médicaliser des processus normaux de l'existence. C'est ainsi que les quinquagénaires peuvent se réjouir de disposer d'un traitement […] pour lutter contre un phénomène générant « panique » et « difficultés émotionnelles » : la calvitie. De même, la timidité est montée d'un cran sous le nom de « phobie sociale » […].

Troisième méthode : présenter un facteur de risque comme une maladie. […] La recette avait déjà fait la fortune du docteur Knock, célèbre personnage de Jules Romains dans les années 20. Bien qu'artisanale, la rhétorique du médecin fou était implacable : « tout bien portant est un malade qui s'ignore. » Avec les firmes pharmaceutiques, on passe à l'échelon industriel.

(*Ça m'intéresse*, décembre 2006, pp. 38–39)

01 décembre 2008 – CHAMBÉRY

Un nouveau convoi de quatre wagons de déchets radioactifs italiens est passé vers 9 h 45 par la gare de Chambéry. C'est le huitième convoi de déchets nucléaires depuis décembre 2007. Les militants de l'antenne Greenpeace de Chambéry et de Sortir du nucléaire 73 ont manifesté le long du parcours en centre ville et devant la gare, la veille et le matin du passage, et ont informé la population sur ces transports. Depuis décembre 2007, tous les mois ou deux mois environ, des convois de déchets nucléaires quittent l'Italie pour rejoindre l'usine de retraitement de La Hague dans la Manche.

Les trains, contenant deux ou quatre containers (7 tonnes de combustible usé par container) empruntent les lignes normales du chemin de fer et transitent par la gare de Chambéry, sans qu'aucune information ne soit donnée à la population. [...] Les militants de l'antenne de Chambéry ont manifesté et distribué des tracts avec les membres du collectif Sortir du nucléaire 73, le 16 et le 17 décembre en ville et à la gare.

« L'industrie nucléaire pour survivre est, aujourd'hui, prête à tout, même à vendre sa technologie aux régimes dictatoriaux de la planète. Elle n'hésite pas non plus à transformer la France en véritable poubelle du nucléaire. Après les japonais, allemands, espagnols, belges, hollandais, australien, suisse, voilà qu'elle va faire semblant de gérer les 235 tonnes de déchets nucléaires italiens en échange de la participation à hauteur de 12,5% d'Enel, l'électricien italien, au financement de l'EPR » explique Yannick Rousselet, chargé de campagne énergie à Greenpeace.

Rappel des faits :

Après l'accident de Tchernobyl, l'Italie décide l'abandon de l'énergie nucléaire par référendum en 1987 et se retrouve avec le lourd héritage des déchets nucléaires à gérer. Face à l'opposition, par référendum, de la population aux projets de site de stockage de ces déchets radioactifs, le Gouvernement italien décide de les exporter à l'étranger et plus exactement en France.

Le 9 mai 2007, Anne Lauvergeon, Présidente du Directoire d'AREVA, et Massimo Romano, Administrateur Délégué de SOGIN (Société de gestion des installations nucléaires italiennes) signe[nt] un contrat de plus de 250 millions d'Euros, portant sur le traitement des 235 tonnes de combustibles nucléaires irradiés. L'Italie ne disposant d'aucune perspective d'utilisation de l'uranium ou du plutonium issus du retraitement, que vont devenir les centaines de tonnes de déchets produites par ces opérations à La Hague ?

Parallèlement à la signature de ce contrat de traitement, Enel, l'électricien italien producteur des déchets nucléaires, annonce sa participation à hauteur de 12,5% dans la centrale EPR de Flamanville-3, selon les termes d'un accord signé, vendredi 30 novembre, à l'occasion du sommet franco-italien de Nice. EDF précise que son concurrent italien bénéficiera donc d'un accès à l'électricité produite proportionnellement à son investissement.

« L'Italie a décidé démocratiquement de ne plus avoir recours au nucléaire mais l'industrie n'en tient pas compte et investit dans cette énergie à l'étranger. C'est un déni de démocratie malheureusement très fréquent dès qu'il s'agit du nucléaire. Il n'y a qu'à se rappeler le non-débat sur l'EPR en France, où l'industrie s'est retranchée derrière le secret de défense ou industriel pour répondre aux questions légitimes des citoyens, pour s'en convaincre. Le nucléaire ne pourrait survivre à un fonctionnement démocratique ou à l'obligation d'une vraie transparence » ajoute le représentant de Greenpeace.

(www.greenpeace.org, dernier accès 17 novembre 2009)

5.12   L'amélioration de la culture scientifique

[...] La nécessité d'un effort plus grand pour promouvoir l'information scientifique et la communication publique autour des projets de recherche – activités notoirement trop peu développées – est souvent associée à l'instauration d'un meilleur contrôle social des techno-sciences. L'idée est séduisante, mais là encore il ne saurait s'agir d'une panacée.

Certes, à première vue, il paraît évident que des citoyens davantage informés sur les sujets scientifiques et techniques seront mieux à même de faire les bons choix concernant les applications de la recherche. Stimuler la vulgarisation scientifique et créer des opportunités de communication concernant les nouvelles technologies, par le biais, par exemple, de revues, de conférences, d'expositions ou d'émissions de télévision, ne peut que rencontrer l'assentiment général.

Mais si l'information et – plus encore – la communication scientifique nécessitent à l'évidence des efforts supplémentaires, leur contribution au problème qui nous préoccupe ne peut être surestimée. La vulgarisation scientifique et la communication publique se caractérisent en effet par un statut incertain, un rôle ambivalent et des messages parfois ambigus. Traditionnellement, la vulgarisation est considérée comme l'organisation d'un flux d'informations du monde « savant » vers un milieu par définition plus « ignorant », moyennant un travail de « traduction ». Celle-ci est-elle réalisable ? On peut en douter, compte tenu de la complexité conceptuelle qui caractérise désormais le langage scientifique. On sait aussi que les activités de vulgarisation et de communication ont également pour fonction de « vendre » la science : le but est moins de transmettre un savoir que d'offrir un « bel emballage » et d'emporter l'adhésion du public. Les scientifiques qui se livrent à ces activités sont suspectés de ne pas contribuer à réduire la distance existant entre eux et la masse des citoyens mais au contraire de la renforcer en marquant clairement la séparation entre ceux qui « savent » et ceux qui ne « savent pas ». À cet égard, les accents scientistes contenus dans les conclusions du colloque national de la recherche et de la technologie qui s'était tenu à Paris du 13 au 16 janvier 1982 paraissent aujourd'hui dépassés : « C'est au prix d'une vaste entreprise de diffusion du savoir [...] que nous pourrons faire reculer certains préjugés contre la science et la technologie, tenir en lisière les mouvements antiscience et mettre en mesure les citoyens de mieux cerner l'importance des enjeux scientifiques et techniques »[4].

Le marché comme instance de contrôle

S'il ne semble pas utile de s'appesantir ici sur les dangers qu'il y aurait à asservir la recherche aux seules lois économiques, à la fameuse « main invisible », remarquons que le marché, à sa manière, peut susciter, lui aussi, un contrôle des nouvelles technologies, contrôle qui [...] paraît même plus puissant et plus efficace qu'on eût pu le croire. La question du recours aux organismes génétiquement modifiés (OGM) en offre une illustration particulièrement intéressante. Si, dans un premier temps, les grandes sociétés actives dans la

---

4   Actes du colloque national « Recherche et Technologie », Paris, Le Seuil, 1982, p. 205.

biotechnologie ont ignoré superbement les réticences exprimées par le public à l'égard des organismes et aliments génétiquement modifiés, les choses n'en sont pas restées là. Après que plusieurs gros importateurs et grandes surfaces, sans doute plus à l'écoute des consommateurs, eurent décidé de ne plus acheter des produits alimentaires contenant des OGM, le président de la société américaine Monsanto, l'une des sociétés pionnières et l'une des plus engagées dans ce domaine, a, contre toute attente, effectué un mea culpa public en octobre 1999, s'excusant de l'impression d'arrogance qu'elle avait pu donner et annonçant la décision du groupe de renoncer à la vente de semences stérilisées par modification génétique.

La pression du marché peut donc s'exprimer, y compris dans le domaine des applications techno-scientifiques, de façon particulièrement forte. Peut-on parler, dans le cas présent, d'un mouvement rationnel ? Certes non, pas plus que dans bien d'autres circonstances. Il reste qu'un nombre croissant de scientifiques comprennent l'intérêt qu'il y a à davantage écouter les appréciations exprimées par les citoyens.

Le principe de précaution

Au-delà de son intégration progressive dans le droit interne et le droit international, la référence au principe de précaution est aujourd'hui d'un usage courant. Au point que d'aucuns y voient un nouveau principe de morale publique, voire un onzième commandement propre aux temps modernes. Ce principe traduit en fait l'idée que tout développement industriel ou techno-scientifique qui s'accompagne de dangers potentiellement graves et irréversibles pour l'environnement ou pour la santé publique requiert, même si ces dangers ne font l'objet d'aucune certitude scientifique, des mesures de sécurité effectives[5].

On a pu voir la mise en œuvre de cette notion lors de l'affaire des poulets à la dioxine, les autorités françaises interdisant l'entrée des produits issus de la filière belge jusqu'à ce que la preuve de leur innocuité soit apportée. C'est la même démarche qui a conduit les experts français à refuser, en 1999, la levée de l'embargo sur la viande bovine d'origine britannique.

---

5   Ce qui signifie l'adoption de mesures susceptibles de se traduire par des effets réels mais qui présentent un coût économiquement acceptable.

Souvent présenté comme un moyen efficace pour faire cohabiter droit, science et politique, le principe de précaution est parfois décrit comme une méthode permettant de sélectionner les options les plus proches du risque zéro et il peut alors apparaître comme une simple règle d'abstention à l'égard des risques. Contrairement à un principe bien établi du droit, il inverserait la charge de la preuve, celle-ci n'incombant plus à l'accusateur. La preuve de l'innocuité serait alors posée comme un préalable à l'autorisation d'une activité ou à l'utilisation d'une technique.

La signification du principe de précaution n'est pourtant pas aussi simple que cette lecture le laisserait croire. En effet, la condition pour agir ne peut être liée à la certitude que l'activité ou la technique en cause n'est porteuse d'aucun danger. Une telle exigence est proprement irréaliste : toute activité humaine engendre des risques, le risque zéro n'existe pas. Pas plus que la preuve de l'existence d'un dommage, la science n'est capable de toujours apporter celle de son absence…

En outre, comment évaluer et comparer les incertitudes ? Comment déterminer le scénario le moins risqué ? Un tel choix impose que les conséquences en termes d'environnement et de santé soient arbitrées et pondérées au regard d'autres intérêts, économiques et sociaux par exemple. Ces difficultés font que, selon certains, le principe de précaution, loin de définir une ligne d'action raisonnable, ne serait qu'une séduisante rhétorique à usage politique.

Un contrat social entre la science et la société ?

L'impact considérable des sciences et des techniques sur la société justifierait-il l'établissement d'un « contrat » entre les scientifiques et l'ensemble des citoyens ? Si l'établissement d'un contrat social pour les scientifiques a été à l'ordre du jour de la Conférence mondiale de la science qui s'est tenue à Budapest au début du mois de juillet 1999, ce point, curieusement, ne se retrouve plus dans les conclusions de la Conférence. Il est vrai que ledit contrat aurait inévitablement un impact limité et il est donc permis de douter que son existence, fût-il adapté au contexte actuel et largement diffusé, constitue une avancée décisive. Au reste, le serment d'Hippocrate n'a

pas empêché les stérilisations effectuées par le corps médical à l'insu des patients, y compris dans plusieurs pays occidentaux, et n'a pas fait obstacle aux crimes des médecins nazis.

Vers une démocratie mondiale ?

Des formules originales de consultation démocratique se sont développées dans le domaine scientifique et technique, au premier rang desquelles les conférences de consensus initiées au Danemark. La France a suivi cet exemple avec l'organisation d'une première « conférence de citoyens » sur le thème des organismes génétiquement modifiés en 1999. Ces conférences organisent une délibération des citoyens ou de leurs représentants sur des développements ou des applications techno-scientifiques. L'idée paraît *a priori* anachronique : pourquoi la science et la technique devraient-elles être soumises à la discussion publique ? Celles-ci ne sont-elles pas en effet, par nature, **indiscutables**? Même si ces forums ont pour but de compléter l'information des décideurs et des citoyens et non pas de substituer aux mécanismes démocratiques en vigueur, l'expérience

atteste leur intérêt (regrettons simplement, dans le cas français, que la conférence sur les OGM ait eu lieu après que ceux-ci eurent été autorisés). Pourtant, face à des problèmes d'une ampleur mondiale, que signifient des consultations organisées au niveau local ou même national ? Que valent des règlements décidés et mis en œuvre dans un pays ou un petit groupe de pays ? De plus en plus, une action efficace ne peut être envisagée qu'à l'échelle internationale, ce qui conduit à réfléchir aux modalités que pourrait revêtir l'instauration de certaines formes de démocratie mondiale. Mais il ne sert à rien de se leurrer. Dans un contexte hautement compétitif, où la recherche et l'innovation constituent l'une des armes de la guerre économique que se livrent les nations industrialisées, on voit mal ces dernières disposées à s'en remettre aux décisions d'instances internationales. La dénonciation de ce « laissez-innover » n'est d'ailleurs pas récente, et, en 1970, Jean-Jacques Salomon écrivait déjà : « l'ère de la science triomphante est aussi celle de la menace absolue, du non-sens, de la dérision : la conquête de la rationalité est couronnée par l'escalade anarchique du savoir conçu uniquement dans sa fonction instrumentale, que déjà il ne semble plus au pouvoir du savoir de retenir ou de diriger. Le « laissez-faire » qui a prévalu dans l'essor de l'économie capitaliste avait pour prix la misère et l'injustice dont une partie de l'humanité faisait les frais. Le prix du « laissez-innover » menace d'être autrement plus élevé si l'on songe au caractère global, planétaire, des technologies nouvelles et aux conséquences qu'elles entraînent pour l'homme et son environnement ».[6]

Conclusion

Même s'il importe d'accroître les efforts dans la direction des pistes précédentes, aucune des « recettes » existantes n'apporte une solution définitive au problème du contrôle

démocratique des techno-sciences et ce constat ne laisse pas d'être inquiétant au vu des transformations nombreuses, profondes, irréversibles qu'elles génèrent. L'objectif est moins de viser un véritable contrôle social des techno-sciences (improbable autant que peu souhaitable) que de parvenir à une meilleure intégration de celles-ci au sein de la société, ce qui implique une plus grande socialisation de la communauté scientifique laquelle, pour l'heure, demeure trop fermée, trop repliée sur elle-même. Si on a longtemps pu croire qu'il n'existait aucune incompatibilité de nature entre l'homme et la technique, les technologies modernes engendrent un véritable **monde parallèle** où l'humanité même de l'homme devient incertaine. Sans même évoquer la bionique et ses perspectives d'implantation de capacités électroniques à l'intérieur du corps humain, ou

encore les modifications du génome rendues possibles par les biotechnologies, certaines applications des moyens informatiques et de communication ont pour effet de créer un univers virtuel bien éloigné des pratiques naturelles du commerce entre les hommes. C'est pourquoi il est important, à tout le moins, de préserver des espaces - et des temps - purement **humains**. Obligée de se frayer un chemin entre le naturel et l'artificiel, de faire cohabiter les exigences humaines et techniques, notre civilisation doit s'efforcer de trouver un équilibre entre contrôle et liberté afin que les développements techno-scientifiques ne soient pas un but en soi mais servent le mieux possible à la satisfaction des objectifs sociaux.

Michel Claessens, Direction générale « Recherche » de la Commission européenne

6 Jean-Jacques Salomon, *Science et politique*, Paris, Le Seuil, 1970, p.357.

(Michel Claessens (janvier–février 2000) « Progrès technique : quel contrôle social ? », dossier Science et société, *Cahiers français* no. 294, La Documentation française, Paris)

Interview avec Pr. Jean Bernard (1907–2006), cancérologue, hématologue et premier président du Comité national d'éthique des sciences de la vie et de la santé

Doit-on craindre le pouvoir toujours plus grand que la science confère à l'homme sur le vivant ? Le Pr. Jean Bernard évoquait il y a quelques années les progrès de la connaissance dans les domaines de la reproduction, de l'hérédité, et de la maîtrise du système nerveux, et soulignait les problèmes concrets qu'ils peuvent parfois poser.

Science et Technologie : La Commission de l'informatique et des libertés (Cnil) s'est récemment prononcée défavorablement sur un projet de l'Ined (Institut national d'études démographiques) ayant pour objet l'élaboration d'une base de données sur les porteurs de certains marqueurs génétiques rares. La constitution d'une telle base soulève d'importants problèmes éthiques : la connaissance du diagnostic générique peut conduire un patient à ne pas avoir d'enfants ou à devoir vivre avec l'idée qu'il est porteur du gène d'une maladie inguérissable. La Cnil a signifié la nécessité de reconsidérer ce dossier, après consultation du Comité national d'éthique. Qu'en pensez-vous ?

Pr. Jean Bernard : Il s'agit là d'un problème très important, qui soulève des questions capitales. Quelles sont les relations entre les progrès de la génétique et leurs applications et la vie privée des personnes ? Dans le cas que vous citez, il y a plusieurs points, qu'il est nécessaire de considérer séparément.

Le premier, c'est la possibilité de faire *in utero* le diagnostic d'une maladie très grave de l'enfant. Exemple caractéristique à l'heure actuelle : celui des maladies héréditaires de l'hémoglobine, comme la thalassémie (forme grave d'anémie). Dans certaines îles de la Méditerranée (Chypre et Sardaigne), cette maladie est si fréquente que si l'on traite les enfants atteints des formes mortelles, on ne peut plus soigner les autres enfants atteints, eux de maladies curables, tant est coûteux le traitement. Or, on est capable à l'heure actuelle d'effectuer, à deux ou trois mois de grossesse, le diagnostic des formes majeures de la maladie. Les autorités médico-administratives de ces deux îles ont recommandé le diagnostic *in utero*, et l'interruption de grossesse le cas échéant, uniquement pour des raisons économiques et ce dans deux îles très religieuses, l'une catholique, l'autre orthodoxe. Vous mesurez la gravité du problème posé. Encore plus grave quand on sait qu'il existe un traitement, la greffe de moelle osseuse, qui, effectuée peu après la naissance, guérit un grand nombre de ces enfants. [...]

Deuxième point, plus émouvant peut-être, la possibilité de faire, peu après la naissance, le diagnostic d'une maladie qui n'apparaîtra qu'à l'âge de 35 ou 40 ans. Le cas le plus typique est celui de la chorée de Huntington, une maladie grave du système nerveux. Or, si l'on est capable de réaliser ce diagnostic précoce, on ne dispose malheureusement d'aucun traitement pour cette maladie irréversible. Si l'on ne prévient pas l'homme qui est atteint, il aura une vie normale, mais sa femme et ses enfants se trouveront subitement sans soutien quand il mourra vers l'âge de 40 ans. Si on l'informe de sa maladie, vous imaginez quelle sera sa vie, s'il se sait condamné ?

[...]

Science et Technologie : L'exploration du génome humain, en particulier le grand projet de séquençage exhaustif de l'ADN des chromosomes, va peut-être permettre à terme de « mettre en fiche » l'identité génétique de chaque individu. On peut imaginer le pire...

Pr. Jean Bernard : Toute découverte a des bons et des mauvais côtés. Lorsque je suis entré à l'Institut Pasteur vers 1930, les patrons de cet Institut, qui avaient été disciples directs de Pasteur, racontaient qu'à l'époque les premières cultures microbiennes avaient soulevé une énorme émotion. Ne risquait-on pas de répandre des épidémies dans le monde ? Là, c'est un peu identique. Il est capital de connaître le patrimoine génétique des individus. [...]

Le Comité d'éthique a également été interrogé sur les fécondations *in vitro*. Généralement, pour plus de sûreté, on prépare à cette fin sept ou huit embryons. Si la femme est enceinte à la troisième tentative, que faut-il faire des quatre ou cinq embryons restants ? Les garder pour le même couple ? Combien de temps ? Un an, trente ans ? S'en servir pour un autre couple – une sorte d'adoption ? La loi française ne le prévoit pas. Les utiliser pour des expériences ? Les tuer ? Il n'y a pas de solution. Il y en aura une un jour, parce que les travaux en cours permettent de penser que dans quatre ou cinq ans on saura congeler les ovules. Dans ce cas, on pourra garder le sperme d'un côté, les ovules de l'autre, et réaliser l'embryon à la demande. Il n'y aura donc plus de problème.

Cela rejoint une idée qui m'est chère, et qui pourrait s'appliquer à l'ensemble des questions que vous traitez : très souvent, ce sont les progrès mêmes de la connaissance qui règlent les problèmes que le progrès précédent a créés. Mais jusqu'à maintenant, les hommes de science n'ont pas tous eu cette notion. Je fais ma découverte, je me lave les mains, et que la société se débrouille ! Aujourd'hui, de nombreux chercheurs sont justement préoccupés par les conséquences de leurs découvertes. L'exemple que je viens de donner est caractéristique, mais il y en a bien d'autres.

[...]

(*Science et technologie,* nº 13, mars 1989)

Et demain ? Littérature et science-fiction

La littérature offre de nombreux exemples de la façon dont l'imagination et la créativité rapprochent l'art et la science. Ces récits sont aujourd'hui classés dans la catégorie de la science-fiction, définie comme la représentation, basée sur les dernières découvertes scientifiques, d'un futur imaginé comme plausible. Deux auteurs du XIXe siècle, Jules Verne et Victor Hugo, vont saisir les deux centres d'intérêt de l'époque : la science et la mer, dans des œuvres dont le succès ne s'est jamais démenti. Victor Hugo (1802–1885), écrivain, dramaturge et le plus grand des poètes romantiques, introduit le mot « pieuvre » dans la langue française avec son roman *Les travailleurs de la mer* (1866), écrit pendant l'exil du poète à Guernesey et dont l'action se déroule dans la Manche. Quatre ans plus tard paraît *Vingt mille lieues sous les mers* (1870) de Jules Verne (1828–1905), l'un des écrivains aujourd'hui les plus traduits dans le monde et dont les romans, avec « leur prodigieux pouvoir de nous faire rêver » (Michel Butor), mêlent science et science-fiction, mondes connus et inconnus et ont enchanté des générations de jeunes et de moins jeunes. Au XXIe siècle, la science continue d'inspirer livres, films et BD en français, comme le prouvent rencontres et festivals régionaux et nationaux autour de l'imaginaire, du fantastique, de la science-fiction et du cinéma-science (CNRS) et comme en témoignent l'Internet, les bibliothèques et les rayons des libraires.

5.14 Tout par l'électricité

« Monsieur, dit le capitaine Nemo, me montrant les instruments suspendus aux parois de sa chambre, voici les appareils exigés par la navigation du *Nautilus*. Ici comme dans le salon, je les ai toujours sous les yeux, et ils m'indiquent ma situation et ma direction exacte au milieu de l'Océan. Les uns vous sont connus, tels que le thermomètre qui donne la température intérieure du *Nautilus* ; le baromètre, qui pèse le poids de l'air et prédit les changements de temps ; l'hygromètre, qui marque le degré de sécheresse de l'atmosphère ; le *storm-glass*, dont le mélange, en se décomposant, annonce l'arrivée des tempêtes ; la boussole, qui dirige ma route ; le sextant, qui par la hauteur du soleil m'apprend ma latitude ; les chronomètres, qui me permettent de calculer ma longitude, et enfin des lunettes de jour et de nuit, qui me servent à scruter tous les points de l'horizon, quand le *Nautilus* est remonté à la surface des flots.

– Ce sont des instruments habituels au navigateur, répondis-je, et j'en connais l'usage. Mais en voici d'autres qui répondent sans doute aux exigences particulières du Nautilus. Ce cadran que j'aperçois et que parcourt une aiguille mobile, n'est-ce pas un manomètre ?

– C'est un manomètre, en effet. Mis en communication avec l'eau dont il indique la pression extérieure, il me donne par là même la profondeur à laquelle se maintient mon appareil.

– Et ces sondes d'une nouvelle espèce ?

– Ce sont des sondes thermométriques qui rapportent la température des diverses couches d'eau.

– Et ces autres instruments dont je ne devine pas l'emploi ?

– Ici, monsieur le professeur, je dois vous donner quelques explications, dit le capitaine Nemo. Veuillez donc m'écouter. »

Il garda le silence pendant quelques instants, puis il dit : « Il est un agent puissant, obéissant, rapide, facile, qui se plie à tous les usages et qui règne en maître à mon bord. Tout se fait par lui. Il m'éclaire, il m'échauffe, il est l'âme de mes appareils mécaniques. Cet agent, c'est l'électricité.

– L'électricité ! m'écriais-je assez surpris.

– Oui, monsieur.

– Cependant, capitaine, vous possédez une extrême rapidité de mouvements qui s'accorde mal avec le pouvoir de l'électricité. Jusqu'ici, sa puissance dynamique est restée très restreinte et n'a pu produire que de petites forces !

– Monsieur le professeur, répondit le capitaine Nemo, mon électricité n'est pas celle de tout le monde, et c'est là tout ce que vous me permettrez de vous en dire.

– Je n'insisterai pas, monsieur, et je me contenterai d'être très étonné d'un tel résultat. Une seule question, cependant, à laquelle vous ne répondrez pas si elle est indiscrète. Les éléments que vous employez pour produire ce merveilleux agent doivent s'user vite. Le zinc, par exemple, comment le remplacez-vous, puisque vous n'avez plus aucune communication avec la terre ?

– Votre question aura sa réponse, répondit le capitaine Nemo. Je vous dirai, d'abord, qu'il existe au fond des mers des mines de zinc, de fer, d'argent, d'or, dont l'exploitation serait très certainement praticable. Mais je n'ai rien emprunté à ces métaux de la terre, et j'ai voulu ne demander qu'à la mer elle-même les moyens de produire mon électricité.

– À la mer ?

– Oui, monsieur le professeur, et les moyens ne me manquaient pas. J'aurais pu, en effet, en établissant un circuit entre des fils plongés à différentes profondeurs, obtenir l'électricité par la diversité de températures qu'ils éprouvaient; mais j'ai préféré employer un système plus pratique.

– Et lequel ?

– Vous connaissez la composition de l'eau de mer. Sur mille grammes on trouve quatre-vingt-seize centièmes et demi d'eau, et deux centièmes deux tiers environ de chlorure de sodium ; puis, en petite quantité, des chlorures de magnésium et de potassium, du bromure de magnésium, du sulfate de magnésie, du sulfate et du carbonate de chaux. Vous voyez donc que le chlorure de sodium s'y rencontre dans une proportion notable. Or, c'est ce sodium que j'extrais de l'eau de mer et dont je compose mes éléments.

– Le sodium ?

– Oui, monsieur. Mélangé avec le mercure, il forme un amalgame qui tient lieu du zinc dans les éléments Bunsen. Le mercure ne s'use jamais. Le sodium seul se consomme, et la mer me le fournit elle-même. Je vous dirai, en outre, que les piles au sodium doivent être considérées comme les plus énergiques, et que leur force électromotrice est double de celle des piles au zinc.

– Je comprends bien, capitaine, l'excellence du sodium dans les conditions où vous vous trouvez. La mer le contient. Bien. Mais il faut encore le fabriquer, l'extraire en un mot. Et comment faites-vous ? Vos piles pourraient évidemment servir à cette extraction ; mais, si je ne me trompe, la dépense du sodium nécessitée par les appareils électriques dépasserait la quantité extraite. Il arriverait donc que vous en consommeriez pour le produire plus que vous n'en produiriez !

– Aussi, monsieur le professeur, je ne l'extrais pas pour la pile, et j'emploie, tout simplement la chaleur du charbon de terre.

– De terre ? Dis-je en insistant.

– Disons charbon de mer, si vous voulez, répondit le capitaine Nemo.

– Et vous pouvez exploiter des mines sous-marines de houille ?

– Monsieur Aronnax, vous me verrez à l'œuvre. Je ne vous demande qu'un peu de patience, puisque vous avez le temps d'être patient. Rappelez-vous seulement ceci : Je dois tout à l'océan ; il produit l'électricité, et l'électricité donne au Nautilus la chaleur, la lumière le mouvement, la vie en un mot.

(J.Verne, *Vingt mille lieues sous les mers*)

Note culturelle

Vingt mille lieues sous les mers (1870)   l'un des romans les plus connus de Jules Verne (1828–1905), auteur aux idées en avance sur son temps, qui a imaginé là l'exploration des fonds marins. Ce livre a inspiré plusieurs films, des bandes dessinées et des jeux vidéo.

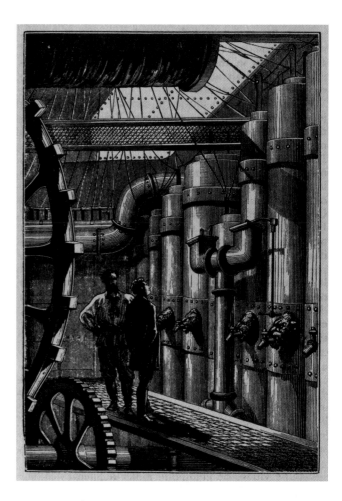

5.15   Les travailleurs de la mer

Gilliatt prit son couteau dans ses dents, descendit des pieds et des mains du haut de l'escarpement et sauta dans cette eau. Il en eut presque jusqu'aux épaules. Il s'engagea sous ce porche. Il se trouvait dans un couloir fruste avec une ébauche de voûte ogive sur sa tête. Les parois étaient polies et lisses. Il ne voyait plus le crabe. Il avait pied. Il avançait dans une décroissance de jour. Il commençait à ne plus rien distinguer. Après une quinzaine de pas, la voûte cessa au-dessus de lui. Il était hors du couloir. Il y avait plus d'espace, et par conséquent plus de jour ; ses pupilles d'ailleurs s'étaient dilatées ; il voyait assez clair. Il eut une surprise.

Il venait de rentrer dans cette cave étrange visitée par lui le mois d'auparavant.

Seulement il y était rentré par la mer.

Cette arche qu'il avait vue noyée, c'est par là qu'il venait de passer. À certaines marées basses, elle était praticable.

Ses yeux s'accoutumaient. Il voyait de mieux en mieux. Il était stupéfait. Il retrouvait cet extraordinaire palais de l'ombre, cette voûte, ces piliers, ces sangs ou ces pourpres, cette végétation à pierreries, et au fond, cette crypte, presque sanctuaire, et cette pierre, presque autel.

Il se rendait peu compte de ces détails, mais il avait dans l'esprit l'ensemble et il le revoyait.

Il revoyait en face de lui, à une certaine hauteur dans l'escarpement, la crevasse par laquelle il avait pénétré la première fois, et qui, du point où il était maintenant, semblait inaccessible.

Il revoyait près de l'arche ogive ces grottes basses et obscures, sortes de caveaux dans la cave, qu'il avait déjà observées de loin. À présent, il en était près. La plus voisine de lui était à sec et aisément abordable.

Plus près encore que cet enfoncement, il remarqua, au-dessus du niveau de l'eau, à portée de sa main, une fissure horizontale dans le granit. Le crabe était probablement là. Il y plongea le poing le plus avant qu'il put, et se mit à tâtonner dans ce trou de ténèbres.

Tout à coup il se sentit saisir le bras.

Ce qu'il éprouva en ce moment, c'est l'horreur indescriptible.

Quelque chose qui était mince, âpre, plat, glacé, gluant et vivant venait de se tordre dans l'ombre autour de son bras nu. Cela lui montait vers la poitrine. C'était la pression d'une courroie et la poussée d'une vrille. En moins d'une seconde, on ne sait quelle spirale lui avait envahi le poignet et le coude et touchait l'épaule. La pointe fouillait sous son aisselle.

Gilliatt se rejeta en arrière, mais put à peine remuer. Il était comme cloué. De sa main gauche restée libre il prit son couteau qu'il avait entre ses dents, et de cette main, tenant le couteau, s'arc-bouta au rocher, avec un effort désespéré pour retirer son bras. Il ne réussit qu'à inquiéter un peu la ligature, qui se resserra. Elle était souple comme le cuir, solide comme l'acier, froide comme la nuit. Une deuxième lanière, étroite et aiguë, sortit de la crevasse du roc. C'était comme une langue hors d'une gueule. Elle lécha épouvantablement le torse nu de Gilliatt, et tout à coup s'allongeant, démesurée et fine, elle s'appliqua sur sa peau et lui entoura tout le corps. En même temps, une souffrance inouïe, comparable à rien, soulevait les muscles crispés de Gilliatt. Il sentait dans sa peau des enfoncements ronds, horribles. Il lui semblait que d'innombrables lèvres, collées à sa chair, cherchaient à lui boire le sang.

Une troisième lanière ondoya hors du rocher, tâta Gilliatt, et lui fouetta les côtes comme une corde. Elle s'y fixa.

L'angoisse, à son paroxysme, est muette. Gilliatt ne jetait pas un cri. Il y avait assez de jour pour qu'il pût voir les repoussantes formes appliquées sur lui. Une quatrième ligature, celle-ci rapide comme une flèche, lui sauta autour du ventre et s'y enroula. Impossible de couper ni d'arracher ces courroies visqueuses qui adhéraient étroitement au corps de Gilliatt et par quantité de points. Chacun de ces points était un foyer d'affreuse et bizarre douleur. C'était ce qu'on éprouverait si l'on se sentait avalé à la fois par une foule de bouches trop petites. Un cinquième allongement jaillit du trou. Il se superposa aux autres et vint se replier sur le diaphragme de Gilliatt. La compression s'ajoutait à l'anxiété ; Gilliatt pouvait à peine respirer.

Ces lanières, pointues à leur extrémité, allaient s'élargissant comme des lames d'épée vers la poignée. Toutes les cinq appartenaient évidemment au même centre. Elles marchaient et rampaient sur Gilliatt. Il sentait se déplacer ces pressions obscures qui lui semblaient être des bouches.

Brusquement une large viscosité ronde et plate sortit de dessous la crevasse. C'était le centre; les cinq lanières s'y rattachaient comme des rayons à un moyeu ; on distinguait au côté opposé de ce disque immonde le commencement de trois autres tentacules, restés sous l'enfoncement du rocher. Au milieu de cette viscosité il y avait deux yeux qui regardaient.

Ces yeux voyaient Gilliatt.

Gilliatt reconnut la pieuvre.

(V. Hugo, *Les travailleurs de la mer*, La Bibliothèque électronique du Québec, Collection *À tous les vents* volume 80 : version 1.0, pp. 560–4, www.jydupuis.apinc.org, dernier accès 23 novembre 2009)

Vocabulaire

Il avait pied   le niveau de l'eau était assez bas pour qu'il puisse marcher au lieu de nager

une vrille   un instrument utilisé par un menuisier, par exemple, pour faire des trous

un moyeu   l'axe central d'une roue

Note culturelle

Victor Hugo   (1802–1885) a publié *Les Travailleurs de la mer* (1866), roman écrit à Guernesey. Le passage que vous venez de lire est l'un des plus célèbres du roman.

Le mythe du savant fou

Extrait de l'ouvrage Les Aventures Extraordinaires d'Adèle Blanc-Sec: Le Savant Fou, J. Tardi, © Casterman

(J. Tardi, *Les Aventures Extraordinaires d'Adèle Blanc-Sec : Le savant fou*, http://blancsecadele.free.fr, dernier accès 20 novembre 2009)

Dialogue des cultures

Le dialogue des cultures est une affaire délicate, souvent plus cacophonique qu'harmonieuse. Néanmoins dans ce chapitre, nous rencontrerons des hommes et des femmes de culture « francophone et... ». Sous ces trois petits points se cachent les identités plurielles de ces auteurs qui revendiquent aussi bien la langue et la culture québécoise que créole, maghrébine ou encore africaine, en même temps que francophone. Nous aborderons leur monde à travers la langue : celle qu'ils parlent, celle qu'ils écrivent, et celle qu'ils ont parfois reléguée au second rang, volontairement ou non, pour pouvoir se faire entendre d'un plus large public. C'est un petit voyage dans la littérature francophone que nous vous proposons.

Chapitre 6

Michel Tremblay de Mont-Royal

6.1 Le vrai Québec ?

hâte

Notre hâte à tous, en débarquant à Montréal-Mirabel – dont le nom à lui seul nous paraît tout un programme –, c'est inévitablement de filer vers le nord où nous précèdent quelques souvenirs d'enfance. Ceux des romans de James Oliver Curwood, par exemple, avec des chasseurs de loups, des trappeurs et de la neige recouvrant exagérément les sapinettes. Ou ceux, plus rétros encore, de Maria Chapdelaine peuplés de curés sévères, de fêtes carillonnées et de bûcherons pères de famille. Tous ces souvenirs et ces réflexes, autant le dire tout net, exaspèrent les Québécois. Eux voudraient plutôt nous montrer les cafés-théâtres ou les boîtes gays de Montréal, les scènes d'avant-garde de la compagnie *Carbone 14* ou à la rigueur, si l'on veut absolument du « Grand Nord », les centrales hydroélectriques de la baie James qui témoignent de la modernité de la « belle province ». Pour parler encore plus net, le syndrome français de *Ma cabane au Canada* et du sirop d'érable leur tape littéralement sur les nerfs. Mettez-vous à leur place. Nous réagissons tout pareil lorsque des Américains venus en France, disons vers Périgueux ou Mont-de-Marsan, s'étonnent que nous ne fussions pas encore en sabots cloutés et blouses de maquignons. Malentendu, malentendu significatif de tout premier voyage d'un « maudit Français » le long du Saint-Laurent. Notons d'ailleurs que c'est un malentendu au sens strict, c'est-à-dire auditif… Pour nous, et même si nous ne pensons pas à mal, les Québécois sont restés en quelque sorte des Français provisoirement égarés dans la neige d'outre-Atlantique et séparés de nous par un fâcheux contretemps historique qui ne daterait jamais que du XVIIe siècle. Cousins proches, progéniture attendrissante du père Martineau ou du gabelou Gâtine embarqués avant-hier à Concarneau ou à Châtelaillon. Si leur langue nous enchante, c'est que nous croyons y reconnaître le parler de Louis XIV (« Le roé c'est moé ») ou celui des paysans normands de 1685. Cela nous fait égoïstement plaisir, en somme, qu'une espèce de grand frigidaire, là-bas, dans ces « arpents de neige », ait permis de conserver si longtemps un morceau de vieux patois en état de marche. Un mensonge, certes, mais si doux que nous l'entretenons volontiers.

Ces phrases râpeuses, ces visages à la serpe et cet accent d'ancienne France évoquent dans notre esprit une civilisation paysanne dont, chez nous, nous portons le deuil. Au Québec, tout y était organisé pour faire pièce aux influences de « l'Anglais ». Le curé, surtout, veillait sur des familles prolifiques, où la pieuse soumission aux lois de la nature, ces maternités généreuses, faisaient partie des commandements de la paroisse. C'est d'abord en se multipliant, puis en révérant le pape, la Vierge Marie et tous les saints, en chantant des cantiques dans le vieux parler de Saintonge ou de Normandie, que les Québécois sauveraient leurs âmes francophones du grand nivellement yankee. Depuis une trentaine d'années, les Québécois se sont littéralement évadés de ce cocon bigot et étouffant. Mais il n'empêche. C'est encore ainsi que, chez nous, on imagine ces Tremblay, Toussaint ou Ladouceur qui traversaient à pas tranquilles les chansons de Félix Leclerc. Ce qui vibre en nous à leur propos, ce qui tressaille à Paris quand on les entend parler de l'île d'Orléans participe d'une nostalgie inavouée pour la France villageoise, sa morale crédule et ses robustes certitudes.

Cette nostalgie-là, paternaliste et folklorisante, fut pour beaucoup dans le triomphe que réserva le Paris des années cinquante au « Canadien chantant » Félix Leclerc, qui n'était pas encore devenu le patriarche tutélaire du Québec. Félix, découvert par Jacques Canetti, nous arrivait un peu comme un beau-frère venu d'Auvergne qui secouerait ses godillots à l'entrée du salon, nous montrerait ses mains gercées avant de nous raconter d'une belle voix de basse des histoires rurales et catholiques. C'était il y a quarante ans. Depuis, le Québec a connu quelques « révolutions tranquilles », des tas de crépitements culturels aussi sulfureux que Charlebois ou Diane Dufresne. Il n'empêche. Quelque chose en nous s'en tient au vieux tropisme. Et c'est tout juste si, à peine arrivés à Montréal, nous ne demandons pas à quelle heure part le premier traîneau pour le Grand Nord. J'exagère à peine… Quand nous parlons à des Québécois, nous faisons instinctivement, aujourd'hui encore, la même erreur que de Gaulle en 1967 : nous nous adressons à des cousins de province. À des Français d'Amérique dont la vraie capitale serait toujours Paris, à des espèces de « pieds-noirs » du froid en instance de retour vers la métropole. Et nous leur promettons, face à l'Amérique impériale et vulgaire, une sollicitude quasi familiale. Nous croyons, en somme, que les Québécois sont toujours des Français d'Amérique, alors même que c'est tout le contraire. Depuis belle lurette, ce sont des Américains du Nord parlant le français. Nuance.

Ou plus exactement, ce sont des Québécois barricadés dans leur langue depuis trois siècles mais qui ont marié entre eux suffisamment d'apports divers pour s'inventer une culture et une identité propres qui ne sont ni celles de La Rochelle ni celles des Yankees. Quant aux rapports affectifs – forts – qu'ils entretiennent avec la France (avec nous !), ils sont aussi chargés d'agacement, d'incompréhension, de méfiance. Les Québécois aiment la France, assurément, mais seuls 15% d'entre eux aimeraient y vivre (sondage Géo d'octobre 1990). Pas étonnant qu'ils se méfient de nos empressements touristiques si vite condescendants. Sauf quand on fait cet effort minimal : aimer ces gens pour ce qu'ils sont et non pour ce que nous voudrions qu'ils fussent. Puis filer sur les routes du Québec l'œil ouvert sur leurs belles « différences ».

(Jean-Claude Guillebaud, *Le Nouvel Observateur*, Collection Voyages N° 6)

Notes culturelles

Maria Chapdelaine   roman de Louis Hémon (publié en 1916, après la mort de l'auteur) où il décrit la vie d'une famille de bûcherons canadiens

la « belle province »   expression souvent utilisée pour désigner le Québec, entre autres sur les plaques minéralogiques

Ma cabane au Canada   chanson sentimentale qui a lancé la chanteuse française, Line Renaud, en 1947

Concarneau… Châtelaillon   ports de la côte atlantique française

paysans normands de 1685   on calcule qu'environ 20% des colons français qui ont émigré au Québec au XVIe siècle étaient originaires de Normandie

Saintonge   ancienne province située sur la côte atlantique française

Tremblay, Toussaint ou Ladouceur   noms de famille très répandus au Québec

Félix Leclerc   auteur-compositeur-interprète québécois 1914–1988

Charlebois   mêlant le joual aux rythmes rock et latin, les albums du chanteur Robert Charlebois remportent depuis 1965 des prix aux festivals internationaux

Diane Dufresne   première rockeuse québécoise, Diane Dufresne choque et conquiert par des textes érotiques et sulfureux

6.2   Deux extraits de *La grosse femme d'à côté est enceinte*

A 1er extrait

« Pourquoi vous pensez qu'on a toutes voté non au plébiscite, la semaine passée ? Parce qu'on est toutes des peureux ? Non, c'est pas vrai, ça ! C'est juste parce qu'on a pas envie d'aller se faire tuer dans une guerre qui a rien à voir avec nous autres ! » Une dizaine d'hommes s'étaient groupés autour de Gabriel, comme chaque samedi après-midi, ouvriers, retraités, et même quelques robineux, qui venaient finir leur journée à la taverne en sachant très bien qu'ils auraient droit à ce qu'ils appelaient entre eux « le sermon de Gabriel », cette inévitable harangue politique que le mari de la grosse femme commençait après sa huit ou neuvième bière et qui pouvait se poursuivre jusqu'à très tard dans la soirée si l'orateur était en forme et le public attentif. Gabriel s'était gagné l'affection et le respect de tous les clients de l'établissement grâce à ces discours toujours naïfs mais qui exprimaient parfaitement bien les grands courants d'idées qui agitaient les Québécois en ces temps d'insécurité, d'hésitations, de questionnements. Son influence commençait même à prendre une certaine importance, sans qu'il s'en rende compte, les hommes attendant souvent de savoir ce qu'il pensait avant de se prononcer sur une question sociale ou politique. Il avait même été en grande partie responsable du « non » formel que tous les hommes du quartier avaient répondu au plébiscite de Mackenzie King. « Si le Canada veut épauler l'Anguelterre, c'est son problème ! Moé, j'ai pas envie d'aller massacrer du monde pis perdre des membres pour un pays qui a jamais rien faite pour moé ! » Les hommes applaudirent. Mais Willy Ouellette, toujours assis en face de son ami, restait songeur. « T'es pas d'accord avec ça, toé, Willy ? » Willy Ouellette semblait somnoler sur sa chaise, la ruine-babines entre les mains. Ses idées n'étaient pas claires, loin de là, mais

quelque chose le chicotait. « J'trouve juste… » Il se passa une manche sur la bouche où un peu de mousse de bière était restée collée. « J'trouve juste que c'est la France qui fait pitié, là-dedans… Faut sauver la France, y me semble… la mère patrie… nos racines… » Gabriel se leva et vint se planter devant Willy Ouellette qui recula sous le choc. « La France ! La France qui nous a abandonnés ! La France qui nous a vendus ! Sauver la France pour qu'a' continue à nous chier sur la tête, après, en riant de notre accent pis en venant nous péter de la broue en pleine face ! » Willy Ouellette, sans trop savoir pourquoi, décida de tenir tête à Gabriel, peut-être pour ne pas perdre la face, peut-être aussi parce qu'au fond de son cœur un petit drapeau fleurdelisé battait encore faiblement. « J'trouve que tu y vas raide, Gabriel ! C'est pas parce que la France nous a abandonnés y'a quelqu' centaines d'années qu'y faut la laisser mourir aux mains des nazis ! » « C'est pas une raison pour aller mourir pour elle, non plus ! J'veux pas mourir pour la France, moé ! J'veux pas non plus mourir pour le Canada ! Pis j'veux surtout pas mourir pour l'Anguelterre ! Ça fait que que c'est que j'irais faire là, veux-tu ben me dire ? Te vois-tu, toé, te battre au milieu des Anglais pis des Français de France qui t'ont toujours méprisé en face d'une gang de têtes carrées d'Allemands qui t'ont jamais rien faite ? » « Les Allemands, si on les laisse faire, y vont toute envahir, même icitte, pis y vont finir par faire de nous autres des athées, pis des païens ! » « C'est pas vrai, ça ! Le pape, à Rome, de quel bord qu'y est, hein ? Bien, y'est du bord de Mussolini, pis d'Hitler ! » « Viens pas me dire, Gabriel, que t'es du bord de Mussolini, pis d'Hitler ! » « Ben non, ben non, j'ai pas dit ça, là… chus pas de leur bord… chus pas fasciste… » Gabriel perdait pied, il s'en rendait bien compte mais il ne trouvait pas le moyen de redresser sa position.

Vocabulaire

robineux clochards alcooliques

pis et

la ruine-babines l'harmonica

le chicotait le tracassait

péter de la broue en pleine face dire des
sottises à quelqu'un (la broue est la mousse
du savon, de la bière, etc.)

tu y vas raide tu y vas fort, tu exagères

icitte ici

Notes culturelles

on a toutes voté on a tous voté. (La forme
féminine est souvent employée au Québec
à la place du masculin qu'emploierait le
français standard. Autres exemples dans le
texte : « on est toutes des peureux » ; « qui
t'ont jamais rien faite » ; « toute envahir ».)

Mackenzie King Premier ministre canadien
qui avait promis aux Québécois (qui
représentaient à l'époque 45% de
l'électorat du Canada) qu'il n'y aurait pas
de conscription obligatoire. La pression
des Britanniques et des Anglo-Canadiens
fut telle que Mackenzie King dut ordonner
la conscription générale et il fut à jamais
détesté au Québec pour être revenu sur sa
parole.

l'Anguelterre l'Angleterre (Cette façon de
prononcer les consonnes s'entend encore
dans certaines régions rurales de la France
d'aujourd'hui.)

moé..., toé moi, toi (Les « oi » sont prononcés
« oé », comme au XVIIe siècle et comme dans
certaines localités de l'ouest de la France de
nos jours

**La France qui nous a abandonnés ! La France
qui nous a vendus !** Gabriel se réfère au
traité de Paris (1763) par lequel la France, à la
fin d'une guerre de sept ans, céda le Canada
à la Grande-Bretagne

pour qu'a' continue pour qu'elle continue
(Transcription de la prononciation des
pronoms personnels dans la conversation
courante, où le « l » tend à disparaître. Ce
trait existe d'ailleurs aussi en français de
France. Voir également plus bas « y faut » (il
faut), « y vont » (ils vont) et « y est » (il est).)

drapeau fleurdelisé la fleur de lis était
l'emblème de la royauté française ; le
drapeau bleu à fleurs de lis blanches est de
nos jours encore le drapeau de la province
du Québec

chus pas transcription de la prononciation de
« je suis pas »

B 2e extrait

[…] Nénette, qui avait eu vingt-sept enfants
en vingt-sept ans et qui était morte en
mettant sa dernière fille au monde, […]
et en maudissant son homme, son sort,
son curé, son corps et le rôle de servante
génitrice réservé aux femmes, cette sainte
à qui on avait refusé l'extrême-onction
et qu'on n'avait pas enterrée en terre
consacrée, cette sorcière qui avait osé dire,
cette damnée qui avait éclaboussé le village
de ses imprécations, à tel point que le curé
lui-même était allé se jeter aux pieds de son
évêque en hurlant : « Venez laver le ciel de
mon village, Monseigneur, le soleil est parti
pis y fait noir partout ! »

(Michel Tremblay, « La grosse femme d'à côté
est enceinte », *Les Chroniques du Plateau Mont-
Royal*, Montréal, Éditions Leméac, 1978)

6.3 Extrait de *Des Nouvelles d'Édouard*

Nettoyées, les façades pourraient être très belles, je pense, impressionnantes même, avec ce mariage de pierre taillée et de ciment. Mais tout est gris sale avec des coulisses de suie et même sous le franc soleil c'est déprimant. Le contraste était vraiment trop grand entre la vie de la rue et la désolation qui régnait au-dessus.

Mais Paris est une vieille ville, alors que nous, en Amérique du Nord, on n'a pas encore eu le temps de se salir !

Mon envie de bacon devenant de plus en plus pressante, je me suis habillé en vitesse (petit pétalon sexy – j'espère – et chemisette de coton), j'ai pris ma clef et j'ai foncé dans l'escalier, détournant les yeux quand j'arrivais dans les coins suspects.

La concierge lavait à grande eau les pierres plates de l'entrée. Ça sentait l'abus de désinfectant, le camouflage de senteurs pas tout à fait réussi. Elle a relevé une mèche rebelle avant de me lancer :

– Alors, notre Canadien a passé une bonne nuit ?

J'ai mis ma bouche en trou de cul de poule pour y répondre :

– Feurmidable !

Et là j'ai eu l'air d'un vrai fou.

Je sais que ça m'arrivera souvent dans les semaines qui viennent mais j'espère que la honte, à l'usure, se fera moins cuisante.

Je tire sur la porte d'entrée de l'immeuble, pas moyen de l'ouvrir. En faisant semblant de rien je regarde s'il n'y a pas une clef dans la serrure. Rien. Je retire. Toujours rien. J'étais au bord de sortir la clef de mon appartement pour l'essayer dans la serrure quand j'ai entendu un petit rire derrière moi.

La concierge s'approche, me montre une sonnette exactement semblable à celle qui se trouve dans la rue, et me dit sur un petit ton de supériorité tout à fait humiliant :

– Il faut appuyer là, monsieur ! Vous n'avez pas de portes, dans votre pays ?

J'ai eu envie d'y crier : « Aïe, on sonne quand on arrive chez le monde, chez nous, pas quand on s'en va ! » Mais je me suis retenu : sont chez eux, y'ont le droit de faire ce qu'y veulent.

Mais a-t-on idée ? Chez nous, sur la rue Fabre, si y fallait peser sur une sonnette chaque fois que quelqu'un sort de la maison, on serait tous sourds depuis longtemps ! Albertine serait attachée dans une camisole de force sur son lit et ses deux enfants cloués au mur à coups de poignard !

Autre pays, autres mœurs. On avait lu ça, quelque part, et ça nous avait frappés, vous vous souvenez ? Mais je ne savais pas que ce serait autres mœurs jusque dans la façon d'ouvrir et de fermer les portes !

(Michel Tremblay, « Des nouvelles d'Édouard »,
Les Chroniques du Plateau Mont-Royal,
Montréal, Éditions Leméac, 1984)

Notes culturelles

les coins suspects   les WC qui se trouvent à chaque palier et que partagent tous les locataires d'un étage – car, à la surprise horrifiée d'Édouard, il n'y a pas de toilettes dans les appartements

Feurmidable   Édouard essaie d'imiter l'accent parisien et pour cela il met sa bouche « en cul de poule », c'est-à-dire qu'il resserre et arrondit ses lèvres, ce qui le fait prononcer « feurmidable » au lieu de « formidable »

6.4 Extrait de *La duchesse et le roturier*

« Que c'est que vous faites dans le boute, donc, vous ? C'est rare qu'on voie un Français dans le tramway Papineau ! » « J'étais moi aussi au Théâtre National… » « Un Français au Théâtre National ! Ben, on aura tout vu ! Avez-vous toute compris, au moins ? » « Bien sûr ! Vous parlez un français… rocailleux et… vieillot, c'est vrai, mais c'est quand même du français ! » « Ouan ? Ben c'est pas c'que tout l'monde disait de l'aut' bord ! Quand on a débarqué, en Normandie, on était des sauveteurs ça fait qu'on était donc fins pis donc beaux mais ça c'était dans le nord pis le monde parlait un peu comme nous autres… Mais quand on a descendu à Paris, j'vous dis que c'tait pus pareil pantoute ! On était toujours des sauveteurs pis on était traité comme des rois mais on faisait rire de nous autres, rare ! Aussitôt qu'on ouvrait la bouche tout le monde se roulait à terre ! » Le jeune Français avait un peu serré la bouche ce qui donnait une drôle d'allure à son sourire déjà figé. Le conducteur continuait en guettant ce qui se passait devant son tramway.

« Savez-vous ça, vous, qu'on le savait pas qu'on avait un accent avant de se le faire dire bête de même ! Moé, avant tout ça, j'tais sûr que c'tait vous autres qui aviez un accent ! » La jeune femme qui accompagnait le Français avait quelque peu blêmi ; elle tenait son col de fourrure près de son visage et fixait le vide, comme hypnotisée par la honte. Seul un petit tremblement de la jambe gauche trahissait sa nervosité. Son compagnon, cependant, semblait s'amuser. « Comment avez-vous trouvé Paris ? » Il avait chantonné le mot Paris avec son accent du XVIᵉ arrondissement, étirant le « a » de curieuse façon et laissant tomber le « i » comme un petit soupir inutile. Le conducteur lança un « Ah ! » sonore qui fit sursauter la jeune femme du bas du fleuve. « Paris ? J'étais tellement paqueté que j'm'en rappelle même pus ! » Le Français s'était un peu penché vers lui. « Paqueté ? Qu'est-ce que c'est, paqueté ? » Cette fois le conducteur le regarda « Vous venez de me dire que j'parle français ! Allez voir dans le dictionnaire ! Ça doit s'écrire comme ça se prononce ! »

(Michel Tremblay, « La duchesse et le roturier », *Les Chroniques du Plateau Mont-Royal*, Montréal, Éditions Leméac, 1982)

Vocabulaire

que c'est que vous faites   qu'est-ce que vous faites

le boute   le quartier

Ouan ?   façon de reproduire la prononciation de « oui ? » ou « ouais hein ? »

de l'aut' bord   de l'autre côté de l'océan Atlantique (c'est-à-dire en France)

fins   gentils, sympathiques, intelligents, malins (ce mot a plusieurs sens en québécois)

c'tait pus pareil pantoute   c'était plus du tout pareil

rare !   et pas qu'un peu !

bête de même   tout bêtement

Notes culturelles

Papineau   l'avenue Papineau (nommée ainsi en l'honneur de l'homme politique Louis Joseph Papineau qui en 1837 défendit les droits des Canadiens français) a aussi donné son nom au quartier populeux de Montréal dans lequel elle est située

XVIᵉ arrondissement   quartier chic de Paris

du bas du fleuve   la jeune femme qui accompagne le Français est du même milieu ouvrier que le conducteur mais l'auteur explique un peu plus haut que son accent trahit l'effort qu'elle fait pour dissimuler ses origines

Michel Tremblay est né rue Fabre, dans un quartier ouvrier de Montréal, au Québec, le 25 juin 1942. En 1964, sa première pièce *Le train*, écrite en réponse à un concours proposé par la chaîne de télévision Radio-Canada, est montée et diffusée à la télévision. C'est peu après ce début qu'il rencontre André Brassard, jeune metteur en scène qui deviendra son « chum » (comme on dit au Québec), montera presque toutes ses pièces, et créera avec lui les conditions d'une rénovation artistique qui va bouleverser la culture québécoise.

Le point de départ de cette révolution culturelle, c'est la pièce *Les belles-sœurs*, écrite en 1965, et refusée pendant trois ans par tous les théâtres auxquels Tremblay la soumet, avant d'être montée par André Brassard au Théâtre du Rideau Vert en 1968. La pièce met en scène des femmes de la classe ouvrière. Les dialogues appartiennent à une langue jamais écrite jusqu'ici, reproduisant avec un réalisme saisissant le français qu'on parle dans les quartiers ouvriers de Montréal, lui-même produit du croisement entre le français des campagnes canadiennes et l'américain de l'industrialisation urbaine. Les émotions et les aspirations exprimées sans complexes par les personnages sont brutes, vraies, directes. L'effet est galvanisant, provoquant des remous aussi bien parmi les gardiens de la culture classique française (qui s'en offensent) qu'auprès

de jeunes artistes, dramaturges, ou chanteurs-compositeurs montréalais (qui y trouvent inspiration).

Viennent ensuite de nombreuses pièces, dont six que la critique appellera par la suite le « cycle des *Belles-sœurs* ».

Pièces du cycle des « Belles-sœurs »

En pièces détachées (1969)
La duchesse de Langeais (1969)
À toi pour toujours ta Marie-Lou (1971)
Hosanna (1973)
Sainte Carmen de la Main (1976)
Damnée Manon, sacrée Sandra (1977)

En 1978, Michel Tremblay se donne un nouveau mode d'expression : tout en continuant à écrire pour le théâtre, il commence la publication d'une série de romans, reliés entre eux (et à l'univers des *Belles-sœurs*) par la période historique concernée, par les lieux et par les personnages. Ce sont les *Chroniques du Plateau Mont-Royal*, qui comportent cinq romans.

Chroniques du Plateau Mont-Royal

La grosse femme d'à côté est enceinte (1978)
Thérèse et Pierrette à l'école des Saints-Anges (1980)
La duchesse et le roturier (1982)
Des nouvelles d'Édouard (1984)
Le premier quartier de la lune (1989)

Parmi les personnages qui évoluent dans les *Chroniques* une figure se dessine, qui va prendre une couleur de plus en plus autobiographique. Les *Chroniques* commencent en effet au printemps 1942, avec le personnage attachant de la « Grosse Femme enceinte » (inspiré de la mère de l'auteur), pour se terminer au printemps 1952, date à laquelle l'enfant de la Grosse Femme entre dans l'adolescence. Cet enfant est la préfiguration romanesque du « Michel » bien réel, lui, qui se situe au centre des trois œuvres autobiographiques rassemblées sous la désignation *Récits*, et dont la publication commence en 1990.

Récits

Récits

Les vues animées (1990), où l'auteur relate ses souvenirs de jeune cinéphile.

Douze coups de théâtre (1992), où nous sont livrés les souvenirs du jeune Michel, passionné de théâtre.

Un ange cornu avec des ailes de tôle (1993), qui raconte les premiers souvenirs de lecture de l'enfant Tremblay.

Notes sur la chronologie des romans

L'intrigue de *La grosse femme d'à côté est enceinte* se déroule en une seule journée, le 2 mai 1942. Celle de *Thérèse et Pierrette à l'école des Saints-Anges* se situe juste avant la naissance de l'enfant de la Grosse Femme. Dans *La duchesse et le roturier*, puis *Des nouvelles d'Édouard*, l'oncle de l'enfant est au premier plan : l'action se passe en 1946 pour *La duchesse* et 1947 pour *Des nouvelles*. Au cinquième roman des *Chroniques*, l'enfant de la Grosse Femme a dix ans.

6.6 Quatre extraits de *La grosse femme d'à côté est enceinte*

Extrait 1

À cette heure où le soleil commençait sa lente descente vers les quartiers riches, le parc Lafontaine prenait des airs de forêt au crépuscule : les ombres s'allongeaient, envahissaient les pelouses [...] Elle était accoudée au milieu du pont qui séparait les deux lacs artificiels qu'on n'avait pas encore remplis et qui ressemblaient à deux dépotoirs tant y régnaient papiers gras et bouteilles de bière. [...] Elle aurait préféré ne pas savoir que les lacs étaient artificiels, des trous qu'on avait creusés, cimentés, des bassins qu'on était obligé de vider de leur eau, à l'automne, et de leurs déchets, au printemps [...] L'été, dans la splendeur des nuits soyeuses, ce lac, couronné de sa fontaine qui changeait de couleur toutes les trente secondes, était magique. Tout y était beau, facile, parfait. Mais en cette fin d'après-midi, dans la lumière dorée du soleil qui achevait sa course, sa laideur était difficile à supporter. « Quand tu regardes de l'autre côté du lac, c'est de toute beauté, tu te croirais en pleine forêt, tu-seule, heureuse, libre, pis quand tu baisses les yeux la dompe te saute dans' face pis tu sais qu'y'a pas d'espoir. »

Extrait 2

[...] pour « jouer », [...] il fallait entrer dans l'aire de verdure qui longeait la rue Calixa-Lavallée, en face de l'auditorium Le Plateau, là où se trouvaient tous les jeux, cette partie du parc Lafontaine qu'on appelait aussi « le parc » (quand on demandait à quelqu'un : « Viens-tu jouer au parc ? » il fallait appuyer sur le mot « parc » de façon à ce que l'autre comprenne si on l'invitait à une simple promenade bucolique ou à une partie de plaisir au milieu des barres parallèles, des balançoires et des glissades en bois), et pour y entrer, il fallait se séparer. En effet, seuls les garçonnets de moins de six ans et les fillettes de moins de douze ans étaient tolérés sur le terrain de jeux : on prétendait qu'il était malsain que garçons et filles s'amusent ensemble à des jeux où les jupes avaient un peu trop tendance à se soulever au moindre caprice du vent. C'était là la seule et unique raison. La ville de Montréal en avait ainsi décidé et tous les enfants en souffraient.

Extrait 3

Sa boîte à lunch vide sous le bras, Mastaï Jodoin remontait la rue Fabre en direction de chez lui. [...] De loin, Mastaï aperçut sa femme Gabrielle qui l'attendait, appuyée contre la clôture de leur parterre et il lui fit de grands gestes d'amitié. Gabrielle était sortie pour attendre son mari, comme elle le faisait tous les jours, l'été. [...] Ils s'embrassèrent longuement au beau milieu du trottoir, chose absolument étonnante dans cette rue où on cachait le plus possible ses sentiments. De l'autre côté de la rue, de son balcon où elle était installée pour prendre un peu de soleil, Claire Lemieux les regardait, une lueur d'envie au fond des yeux. Sa grosse baleine blanche de mari dormait encore dans le sofa du salon.

Extrait 4

Rose, Violette et Mauve tricotaient. [Elles] étaient assises sur des chaises droites. Les chaises berçantes encouragent à la paresse. Dos raide, coudes collés, yeux baissés sur la laine bleue. Ou rose. Ou jaune. Ou autre. Le matin, avant de sortir les chaises, elles avaient lavé le balcon. [...] Le chat tigré qui avait passé la nuit sous le balcon, épuisé après trois jours d'amours violentes et de jeûne, s'était réveillé en crachant des « pffft » rageurs et avait décampé, maudissant cette odeur de propreté maniaque.

(Michel Tremblay, « La grosse femme d'à côté est enceinte », *Les Chroniques du Plateau Mont-Royal*, Montréal, Éditions Leméac, 1978)

Les enfants de la créolophonie

Plage de Salines, Martinique

6.7 Présentation des Antilles

Les Antilles françaises

La Martinique et la Guadeloupe sont deux départements français de la mer des Caraïbes. Elles possèdent un climat tropical, (températures moyennes oscillant autour de 25°). L'île de la Martinique est un massif volcanique dominé par la montagne Pelée (1 397 m) dont l'éruption, en 1902, détruisit la ville de Saint-Pierre. La densité de la population est très élevée : environ 329 000 habitants sur 1 100 km², c'est-à-dire 300 au km², presque le triple de la moyenne métropolitaine. Le chef-lieu, Fort-de-France, compte environ 100 000 habitants. La Guadeloupe, quant à elle, est formée de plusieurs îles, dont les deux plus grandes, Basse-Terre et Grande-Terre, sont uniquement séparées par un bras de mer, la rivière Salée. Contrairement à ce qu'indique son nom, c'est Basse-Terre qui est la plus élevée et son volcan de la Soufrière (1 467 m) est également en activité. Bien que le chef-lieu de la Guadeloupe soit le port de Basse-Terre, sa plus grande ville (avec plus de 25 000 habitants) est Pointe-à-Pitre, sur l'île de Grande-Terre. C'est aussi son débouché maritime principal. La densité de population est moins élevée qu'à la Martinique, puisque le même nombre d'habitants se répartit sur 1 709 km^2.

Christophe Colomb a « découvert » la Guadeloupe en 1493 et a visité la Martinique en 1502. Les deux îles ont été toutes deux colonisées par la France dès 1635. C'est à la Martinique qu'est née Joséphine, qui fut impératrice des Français puisqu'elle épousa le général Bonaparte, futur Napoléon Ier. Les îles, où l'esclavage ne sera aboli qu'en 1848, sont devenues des départements français d'outre-mer (DOM) en 1946, chacun représenté à l'Assemblée nationale par quatre députés, et au Sénat par deux sénateurs. En 1983 un conseil régional a été créé suite à la loi sur la décentralisation. La langue officielle des îles est le français, mais la majorité des habitants continue à utiliser le créole dans la vie courante.

Quoique le tourisme soit devenu une ressource considérable, l'économie de la région est principalement agricole, et les trois quarts du commerce extérieur se font avec la métropole. Les principales productions agricoles sont la banane, la canne à sucre (en partie pour la production du rhum), le cacao, la vanille et le café. Le chômage reste important, et les conditions climatiques rendent la vie souvent difficile :

les cyclones en particulier peuvent faire d'énormes ravages. Les îles restent donc très dépendantes de l'aide de la France métropolitaine. Cependant, la crise économique chronique conduit certains partis locaux à réclamer davantage d'autonomie et même l'indépendance.

6.8   La connivence entre conteur et auditoire

Une autre qualité de la belle parole – la connivence entre le conteur et son public – n'est perceptible que si, dans un effort de reconstitution mentale de la scène du récit, on retrouve à la fois les gestes, le débit, la voix, la volubilité du conteur, révélant son plaisir de dire. Dans un texte oral, ce plaisir est traduit par le rythme, les pauses, les accélérations, autant de signes qui expriment une joie ; celle d'être en communication, en communion avec son auditoire.

– Krik ? dit le conteur (« Vous m'écoutez ? Vous me suivez ? Vous êtes toujours avec moi ? »)

– Krak ! répond l'auditoire (« Oui, nous sommes pendus à tes lèvres »).

Dans le jeu que mène le conteur avec son public, les « tim-tim » – formules-devinettes qui précèdent la narration du conte créole – jouent un rôle important.

Les « tim-tim » plaisent par les images auxquelles elles font allusion. Par exemple :

–   Question : tranndé ti poul blan asi on kousen wòz : « trente-deux petites poules sur un coussin rose ? »

–   Réponse : « Les dents et la langue. »

Ainsi que par l'image associée à un jeu de sonorités, ou par le côté lapidaire mais complet de la formulation qui implique une réponse tout aussi brève et précise. Par exemple :

– Question : Dòktè anba dlo : « Un médecin sous l'eau ? »
– Réponse : « Le poisson-chirurgien. »
La langue créole utilise également un très grand nombre de comparaisons qui sont aussi de bèl pawòl de par leur côté railleur ou humoristique. Par exemple :
Ou léjé kon tòti a doulè : « Tu es aussi légère qu'une tortue percluse de rhumatismes. »
Sa ra kon nèg a zyé blé : « C'est aussi rare qu'un nègre aux yeux bleus. »

Vocabulaire

bèl pawòl   « belle parole », en créole

Note culturelle

un nègre aux yeux bleus   bien que les Antillais eux-mêmes utilisent le mot « nègre » (et son diminutif « négrillon »), il n'est pas recommandé de l'employer car il désignait l'esclave noir et a gardé en français un sens très péjoratif. Voir aussi la note culturelle qui accompagne le texte 6.10.

6.9   Patrick Chamoiseau : « Le système scolaire doit exalter la diversité »

Patrick Chamoiseau : « Le système scolaire doit exalter la diversité »

Patrick Chamoiseau, auteur antillais et Prix Goncourt en 1992, militant culturel, nous confie à l'occasion de la sortie de son livre « Chemin-d'école », ses réflexions et ses espoirs concernant l'école antillaise, pour un pas vers une identité propre

« Chemin-d'école » fait suite à « Antan d'enfance ». Pourquoi une suite consacrée à l'école ?

Je n'écris rien qui ne fasse pas partie de mes préoccupations. La question de l'école est importante dans la mesure où nous avons tous été confrontés à elle. Et dans la mesure où, jusqu'à aujourd'hui, cela conditionne beaucoup notre vie quotidienne. Je suis un militant cultural, je me bats pour la culture et l'imaginaire créoles. Et je m'aperçois à quel point l'école continue de faire son travail de déconstruction. Autrefois, c'était assez clair. On sait comment cela fonctionnait avec « *nos ancêtres les Gaulois* », etc. Maintenant, c'est plus subtil. Je m'en suis aperçu en allant à une distribution des prix dans une école du Lamentin, en Martinique. Les enfants dessinaient encore des pommiers, des sapins, des maisons avec des cheminées, des hirondelles. Mais rien de leur univers naturel. *Chemin-d'école* correspond à ce que j'appelle des zones sensibles, des blessures à la fois individuelles et collectives.

Dans votre livre, dès le jour de la rentrée, on se rend compte que l'instituteur veut à tout prix bannir le créole. Dans quel but ?

La culture créole est née dans les conditions de la traite, de l'esclavage, de la colonisation. C'était une réponse globale donnée à une situation extraordinaire, à un traumatisme épouvantable. Cette culture, cet imaginaire, cette langue sont restés associés à l'univers de la plantation, marqué par le déni du nègre, l'esclavage, l'inhumanité, les champs de canne, les travaux agricoles. Après l'abolition de l'esclavage, lorsqu'il a fallu commencer à exister, sur un plan matériel bien sûr, mais aussi sur celui de la symbolique ou de la simple humanité, ce qui devenait pertinent, ce n'était pas la culture créole, c'était la culture et la langue françaises. On mesurait le degré d'instruction, d'intelligence, d'esprit à la capacité de posséder la culture et la langue françaises.

On comprend donc que le maître, ce type qui sort des champs de canne, de la culture créole, qui a un tel désir de s'humaniser, d'accéder à ce qu'il pense être la civilisation, on comprend qu'il veuille enlever du corps, de la tête des enfants, de leur être, tout ce qui les ramène à l'inhumanité. Il pense vraiment qu'il sauve les enfants.

Qui est Gros-Lombric ?

Gros-Lombric est un enfant d'un milieu extrêmement populaire, totalement créole, disposant d'une science créole extraordinaire. Ce savoir-là n'est pas du tout reconnu ni utilisé par le maître. Très rapidement, il devient celui qui ne peut pas. Il symbolise tous ceux, et ils sont des milliers, qui, jusqu'à aujourd'hui, ont du mal à s'adapter au carcan scolaire.

Ces instituteurs devaient être de véritables cauchemars pour leurs élèves ?

C'étaient aussi des personnages extraordinaires. Ces maîtres pouvaient, lorsqu'ils avaient repéré un petit garçon qui avait des potentialités, donner des cours le soir en plus, gratuitement. Ils pouvaient aller dans une petite case des mornes pour dire : « *Madame, envoyez votre fils faire des études, il a des moyens, je suis prêt à l'aider, à faire des démarches pour qu'il obtienne une bourse* ». C'étaient presque des missionnaires contre ce qu'ils considéraient être une gangue barbare. L'école a vraiment représenté, pour cette génération-là, un outil de libération. Et c'en était effectivement un. Ces maîtres disposaient d'une grande culture, d'un positionnement extraordinaire dans la langue, d'un appétit de connaître et d'exprimer ce qui est connu. Ils ont marqué des générations entières.

Cela pouvait fonctionner avant, au temps d'Aimé Césaire ou tel qu'on le voit dans le film « Rue Case-Nègres ». Mais, par la suite, avec la démocratisation de l'accès à l'école, que s'est-il passé ?

Regardez les chiffres de l'échec scolaire aux Antilles, c'est effrayant. C'est d'autant plus vrai que, dans la mesure où l'enseignement s'est banalisé, on a perdu ces personnages extraordinaires, ces types qui devenaient maîtres d'école tout en ayant des capacités incroyables, qui auraient pu être de brillants savants, des hommes de science ou des personnalités très fortes… Le processus de déculturation est resté, sans les grands modèles.

Il y avait aussi, de la part de l'État, la volonté d'une marche forcée vers l'assimilation, dès la fin de l'esclavage.

C'était un principe que la France appliquait dans son propre espace. Tous ces peuples à qui je dédicace ce texte ont connu cela. Mais ce qu'il faut comprendre, c'est que, pour nous-mêmes, l'assimilation a été le moyen de nous sortir des griffes békés, des griffes esclavagistes, des champs de canne. La métropole était toujours moins féodale, plus progressiste, elle avait des idées ouvertes, de grands penseurs, comme Schoelcher, qui ont fait éclater le carcan étouffant de la colonisation et de l'esclavage. Alors l'assimilation a été le moyen de se sortir de la féodalité béké. C'était une dynamique collective. Césaire l'a assumé aussi. Il continue à le faire. Si la France l'avait refusé, si à l'époque un homme éclairé avait dit aux Martiniquais ou au Guadeloupéens : « on va vous faire une école avec vos trucs à vous », tout le monde, et jusqu'à aujourd'hui, aurait protesté.

Tous les instituteurs parlent de défendre la culture créole. Mais, fondamentalement, tout reste statique. C'est ce que j'appelle la domination silencieuse.

Y a-t-il toujours aussi peu d'expériences d'implantation du créole à l'école en Martinique ou en Guadeloupe ?

Aujourd'hui presque tous les recteurs antillais sont prêts à permettre l'entrée du créole à l'école. Mais les parents ont protesté ; ils ont intériorisé le fait que cette culture et cette langue ne sont pas performantes. On a abandonné l'idée qu'elles sont dégradantes, mais on n'a pas encore compris que ce sont une culture et une langue comme les autres et que le système scolaire, l'enseignement et l'éducation au sens large, peut passer par n'importe quelle culture ou langue.

Alors, le rapport de l'école à l'imaginaire et à la langue créole n'a pas vraiment évolué ?

Non. C'est absolument statique. Ce qui est curieux et que j'appelle la domination silencieuse, c'est que tous les instituteurs aujourd'hui parlent de culture créole, de langue créole, de défendre nos valeurs… Mais fondamentalement la manière d'enseigner, de dire, de déploiement de la télévision et les livres font que l'imaginaire des enfants reste déstructuré. Cependant le traumatisme est moins important de génération en génération : les enfants ont une plus grande proximité avec l'univers culturel français.

Le problème de la déculturation se pose encore plus pour les enfants antillais qui sont nés et vivent en métropole. Comment faire pour qu'ils ne perdent ni leur imaginaire ni leur langue créoles ?

Là on entre dans un processus de créolisation assez accéléré. On a connu ce processus aux Antilles, puisque la culture créole provient d'une vaste mosaïque anthropologique. Le fait qu'aujourd'hui des milliers d'Antillais vivent en France et y fassent des enfants crée une sorte de poursuite de la créolisation. On a des enfants dont l'imaginaire relève d'un côté d'un espace créole, antillais, et de l'autre de l'espace français, avec tout ce que cela implique en terme urbain d'acculturation et de déculturation.

Un des problèmes de la France, c'est qu'un certain nombre de communautés y vivent. Le système d'éducation au sens le plus large devrait prendre en charge ce qui fait leur fondement. Le système d'enseignement officiel, lui, ne peut pas nier leurs particularités. Il doit au contraire exalter cette diversité. C'est le paradoxe que nous avons aux Antilles. Comment faire en sorte que la diversité soit le ferment de l'unité. Comment penser un système scolaire pour tous ces gens, qui puisse être une exaltation de la diversité, qui rende l'esprit des enfants disponible. Qu'ils n'aient pas l'impression que telle langue est plus belle qu'une autre.

Même chose pour les écrivains. Je ne vois pas comment, aujourd'hui, un écrivain pourrait se réfugier dans une seule langue. S'il est bien dans une langue, c'est au nom de toutes les autres. Il va convoquer leur bruit, leur rumeur. C'est ainsi que cela doit fonctionner.

Vous avez dit que le français était pour vous une telle aliénation que vous deviez vous surveiller pour être vous-même. Le français n'est-il pas une partie de vous-même ?

C'est exact, mais mon imaginaire n'est pas un imaginaire français. Quand on écrit, le problème n'est pas d'écrire, c'est de modifier la vision que l'on a du monde, c'est-à-dire avoir suffisamment d'images, d'angles de vue, pour que la manière dont on regarde le monde change. Lorsque j'écris en français, la manière la plus rapide pour moi de modifier ou de briser le regard établi que la langue française porte sur le monde, c'est d'utiliser la vision créole que je possède. Trouver des images des illustrations qui proviennent de la vision créole. Parce que l'accumulation des mots, des images peut provoquer un déplacement culturel, un phénomène d'aliénation. On peut écrire : il était maigre comme un loup en hiver ; en soi, ce n'est pas mauvais. Même si on n'a jamais vu ni de loup ni d'hiver. Par contre, si on a, comme cela, au fil des pages et des paragraphes, une accumulation insidieuse d'images, de références qui ne sont pas de l'univers dont on parle, on entre dans un processus de déplacement qui devient aliénant. Et c'est ce qui se passe pour la plupart des enfants à l'école aujourd'hui. »

Le Maître et le négrillon

Le « suceur de tété » d'*Antan d'enfance* a grandi. L'univers de la maison ne lui suffit plus. Chaque matin, il voit frères et sœurs aînés « prendre-disparaître », pour ne revenir que le soir, avec l'air important des petites personnes qui en savent long sur l'existence. Alors, il commet l'erreur de réclamer l'école.

Il fréquente les bancs de Man Salinière, cette douce mulâtresse qui, explique l'auteur, *« réussissait à transformer son univers de classe en un lieu qui n'entrait pas en rupture avec le milieu familial. De Man Ninitte la mère, à Man Salinière, il y avait une continuité presque charnelle »*.

Avec le Maître, c'est une autre qualité d'école que découvre le négrillon. Plus de tendresse, mais la liane qui cingle les jambes. Plus de dessins, mais de difficiles exercices d'écriture… Et l'apprentissage d'une langue française qui n'enveloppe pas les enfants, mais plane au-dessus d'eux comme une menace. Le Maître traque le moindre mot, la moindre prononciation, le moindre « r » escamoté qui pourrait rappeler la barbarie créole. *« Quoi, quoi, quoi, un « zombi » ? N'avez-vous jamais entendu parrler* (sic) *des elfes, des gnomes, des fées et feux follets ? Épargnez-moi vos « soucougnan » et vos « cheval-trois-pattes » ! »* Le moindre cahot créole provoque l'ire cinglante de l'instituteur et *« une mise en la-fête sans pièce miséricorde »* des condisciples. Patrick Chamoiseau égrène ses souvenirs d'école. Avec affection, avec humour, avec férocité aussi, il décrit un univers où la langue et la culture créoles, héritages d'un passé honteux et abominable, l'esclavage n'ont guère droit de cité. Où, pour survivre, l'enfant doit abandonner ses propres références et s'ouvrir à un autre monde.

(*Le Monde de l'éducation*, septembre 1994)

Vocabulaire

mornes   petites montagnes aux Antilles, isolées au milieu d'une plaine d'érosion

recteurs   hauts fonctionnaires de l'éducation nationale placés à la tête d'une académie, c'est-à-dire une division administrative regroupant les établissements d'enseignement primaire, secondaire et supérieur

Notes culturelles

le moindre « r » escamoté   en créole le « r » est pratiquement inexistant, comme le prouvent les graphies « léjè », « tòti », « doulè » ou « nèg » (« légère », « tortue », « douleur », « nègre ») qui figurent dans le texte 6.8.

zombi [...], soucougnan [...], cheval-trois-pattes   personnages fabuleux de l'imaginaire créole. Le maître leur préfère les elfes, gnomes, fées et feux follets des contes européens.

parrler   le maître, lui, accentue la prononciation du « r » à la française

« une mise en la-fête sans pièce miséricorde » des condisciples   Chamoiseau, nous l'avons vu, cherche à bâtir un nouveau langage, en utilisant toute la gamme linguistique qui lui est offerte. Il émaille donc son texte d'expressions créoles ; celle-ci signifie « les moqueries sans pitié » des autres écoliers.

Parler, écrire en français de l'autre côté des mers

Mosquée de la Divinité à Ouakam, Dakar, Sénégal

6.10   Césaire, Senghor et Fanon

De la poésie, Aimé Césaire disait : « Elle est cette démarche qui, par le mot, l'image, le mythe, l'amour et l'humour, m'installe au cœur vivant de moi-même et du monde. Le poète est cet être très vieux et très neuf, très complexe et très simple, qui, aux confins vécus du rêve et du réel, du jour et de la nuit, entre absence et présence, cherche et reçoit dans le déclenchement soudain des cataclysmes intérieurs le mot de passe de la connivence et de la puissance. » Ce paradoxe magnifique de l'art poétique, résumé par ses mots, Césaire l'aura porté beau et fort, faisant naître une poésie de son action au fil d'une trentaine de livres, poèmes, théâtre ou essais à forte valeur littéraire.

Cet esprit rebelle ancré dans son siècle fut un guide, de Fort-de-France à Cayenne, de Bordeaux à Brazzaville, « leur père à tous », gens de peu ou intellectuels, à qui il fixait des idéaux, ouvrait des horizons. Sa parole de liberté apparut comme révolutionnaire à l'époque où il fonda, en 1934, *L'Étudiant noir* avec Senghor, Damas et Diop, quand commencèrent de paraître ses premiers poèmes, en 1939, ou quand il créa *Présence africaine* en 1947 ; elle était tout aussi subversive quand parut en 1950 son *Discours sur le colonialisme*, et reste aujourd'hui d'une brûlante actualité. Césaire fut aussi un coryphée pour les écrivains, menant le chœur à son corps défendant, lui qui refusait honneurs et prébendes. Pour l'écrivain haïtien Lyonel Trouillot, la découverte de sa poésie fut une révélation, comme à nombre d'adolescents bercés par une littérature haïtienne demeurant une « aventure solitaire (qui pouvait faire croire que) l'esthétique avait un centre, voire une couleur » : « Par sa façon d'interpeller l'histoire, par la force du je qui affirmait une dignité, un ancrage dans une histoire, une révolte symbolique et tant de ruptures formelles, l'œuvre de Césaire nous avait introduits au moins à deux choses : la possible connivence entre l'individu et le collectif, et la subversion. » Ayant grandi aussi au bord de la mer des Caraïbes, en Guyane, Christiane Falgayrettes, directrice du Musée Dapper à Paris, confie la même empreinte : « Sa poésie, comme les écrits de prison de Nelson Mandela, m'a permis de forger ma personnalité. Des images volcaniques, usant de la langue française, des mots et des images de son terroir martiniquais mêlés en rythme à d'autres images qui renvoient à l'Afrique. Il m'a montré le chemin, cette dignité, cette fierté, de ce que nous sommes. »

C'est bien cette ouverture vers une terre et une culture plurielles, et surtout vers l'Afrique, qui furent et continuent d'être pour les jeunes générations une déflagration et une révélation. « Toute l'eau de Kananga chavire de la Grande Ourse à mes yeux », écrivait-il dans le poème *Investiture* (in *Les Armes miraculeuses*, 1964). Pour le rappeur et slameur Abd Al Malik, 36 ans, Césaire fut avec Senghor, Cheikh Anta

Diop et Frantz Fanon, une rencontre cruciale : « Il y avait dans ses écrits un regard porté sur nous, Noirs, qui nous élevait, nous dé-ghettoïsait. Noir comme un département de l'humanité, disait-il. Cette pertinence m'a frappé : considérer les Noirs comme un particularisme dans l'humanité, partir de la racine pour la coller à l'entité qu'est l'arbre, c'est cela pour moi la négritude. Mes parents se sont séparés tôt, et j'ai grandi dans une recherche de figure paternelle : Césaire est sorti de ma bibliothèque comme une valeur structurante. Il y a dans son *Discours* une violence qui correspond à l'énergie adolescente que j'avais, une belle agressivité qui nous amène à une forme de justesse et de justice, qui pacifie notre rapport à l'autre. Le fondement est politique mais c'est le côté littéraire et son articulation qui m'ont marqué, et d'une certaine manière je réalise maintenant qu'il y avait là une méthodologie, les prémices de ce que j'allais faire par la suite. »

Césaire s'est rapproché très tôt du surréalisme, qui par sa liberté donne aux jeunes poètes caribéens un modèle esthétique. Les surréalistes furent les premiers à le magnifier, et il dédia plusieurs poèmes à Éluard, Breton ou Benjamin Péret, qui disait dans sa préface à l'édition cubaine du *Cahier d'un retour au pays natal* : « Césaire n'interprète pas la nature tropicale, mais il est une partie composante, à la fois juge et partie de cette nature. » Il joue des césures inattendues, tord la langue, bannit l'alexandrin classique, surprend le lecteur à chaque détour de vers, interpellant les consciences sans relâche, fussent-elles amies, telle cette adresse à l'Haïtien René Depestre, à qui il intimait de ne pas se « nationaliser » : « Rions buvons et marronnons, fous-t-en Depestre fous-t-en et laisse dire Aragon. »

Moins connue, son œuvre dramatique n'en est pas moins essentielle, célébrée à Avignon ou entrée au Français à la demande de François Mitterrand, dans une relative indifférence. Le metteur en scène Jacques Nichet a monté dès les années 1960 *Et les chiens se taisaient* à Paris, puis *La Tragédie du roi Christophe* à Avignon en 1997 : « C'est une écriture de grand vent, de haut plateau. Une profération, avec un côté claudélien, par qui il a été influencé, avec Shakespeare et les Grecs. Il se mettait à la hauteur du théâtre grec avec la grande figure du rebelle et tout ce que cela comporte d'outrance. Il avait été frappé par l'arrogance du libérateur qui devient tyran. C'est ce que l'on trouve dans *La Tragédie du roi Christophe*, écrite en 1963, avec son chœur désaccordé, traversé d'antagonismes. »

Rien n'est lisse chez Césaire, ni le fond ni la forme, lui qui n'abdiqua jamais ses revendications et sa verve, gênant aux entournures les politiques désireux de se faire une bonne conscience sur son nom, ne déviant pas d'une route éclairée sur laquelle certains de ses puînés l'abandonnèrent, lors d'une polémique où furent bien maladroitement opposées négritude et créolité. Ceux-là revendiquent néanmoins l'influence du « nègre fondamental », comme le surnommait Breton : « C'est un grand poète tragique, indique Patrick Chamoiseau, pris dans un impossible entre l'aspiration à la liberté et le devoir de vivre dans un pays sous une domination silencieuse. C'est une conscience étonnante qui se débat, un cheminement humain, absolument flamboyant et précieux. » La poétesse Annie Le Brun a défendu, dans *Pour Aimé Césaire* et *Statue cou coupé*, celui qu'on accusait de vouloir composer : « Ni nègre, ni créole, ni même tiers-mondiste, j'ai lu, un matin de septembre 1963, *Cahier d'un retour au pays natal*. Ce n'était pas plus le pays d'où je venais que celui où j'allais. J'y reconnus pourtant quelque chose de plus définitif que toute appartenance. » Pour juger de cette œuvre marquante et foisonnante, resserrée entre *Cahier du retour au pays natal*, son premier livre, et le dernier, *Moi, laminaire*, il faut lire chaque volume, chacun trouvant sa place en regard des autres, reflétant les images et les thèmes, et « ne pas faire le tri, insiste Lyonel Trouillot. Il y a du feu partout, c'est un art coup de poing. Au-delà des actions, des choix et des ruptures politiques de l'homme, sa littérature continuera d'exprimer le refus de l'inacceptable. C'est une œuvre qui ne négocie pas. Peut-être servira-t-elle encore à nous rappeler que si les hommes négocient, l'art n'a pas à le faire. »

(La Croix, 24 avril 2008)

Notes culturelles

Kanaga   ville du Kasaï occidental, en République Démocratique du Congo

nègre   Le mot « nègre » comporte deux types de connotations. Quand il se réfère à une personne, il est fortement péjoratif, pour ne pas dire raciste, même si certains mouvements politiques noirs le revendiquent avec fierté. Mais il peut aussi s'employer dans un contexte artistique. Ainsi, on parle d'« art nègre » pour désigner l'art venu d'Afrique ou d'Océanie et « découvert » avec enthousiasme par les blancs à travers des expositions en Europe dans les années vingt et trente. Dans ce cas, le mot « nègre » a plutôt un sens technique. Néanmoins il garde les traces de l'idéologie colonialiste qui dominait à l'époque, tout comme son synonyme, « l'art primitif ». Il est intéressant de noter que le Musée du Quai Branly, inauguré en 2006, a évité ces expressions jugées gênantes, en optant pour le titre plus neutre de « Musée des Arts Premiers ». Dans ce contexte artistique aussi, des militants noirs revendiquent parfois le terme « nègre », comme le fait la romancière d'origine camerounaise Calixthe Béyala, lorsqu'elle déclare : « Je suis partisane de l'utilisation du mot nègre parce qu'il réhabilite la culture ».

6.11   Hommage aux Tirailleurs sénégalais

Aux Tirailleurs sénégalais morts pour la France

Voici le Soleil
Qui fait tendre la poitrine des vierges
Qui fait sourire sur les bancs verts les
    vieillards
Qui réveillerait les morts sous une terre
    maternelle.
J'entends le bruit des canons – est-ce d'Irun ?
On fleurit les tombes, on réchauffe le Soldat
    Inconnu.
Vous mes frères obscurs, personne ne vous
    nomme.
On promet cinq cent mille de vos enfants à
    la gloire des futurs morts, on les remercie
    d'avance futurs morts obscurs
Die schwarze Schande !

Écoutez-moi, Tirailleurs sénégalais, dans la
    solitude de la terre noire et de la mort
Dans votre solitude sans yeux sans oreilles,
    plus que dans ma peau sombre au fond
    de la Province
Sans même la chaleur de vos camarades
    couchés tout contre vous, comme jadis
    dans la tranchée jadis dans les palabres du
    village
Écoutez-moi, Tirailleurs à la peau noire, bien
    que sans oreilles et sans yeux dans votre
    triple enceinte de nuit.
Nous n'avons pas loué de pleureuses,
    pas même les larmes de vos femmes
    anciennes
    – Elles ne se rappellent que vos grands
       coups de colère, préférant l'ardeur des
       vivants.
Les plaintes des pleureuses trop claires
Trop vite asséchés les joues de vos femmes,
    comme en saison sèche les torrents du
    Fouta

Les larmes les plus chaudes trop
claires et trop vite bues au coin des
lèvres oublieuses.
Nous vous apportons, écoutez-nous,
nous qui épelions vos noms dans
les mois que vous mouriez
Nous, dans ces jours de peur sans
mémoire, vous apportons l'amitié
de vos camarades d'âge.
Ah ! puissé-je un jour d'une voix
couleur de braise, puissé-je chanter
L'amitié des camarades fervente
comme des entrailles et délicate,
forte comme des tendons.

Écoutez-nous, Morts étendus dans
l'eau au profond des plaines du
Nord et de l'Est.
Recevez ce sol rouge, sous le soleil
d'été ce sol rougi du sang des
blanches hosties
Recevez le salut de vos camarades
noirs, Tirailleurs sénégalais
MORTS POUR LA RÉPUBLIQUE !
Tours, 1938

(Léopold Sédar Senghor, Hosties noires, Tours
1938, Œuvre poétique, Paris, Éditions du Seuil,
1990, pp. 67–68.)

6.12 La seconde rupture du lien ombilical

Quelqu'un qui, même de loin, aurait pu m'observer au sein du petit monde familial, dans mes premières années d'existence, aurait sans doute prévu que je serais un écrivain, ou tout au moins un passionné de lettres, mais s'il s'était hasardé à prévoir dans quelle langue j'écrirais, il aurait dit sans hésiter : « en langue arabe, comme son père, comme sa mère, comme ses oncles, comme ses grands-parents ».
Il aurait dû avoir raison, car, autant que je m'en souvienne, les premières harmonies des muses coulaient pour moi naturellement, de source maternelle.
Mon père versifiait avec impertinence, lorsqu'il sortait des Commentaires, ou du Droit Musulman, et ma mère souvent lui donnait la réplique, mais elle était surtout douée sur le théâtre. Que dis-je ? À elle seule elle était un théâtre. J'étais son auditeur unique et enchanté, quand mon père s'absentait pour quelque plaidoirie, dont il nous revenait persifleur ou tragique, selon l'issue de son procès.
Tout alla bien, tant que je fus un hôte fugitif de l'école coranique. C'était à Sédrata, non loin de la frontière algéro-tunisienne, où se trouve encore aujourd'hui l'épave miraculeuse de toute une tribu … C'est là que j'ai gagné ma planchette en couleurs, après avoir innocemment gravi une immense carrière de versets incompris. Et j'aurais pu m'en tenir là, ne rien savoir de plus, en docte personnage, ou en barde local, mais égal à lui-même, heureux comme un poisson dans l'eau, dans un étang peut-être sombre, mais où tout lui sourit. Hélas, il me fallut obéir au destin torrentiel de ces truites fameuses qui finissent tôt ou tard dans l'aquarium ou dans la poêle. Mais je n'étais encore qu'un têtard heureux dans sa rivière, et des accents nocturnes de sa gent batracienne, bref ne doutant de rien ni de personne. Je n'aimais guère la férule ni la barbiche du taleb, mais j'apprenais à la maison et nul reproche ne m'était fait. Pourtant, quand j'eus sept ans, dans un autre village (on voyageait beaucoup dans la famille, du fait des mutations de la justice musulmane), mon père prit soudain la décision irrévocable de me fourrer sans plus tarder dans la « gueule du loup », c'est-à-dire à l'école française. Il le faisait le cœur serré :
— Laisse l'arabe pour l'instant. Je ne veux pas que, comme moi, tu sois assis entre deux chaises. Non, par ma volonté,

tu ne seras jamais une victime de Medersa. En temps normal, j'aurais pu être moi-même ton professeur de lettres, et ta mère aurait fait le reste. Mais où pourrait conduire une pareille éducation ? La langue française domine. Il te faudra la dominer, et laisser en arrière tout ce que nous t'avons inculqué dans ta plus tendre enfance. Mais une fois passé maître dans la langue française, tu pourras sans danger revenir avec nous à ton point de départ.

Tel était à peu près le discours paternel.

Y croyait-il lui-même ?

Ma mère soupirait ; et lorsque je me plongeais dans mes nouvelles études, que je faisais, seul, mes devoirs, je la voyais errer, ainsi qu'une âme en peine. Adieu notre théâtre intime et enfantin, adieu le quotidien complot ourdi contre mon père, pour répliquer, en vers, à ses pointes satiriques … Et le drame se nouait.

Après de laborieux et peu brillants débuts, je prenais goût rapidement à la langue étrangère, et puis, fort amoureux d'une sémillante institutrice, j'allais jusqu'à rêver de résoudre, pour elle, à son insu, tous les problèmes proposés dans mon volume d'arithmétique !

Ma mère était trop fine pour ne pas s'émouvoir de l'infidélité qui lui fut ainsi faite. Et je la vois encore, toute froissée, m'arrachant à mes livres – tu vas tomber malade ! – puis un soir, d'une voix candide, non sans tristesse, me disant : « Puisque je ne dois plus te distraire de ton autre monde, apprends-moi donc la langue française … » Ainsi se refermera le piège des Temps Modernes sur mes frêles racines, et j'enrage à présent de ma stupide fierté, le jour où, un journal français à la main, ma mère s'installa devant ma table de travail,

lointaine comme jamais, pâle et silencieuse, comme si la petite main du cruel écolier lui faisait un devoir, puisqu'il était son fils, de s'imposer pour lui la camisole du silence, et même de le suivre au bout de son effort et de sa solitude – dans la gueule du loup.

Jamais je n'ai cessé, même aux jours de succès près de l'institutrice, de ressentir au fond de moi cette seconde rupture du lien ombilical, cet exil intérieur qui ne rapprochait plus l'écolier de sa mère que pour les arracher, chaque fois un peu plus, au murmure du sang, aux frémissements réprobateurs d'une langue bannie, secrètement, d'un même accord, aussitôt brisé que conclu … Ainsi avais-je perdu tout à la fois ma mère et son langage, les seuls trésors inaliénables – et pourtant aliénés !

(Kateb Yacine, *Le Polygone étoilé*, Paris, Éditions du Seuil, 1966)

Vocabulaire

l'épave miraculeuse de toute une tribu   les survivants de la nombreuse tribu à laquelle appartenait Kateb Yacine

planchette en couleurs   objet sur lequel les enfants des écoles coraniques apprennent la lecture et l'écriture

batracienne   la gent batracienne, façon humoristique de dire « les grenouilles et crapauds »

taleb   dans ce contexte, le maître qui enseigne le Coran à l'école

Notes culturelles

Sédrata   ville algérienne située au sud-est de Constantine, où est né Kateb Yacine

Medersa   une medersa ou madrassa est une école, un collège, un lycée ou une université dans les pays musulmans

On croirait un cliché de l'époque coloniale. C'en est un : trois femmes, trois sœurs, en costumes de bédouines, prennent la pose. Celle du milieu porte sur ses genoux une gargoulette en terre. La photo a été accrochée dans le cabinet de travail, en face du lit-divan. Elle n'est pas là pour faire joli. « Ma mère est celle du milieu. La plus belle des trois, non ? Elle était enceinte au moment de la photo. Elle a fait treize enfants au total – dont seulement huit ont survécu », commente Albert Memmi. Une photo « pour me rappeler d'où je viens », ajoute ce natif des quartiers pauvres de Tunis, ce juif arabe passionné de Montaigne, fils d'un bourrelier illettré et d'une Berbère analphabète, devenu écrivain célèbre et, ce qui ne gâche rien, objet d'infinies controverses, même à 83 ans.

Dans son « grenier » de la rue Saint-Merri, à Paris, dans le 4e arrondissement, ce refuge sous les combles tout habillé de livres où il reçoit ses visiteurs et travaille chaque jour, il y a d'autres images : un Bouddha aux yeux mi-clos, un cloître, quelques dessins aussi, une pièce de monnaie romaine de la province de Byzacène (l'actuelle région de Sousse, en Tunisie), frappée du nom de Memmi, « famille consulaire ». Ici et là, des chapelets pendent du plafond, « non pas pour la prière, mais afin qu'on évite de se cogner aux poutres », précise le locataire de sa voix égale, légèrement métallique.

L'appartement est situé au deuxième étage. L'écrivain et son épouse Germania, dite Germaine, Lorraine et catholique d'origine, agrégée d'allemand et peintre amateur, y ont posé leurs valises à la fin des années 1950. Ils n'en ont jamais déménagé. Dans le couloir d'entrée, le mur est couvert de photos prises lors de cérémonies d'hommage ou de remise de prix. Albert Memmi en a eu beaucoup : son œuvre a été traduite en plus de vingt langues et « environ soixante-dix ouvrages ou thèses » lui ont été consacrés.

Né le 15 décembre 1920, celui qui s'est lui-même baptisé « le nomade immobile » (titre d'un de ses nombreux livres, publié en 2000 aux éditions Arléa) s'est souvent amusé au jeu des origines, qui est, à lui seul, une invite au voyage et à la quête de soi. « Memmi serait un antique patronyme kabyle, qui signifie « le petit homme » ou, autre hypothèse, le vocatif de Memmius, membre de la gens romaine Memmia. »

Mais est-ce seulement un jeu ? « Voici un écrivain français de Tunisie qui n'est ni français ni tunisien. C'est à peine s'il est juif puisque, dans un sens, il ne veut pas l'être », avait noté Albert Camus, dans sa préface au premier roman de Memmi, *La Statue de sel*, paru en 1953 (Corréa) et plusieurs fois réédité (Gallimard). « J'étais une sorte de métis de la colonisation, qui comprenait tout le monde, parce qu'il n'était totalement de personne », confirme Albert Memmi lui-même, quelques années plus tard, dans la présentation de son essai majeur, *Le Portrait du colonisé* (précédé du *Portrait du colonisateur*, préface de Jean-Paul Sartre, éditions Corréa, 1957, plus tard réédité par Pauvert et Gallimard). Fuyant la tyrannie du groupe – qu'il soit partisan, religieux, national ou ethnique –, fuyant aussi la malédiction d'être pauvre, l'obscurité des dominés, ce réfractaire impénitent n'a pourtant pas rompu avec ses « appartenances multiples », qu'elles soient de naissance ou acquises. Du moins, pas tout à fait. S'il a largué quelque chose, c'est seulement les amarres.

Sa première fugue est celle de la langue. « Je ne pouvais pas m'exprimer profondément et rigoureusement dans la langue de ma mère, qui n'a jamais parlé qu'en patois tunisois », souligne-t-il, évoquant l'arabe dialectal, qui est alors le lot exclusif de la majorité des « indigènes », selon l'expression de l'époque. « La langue française était pour moi la seule issue – je me suis construit à travers elle », ajoute l'ancien élève du lycée Carnot de Tunis, qui fait l'apprentissage du français comme on se jette à l'eau. « Il fallait que je nage. C'était du quitte ou double ! », s'exclame-t-il aujourd'hui, presque douloureusement. Le prix à payer pour ce premier arrachement a été lourd – sans doute bien plus qu'il ne l'avoue.

Self-made-man acharné et presque masochiste, cet admirateur de la « belle Université française » – où il finira par se faire intégrer dans les années 1960 – ne supporte pas qu'on la moque. Railler l'Université n'est-ce pas le railler lui, le fils de pauvre, l'immigré méritant ? Les « pseudorévolutionnaires de Mai 68 » le mettent en rage. Lui qui a eu « tant de mal à [se] dépêtrer de l'emprise familiale », le voilà contraint de subir le joug de l'utopie, ce « placebo de la pensée ». Les manifestations du Quartier latin lui rappellent les monômes, « ces divertissements d'enfants de la bourgeoisie qui rentraient ensuite dîner chez leurs parents ». Il n'en démordra pas. De Tunis à Paris, le verdict est le même : « La séparation des classes est aussi profonde que celle des religions, et je n'étais pas des leurs. » À ce constat, se mêlent, il l'écrit lui-même, « l'envie amère, l'aigre rancœur et le ressentiment » contre ceux qu'il appelle « les riches »... Vieille histoire ! « À l'image de la ville, le lycée était d'une diversité dépaysante. J'eus des camarades français, tunisiens, italiens, russes, maltais, et juifs aussi, mais d'un milieu si différent du mien qu'ils m'étaient des étrangers », raconte Albert Memmi dans *La Statue de sel*, récit de sa « jeunesse amère », selon le mot de Sartre, portrait d'une Tunisie cosmopolite aujourd'hui disparue.

« Autofiction avant la lettre », ce coup d'essai fit l'effet, à Tunis, au sein de la communauté juive, d'un « coup de tonnerre », se souvient une ex-Tunisoise, l'universitaire Annie Goldman, amie de l'écrivain. « Les gens étaient à la fois fiers et choqués. C'était la première fois que quelqu'un de Tunis, juif, en plus, était publié à Paris, explique-t-elle. Mais c'était aussi la première fois qu'on décrivait la pauvreté – sans parler de certains personnages du livre, très facilement reconnaissables... »

Quelques décennies plus tard, dans les années 1995, quand ce classique de la littérature maghrébine francophone est mis au programme de l'Institut supérieur des langues de Tunis, « l'immense majorité de mes étudiants ignoraient le nom d'Albert Memmi », rappelle Rabaa Abdelkefi, maître-assistante au département de français de l'Institut. « En lisant *La Statue de sel*, ils ont découvert qu'il y avait eu un ghetto juif – et même, pour certains, qu'une communauté juive avait existé. Ce qui les a le plus surpris, c'est de réaliser que des juifs tunisiens pouvaient avoir eu l'arabe comme langue maternelle. Et qu'on pouvait être juif et pauvre ! », souligne l'universitaire. Il est vrai que les temps ont changé : forte de quelque 150 000 membres en 1945, la communauté juive de Tunisie a décliné jusqu'à ne plus compter aujourd'hui qu'un peu moins de 1 000 personnes. Parmi les étudiants de Rabaa Abdelkefi, « la plupart ont réagi avec sympathie », en découvrant *La Statue de sel*. Une infime minorité – « deux, je crois, pas plus » sur quelque 400 étudiants – ont refusé d'ouvrir le livre de Memmi, « parce qu'il était juif ». […]

(*Le Monde*, 16 juin 2004)

6.14 Les grands problèmes, les valeurs vraies, le sérieux se trouvaient ailleurs

Ce jour-là, je ne fis pas de nouvelles remarques ; je traînai seul à table, désœuvré, découpant les écorces d'orange en figures géométriques, carrés, losanges, rectangles construisant des ensembles architecturaux, orange sur fond blanc. Les enfants serraient mon père dans un coin, comparant leurs âges et leurs mérites respectifs, criant toujours à l'injustice de la répartition. M'apercevant à l'écart, sans doute frappé visuellement de mon exclusion, n'ayant pas encore le cœur serein, mon père lança sournoisement :

— Tout le monde réclame son cadeau sabbatique ; sauf Mordekhaï. Cela lui est égal, il n'est pas juif.

Ce refus me fit mal. Il déclencha mes tumultes. Je voulais bien partir, mais n'aurais pas supporté d'être chassé. Être juif consistait-il en ces rites stupides ? Je me sentais plus juif qu'eux, plus conscient de l'être, historiquement et socialement. Leur judaïsme signifiait faire éteindre par Boubaker, manger du couscous le vendredi ! Encore si la Bible prescrivait le couscous !

— Si, lui affirmai-je, si, je suis juif … mais pas comme vous.

Il ne comprit pas, ramena le problème aux questions qui le préoccupaient.

— Si tu étais libre de ta personne, si tu vivais dans ta propre maison, allumerais-tu du feu le samedi ?

Nous y voilà. Il n'avait pas digéré la scène de la veille.

— Bien sûr, répondis-je avec défi.

Les enfants se taisaient, écoutant avec beaucoup d'attention, cherchant à préciser des problèmes qui, déjà, naissaient en eux. Ma mère fit une moue indignée. Comme d'habitude, elle simulait vigoureusement pour émousser les réactions de son mari. Cependant je la sentais désapprobatrice.

— Non, non, laisse-le parler, dit mon père, amer. Il vaut mieux que tu saches quel fils tu as. Lui, savait à quoi s'en tenir. Il opérait une ultime vérification, un passage à la limite. Peut-être n'accepterais-je pas de dire des monstruosités, sinon de les commettre. Il chercha le plus grave.

— Quelle différence y a-t-il entre toi et un musulman ?

Il me provoquait ! Son irritation germait.

— Aucune, dis-je. Ou, s'il y en a, je le regrette. J'aurais préféré qu'il n'y en eût pas.

— Peut-être, reprit-il hésitant, épouserais-tu une non-juive ?

— Peut-être bien.

En vérité, sur le plan du langage et mis au défi, j'aurais affirmé n'importe quoi. Je ne voyais pas ce que cela entraînerait à vivre. Oui, je refusais, je refusais tout ! Tout ce qu'on prétendait m'imposer si gratuitement. Car la vanité de ces pratiques me paraissait indiscutable. Les grands problèmes, les valeurs vraies, le sérieux se trouvaient ailleurs ; je les découvrais tous les jours au lycée, dans les livres, dans la littérature et la philosophie, dans la politique. Allions-nous vers une société socialiste ? La poésie est-elle un exercice mystique ? Le machinisme apporterait-il la justice sociale ? L'art et la morale sont-ils liés ? Voilà des soucis autrement nobles que celui d'utiliser le tramway le samedi ! Je m'exaspérais à constater ma pensée occupée, malgré moi, à des problèmes nains, à vivre en butte à ces mesquineries sacrées.

Ma mère mit son index sur sa tempe et révulsa ses yeux avec l'expression feinte d'une joie intense. Ce qui signifiait que je devenais fou ou que je plaisantais ; c'était évident. Cependant j'avais tort de pousser si loin la plaisanterie un samedi, surtout devant mon père, un père bon mais irritable…

— Arrête, décida-t-elle, tu commences à tout mélanger !

C'était son expression définitive ; elle voulait dire, tu délires, tu ne fais plus la part de chaque chose, de chaque valeur. Ce qui, dans son univers bien hiérarchisé, était la pire des folies. Mon père hésitait. Pouvais-je aller plus loin ? Que restait-il à perdre ? Négligeant la mimique, les atténuations salvatrices de ma mère, il reprit son élan et lança le test définitif :

— Je suppose que tu ne circonciras pas tes garçons.
Je ne pus répondre aussi vite. J'hésitai. Non que je n'eusse envie de crier : oui ! oui ! oui ! Mais j'étais impressionné par la gravité de leurs attitudes, le pressentiment de leur bouleversement. Les enfants, ma mère se taisaient, effrayés. Mon père attendait, désorienté par la tournure de l'incident.
— Je ne sais pas, articulai-je enfin.

(Albert Memmi, *La Statue de Sel*, Paris, Éditions Gallimard, 1966, pp. 164–6)

6.15 Entrevue avec Françoise Ugochukwu (1)

Françoise, quelle est ta relation aux cultures française/igbo ? Et à chacune de ces deux langues ?

Moi j'ai quitté la France à l'âge de 23 ans, et je ne suis plus revenue vivre en France. Quand je vivais en France j'étais une enfant. J'ai pas vécu une vie d'adulte en France. Pour moi la culture igbo c'est devenu ma culture. Mais bien sûr j'ai les deux cultures. D'abord la langue française pour moi, c'est une langue qui m'a toujours éblouie, qui m'a transportée dans le beau, à partir de la classe de 5e, donc avec des poèmes. C'est aussi une architecture, une sonorité, un équilibre. L'igbo c'est une langue que j'aime beaucoup parce que c'est une langue qui est terre à terre et elle exprime beaucoup de nuances que le français ne peut pas exprimer. En particulier avec les verbes. Il y a différents types de verbes, par exemple selon la direction que tu prends. Et aussi il y a l'art de la litote, du non-dit, de tout ce qui est juste effleuré, qu'on ne dit pas et qu'on attend que les gens comprennent. La culture igbo pour moi, c'est surtout le sens communautaire, la complexité des rapports à l'autre, le respect des anciens, le sens de la vie. Tout le monde a sa place. La culture française, pour moi c'est surtout l'enracinement dans le terroir. Le pain, le vin, le climat, les couleurs.

Y a-t-il parmi tes poèmes des textes qui ont été « faciles » à écrire, ou d'autres au contraire « difficiles », et pourquoi ?

En fait ce n'est jamais facile d'écrire. Moi quand j'écris, je ne pense pas à comment je vais arranger ça, comment le vers va être. Ça ce n'est pas mon problème, je ne m'intéresse pas à la technique. Elle vient comme elle vient. Tout ce que je peux dire, c'est que c'est comme si les mots… c'est un peu comme avoir un enfant. Les mots sortent un par un, est-ce que c'est ce mot-là qui dit vraiment ce que je veux… ? Ça remue énormément d'émotions et même après des années c'est la même chose quand je le relis, après je me dis « ah là là ! », ça me remue énormément. C'est ça qui est le plus difficile, c'est de trouver le mot juste et la couleur. Par exemple quand j'ai écrit le poème « Couleurs » c'était assez facile d'une certaine manière parce que c'était juste comme une photo de quelque chose qui se passait à un moment particulier. Donc j'avais très envie de dire ça, donc ça venait très facilement d'une certaine façon mais en même temps il y a toujours cette difficulté de polir le mot, de trouver le mot exact.

(Françoise Ugochukwu, interviewée par Marie-Noëlle Lamy, septembre 2009)

Parlons un peu maintenant de *Kwashiorkor* : où étais-tu quand tu as écrit ce poème ? Est-ce que le lieu influe sur l'écriture ?

Non je ne crois pas que le lieu influe. Par exemple trois de mes poèmes ont été écrits à Dakar (*Dakar aux quatre vents*, *Traversée* et *À un passant sans nom*), et donc c'est parce que j'étais là que j'ai écrit. Mais en fait c'était pas le lieu tellement, c'étaient les émotions à ce moment-là. J'étais hors de chez moi, je me sentais vraiment mal. Et j'ai écrit. Mais en ce qui concerne *Kwashiorkor*, c'était pas du tout ça qui a été le plus important pour moi.

Et donc quel a été le déclenchement, pour *Kwashiorkor* ?

J'étais en colère en fait. Je venais de rentrer au Nigeria après un mois en France. Chaque fois c'était vraiment dur. C'était une accumulation d'impressions, de choses que je n'arrivais pas à accepter.

En fait le début du poème c'est ça. Si tu regardes le poème, il y a un choc très violent et puis en même temps c'est nuancé tout ça. D'abord, l'Afrique c'est où ? Les gens ne savent pas. Moi j'ai reçu une lettre chez moi au Nigeria qui avait été adressée au Niger, à Niamey. Parce que pour les gens, ça existait pas, le Nigeria. Pour eux l'Afrique c'est quoi ? Les pygmées, les éléphants, tout ça, et en fait y a rien qui existe ! C'est ça qui est drôle. C'est qu'au Nigeria y a pas de pygmées, y a pas d'éléphants, y a presque pas de jungle, y a certainement pas de safari, ni de Club Méditerranée ni de paillotes. Tous ces trucs n'existent pas. C'est ce que les gens disent, mais en fait c'est pas ça. Et les deux continents se rencontrent à l'occasion de festivals, de colloques etc., où les pays comme le Nigeria donnent une image fausse d'eux-mêmes. Consciemment ou non. Et puis hop, les blancs repartent, laissant derrière eux ceux d'entre eux – les expatriés – qui ont fait leur vie en Afrique et que l'Europe considère comme « perdus » (« votre fille est perdue ») parce qu'on sait bien qu'ils ont désormais une autre façon de voir les choses et qu'ils sont très loin de ce qui se passe en Europe. Les deux continents vivent le temps et se développent de façon radicalement différente et il n'y a pas beaucoup d'espoir qu'ils se comprennent jamais totalement. Quand voit l'Afrique depuis l'Europe, c'est triste. C'est le zoo, c'est le cirque et c'est le bordel avec toutes les filles qui sont ici dans différents pays d'Europe. Mais en fait c'est pas ça, le Nigeria.

C'est magnifique, c'est beau, c'est fabuleux mais en même temps derrière il y a tout ce qui est triste. Pour moi les aéroports, tous ces gens qui voyagent… l'aéroport c'est nul, c'est un endroit qui n'est de nulle part, c'est comme une prison, et puis bien sûr il y a la drogue, il y a les malfaiteurs … Mais en même temps il y a les flamboyants, qui sont des arbres magnifiques, les paniers d'oranges du marché, l'ambulance. Les danses des femmes, ça c'est beau. Les masques, c'est beau et puis c'est dangereux en même temps, les intellectuels en rond, ils savent même pas quoi faire, les grues immobiles, les immeubles désertés, c'est tout ce qui est arrêté parce qu'il y avait plus d'argent pour construire. La route s'est effondrée. Les étrangers s'en vont. Et tu vois que les étrangers sont là quand tout marche bien… Quand tout va mal ils s'en vont ! Mais derrière, quand ils sont partis, il y a quelque chose de beau. Par exemple les ceintures de palmes tressées ce sont les gens qui montent aux arbres pour récolter le vin de palme, et les vélos qui transportent les gourdes au marché après. Les femmes qui vendent l'huile de palme, les tas de noix de palme que les enfants grignotent dans les cours. Il y a des choses dangereuses, il y a des choses mauvaises mais en même temps comme je dis à la fin, elle repoussera la rizière, le brouillard se lèvera, les exilés sont de retour. Y a un jour où les gens qui sont exilés vont revenir et c'est un peu tout ça le poème. C'est pour dire « Bon ! Personne se comprend mais en fait il y a une énorme richesse qui est là pour celui qui veut savoir : mais ça prend du temps ».

(Françoise Ugochukwu, interviewée par Marie-Noëlle Lamy, septembre 2009)

COULEURS

Jaunes pommes cajou
Tendues et lisses
Et jaune des régimes
Au bananier qui ploie

Jaune crème taché de brun
Des noix grappes de seins
Par quatre et par huit
Pendues au tronc des cocotiers

Les pétales du tournesol
Se mêlent aux reflets verts
Aux reflets jaunes
Des palmes du mois de mars

Oh le soleil des petits matins gris
Orange clair orange rouge
De la papaye et de la mangue
Orange pourpre de nos murs
Après la boue des pluies

Orange de la lampe à la vitre des nuits
Roux des cailloux et transparence
De l'eau jaillie de la fontaine
Rouge des drupes gorgées d'huile
Brun de la terre aux arachides

Les avocats bleu nuit reluisent sous les feuilles
Dans la magie verte des pluies
Où les tendres pousses
Des petits bananiers
Les pâles feuilles de manioc
Et le sombre acacia
L'épais feuillage des manguiers
Qu'éclairent çà et là les feuilles de l'année
Et les vertes oranges
Jouent avec l'or des mandarines

Jaune et verte
Ocre et brune
L'Afrique danse
Dans le sentier

Gris rose aux taches rousses
Du tronc du cocotier
Cercles superposés lovés comme serpents
Gris noirâtre du tronc rugueux de nos palmiers
Jaune vert du corossolier
Aux fruits de reflets roses
Rose pourpre or et blanc
Aux branches du frangipanier
Se mêlent dans le bleu
Au violet du bougainvillier

La tomate est rouge au panier
Strié l'oignon rouge la pierre
À l'angle du petit marché
Et le gris nuage
Nuance l'explosion
Le feu
Du soleil noir au bord des nuits

(Francoise Ugochukwu, « Couleurs » dans *À la vitre des nuits*, Paris, L'Harmattan, 2008)

6.18 *Kwashiorkor*

KWASHIORKOR

L'Afrique
C'est où
Ils parlent de Pygmées d'éléphants   La jungle
Safaris   Club Méditerranée
Paillotes   Nudité
                              Plages d'immensité
Cocotiers en rang pour la photo
Festivals   Caméras
Votre fille est perdue
Serpents et flore en serre chaude dans les hivers
Grelottants d'Europe
Le zoo   Le cirque   Le bordel

Afrique   Nigeria
Soirs roses et bleu roi
Manguiers lourds de promesses
Odeur chaude qui monte de la terre mouillée des
Soirs d'orage
Tonnerres au lointain
Éclairs de saison sèche

Termitières
Aéroports
La drogue à la une
Cacophonie des crapauds-buffles
Un gang de malfaiteurs à la croisée des routes
Flamboyants   Paniers d'oranges
L'ambulance passe en hurlant
Danses des femmes aux longs pagnes
Masques armés de fouets comme aux jours
d'autrefois
Les intellectuels en rond
Grues immobiles   Immeubles désertés
À mi-hauteur sur un ciel de fer et de vent

La route s'est effondrée
Les chauves-souris crient sous le toit
Les étrangers s'en vont
Queues aux comptoirs des banques
Le dollar c'est combien

Mais la richesse est dans le champ
Dans l'odeur acre des feux de brousse
Ceintures de palmes tressées
Vélos rouillés chargés de gourdes
Vin de palme et kola des réunions d'anciens
Femmes aux mains d'huile rouge
Accroupies
Tas de noix dans les cours
Pains de manioc et de millet

La route a coupé le village
L'arbre fétiche est arraché
Oh la mort des enfants dans le grand hôpital
Elle repoussera la rizière
Le brouillard nous a caché l'aube

Demain   Demain
Les exilés sont de retour

(Françoise Ugochukwu, « Kwashiorkor » dans *À la vitre des nuits*, Paris, L'Harmattan, 2008)

6.19   Le hammam

Les produits de beauté du hammam

Le hammam a été réservé pour cette occasion ; Zoubida, l'Assise, reçoit ce cortège en poussant des youyous ; Amber en appelle au Prophète et à ses compagnons ; les tayabates, masseuses et laveuses sont là, on laisse les habits à l'entrée, à côté des valises contenant des vêtements neufs. L'entrée au fond du hammam se fait dans la joie et les cris. Les cousines taquinent Amber qui, avec ses seins énormes, les fait rire. Elle est grosse et s'en moque. Ses seins tombent comme des fruits lourds. Les filles sont fières de leurs petits seins bien fermes. Elles se touchent, se font des chatouilles, rient, manquent de glisser et de tomber. Une masseuse prend en main la mariée. Elle la caresse lentement, la lave, et puis se met à la masser sérieusement. Après un moment, Amber se sentant fatiguée demande qu'on se repose un instant, le temps de manger quelques oranges. Elles quittent la chambre chaude, s'installent dans la pièce tiède. Là elles respirent. Elles mangent, boivent de l'eau fraîche, se détendent puis repartent vers la grande chaleur pour terminer le nettoyage de la peau. La masseuse leur montre comment frotter pour enlever les peaux mortes sans se faire mal. Elle leur dit, ici c'est le cimetière des peaux qui ne servent à rien, c'est aussi le lieu où on supprime tout ce qui dépasse sur la peau des femmes, les poils, ah les poils il faut les éliminer, le mari quand il se met au lit avec sa gazelle, il ne doit rencontrer que de la douceur, une peau lisse, douce, belle, tout ce qu'il n'a pas, vous comprenez mes petites, la peau d'une femme doit être préparée, tout le corps doit être préparé, l'esprit aussi, mais la nuit de noces, c'est le corps qui est à l'épreuve ; un conseil pour notre jolie gazelle qui sera offerte demain à son homme : glisse entre ses mains comme un poisson, ne te donne pas d'emblée, il faut qu'il te cherche un peu, laisse-le te mériter, tu sens bon, tu es prête, pas un poil sur toute ta peau, tu es un fruit mûr, mais il faut qu'il se fatigue un peu. Tu es obéissante évidemment, mais en même temps, tu as le droit de jouer un peu, après tout tu es encore une enfant, une gamine d'à peine quinze ans !

Arrive le moment du taqbib : les tayabates ont rempli d'eau tantôt chaude tantôt tiède sept seaux ; elles puisent dedans pour verser cette eau sur la tête de la future mariée ; elles prétendent que le récipient avec lequel elles prennent l'eau vient de la Mecque. Après les sept lavages, elles proclament que la gazelle est sous la protection des anges !

(Tahar Ben Jelloun, *Sur ma mère*, Paris, Éditions Gallimard, 2008, pp. 37–9)

6.20 La rencontre

Mon rêve est d'organiser une rencontre entre nos deux mères. La mienne, ne pouvant pas se déplacer, recevrait à Tanger la mère de Roland. J'imagine les préparatifs pour un tel événement. Repeindre la maison, changer le tissu des matelas, refaire la salle de bains… Si la mère de Roland avait envie d'aller aux toilettes, je n'ose penser au choc qu'elle pourrait avoir en trouvant une chasse d'eau en panne pourtant mainte fois réparée, un bidet où les deux robinets sont hors d'usage parce que Keltoum les a cassés juste pour ennuyer yemma, un lavabo ébréché, une ampoule qui pendouille au plafond parce que le fil, retenu par un vieux clou, aura cédé et que l'électricien chargé de réparer tout cela n'est autre qu'un des nombreux fils de Keltoum et qu'il ne sait rien faire. Tu imagines le regard suisse sur une salle de bains de Marocains modestes ! Non, je préfère que la rencontre ait lieu dans le patio de l'hôtel El Minzah. Je transporterai ma mère sur un fauteuil roulant, je lui dirai qu'une vieille dame souhaite faire sa connaissance, une dame un peu plus âgée qu'elle et bien mieux conservée ; elle me dira qu'il faut l'inviter à la maison, puis se ravisera et fera remarquer que la cuisine de Keltoum est lourde et pas toujours bonne. Je traduirai le dialogue entre les deux mondes et j'en rendrai compte à Roland qui rira beaucoup.

Ma mère me dira : cette dame se porte mieux que moi, es-tu sûr de son âge, parce que moi je ne sais pas quand je suis née, tu as plusieurs fois calculé et tu as trouvé un âge qui ne me correspond pas, mais dis-moi, cette dame, elle est chrétienne, n'est-ce pas ? Elle n'est pas musulmane, je veux dire elle n'est pas comme nous, donc elle est une infidèle et ira en enfer, n'est-ce pas ce que dit le Coran ? Ce n'est pas bien ce que je dis là, mais on nous a toujours appris que les chrétiens et les incroyants iraient en enfer, donc la mère de ton ami n'ira pas au paradis, je ne la verrai pas là-bas ! Mais yemma, tu sais bien que ce sont les actes des êtres qui font que l'âme se retrouve en enfer ou au paradis ! Ah bon ! tu as raison, que de fois ton père faisait la remarque sur des non-musulmans qui se conduisent bien mieux que des musulmans, il disait ce juif mérite d'être musulman, ou ce chrétien est des nôtres tellement il est bon !

(Tahar Ben Jelloun, *Sur ma mère*, Paris, Éditions Gallimard, 2008, pp. 164–5)

Ces « métèques » qui illustrent la littérature française

Les mots se jouent des visas pour entrer dans la littérature. La littérature française est donc celle que construisent tous les auteurs qui s'expriment en français, où que ce soit dans le monde. À cet égard, le qualificatif de « francophones », pour désigner les écrivains ressortissant d'autres pays que la France, et les œuvres qu'ils produisent, est non seulement absurde, mais aussi blessant. Ne fait-il pas penser aux tentatives d'instaurer une hiérarchie entre les Français dits « de souche » et les autres, pourtant tous citoyens égaux en droits ?

Par Tahar Ben Jelloun

Pourquoi la cave de ma mémoire, où habitent deux langues, ne se plaint jamais ? Les mots y circulent en toute liberté, et il leur arrive de se faire remplacer ou supplanter par d'autres mots sans que cela fasse un drame. C'est que ma langue maternelle cultive l'hospitalité et entretient la cohabitation avec intelligence et humour.

Ainsi, que de fois il m'est arrivé, en écrivant, d'avoir un trou, un vide, une sorte de lacune linguistique. Je cherche l'expression ou le mot juste, mot parfois banal, et je ne le retrouve pas. La langue arabe, classique ou dialectale, vient à mon secours et me fait plusieurs propositions pour me dépanner. Ces mots arabes, je les écris dans le texte même, en attendant que ceux qui m'ont lâché reviennent. C'est une question d'humeur, de fatigue ou d'errance.

Oui, il m'arrive de céder à une errance dans l'écriture comme si j'avais besoin de consolider les bases de mon bilinguisme. Je fouille dans cette cave, et j'aime que les langues se mélangent, non pas pour écrire un texte en deux langues, mais juste pour provoquer une sorte de contamination de l'une par l'autre. C'est mieux qu'un simple mélange ; c'est du métissage, comme deux tissus, deux couleurs qui composent une étreinte d'un amour infini.

Cette situation est simplement fabuleuse. Personne ne peut affirmer que cette appartenance à deux mondes, à deux cultures, à deux langues n'est pas une chance, une merveilleuse aubaine pour la langue française. Car c'est en français que j'écris et, pour des raisons de choix et de défi, je ne me suis jamais senti prédisposé à créer en langue arabe classique. Malheureusement je ne maîtrise pas cette langue, belle, riche et complexe. Une question de hasard et d'histoire. Il aurait fallu tôt s'investir entièrement dans cette langue pour pouvoir l'utiliser et en faire l'expression privilégiée de mon imaginaire, avec l'ambition de raconter des histoires qui sont autant de desseins humains ; je savais cependant, comme le dit un personnage de *Tandis que j'agonise,* de William Faulkner, que « les mots ne correspondent jamais à ce qu'ils s'efforcent d'exprimer ».

Dès l'école primaire, je me suis trouvé face aux deux langues, joyeusement confronté à deux tribus de mots, à deux maisons, l'une plus vaste que l'autre, mais toutes deux hospitalières, aérées, spacieuses, avec quelques trésors cachés sous le marbre ou le zellige taillé par des artisans talentueux. Mon père craignait que le français ne l'emporte sur l'arabe ; ma mère, qui ne savait ni lire ni écrire, me disait : « Apprends toutes les langues, le principal c'est que tu continues à me parler en arabe dialectal ! »

Mes premiers poèmes, je les ai écrits tout naturellement en français parce que je venais de lire *Les Yeux d'Elsa*, de Louis Aragon, et que j'ai été bouleversé par ces poèmes largement inspirés de la poésie amoureuse des Arabes d'Andalousie. Ces textes m'ont accompagné durant mon adolescence et, pour m'adresser aux jeunes filles, je leur citais quelques vers d'Aragon. Depuis, j'ai découvert les surréalistes, et là, je savais que la langue française serait celle que j'utiliserais pour tout dire. Je ne sais pas si j'ai tout dit, mais le français me donne une liberté, une jouissance qui m'enchantent et fouettent avec une belle énergie mes pensées les plus enfouies.

C'est cette même liberté qui règne dans ma cave. Elle permet aux mots des deux langues de se toucher, de s'échanger et même d'émigrer.

Si le ministère de l'intérieur français généralisait le système des visas pour fouler le sol de la France, beaucoup de mots resteraient au seuil des frontières. La langue française a intégré dans son parler et dans ses dictionnaires des centaines de mots arabes, mots quotidiens, d'autres plus techniques. Mais ce passage, cette intégration se sont faits à l'insu des censeurs et autres contrôleurs. On n'a pas encore inventé la « police des langues ».

Il faut déplorer combien l'État français se trompe en diminuant les crédits de la coopération culturelle dans le monde. Plus la France fait d'économies sur la culture, surtout celle qui s'exporte et la représente à l'étranger, plus elle accentue le déclin de la langue française et celui de sa culture dans le monde. Ce sont des économies misérables, marquées par une mesquinerie qui jure et détonne avec la beauté et la splendeur de la langue française. En réduisant ses budgets, la France se fait mal voir et mal considérer, se comportant comme un pays sans grands moyens, prêt à solliciter ou à recevoir l'aumône. Mais ceux qui décident ce genre de sape dans les budgets sont des politiques assez médiocres qui ont une vision courte et sans grande ambition, considérant qu'à partir du moment où la culture n'est pas rentable immédiatement, il faut la négliger et chercher du brillant ailleurs. Telle est l'époque. C'est le règne de la valeur marchande.

Mais nous ne comptons plus sur l'État et sa politique pour continuer de servir la langue française, pour la travailler, la réinventer, la métisser, la bousculer et en sortir ce que nous portons de meilleur en nous. Quand je dis nous, je pense à tous ces écrivains quasi anonymes qui écrivent et essaient de pousser les portes de l'édition française ; je pense à ces poètes qui, tout en sachant que les grands éditeurs ont cessé ou presque, à quelques exceptions près, de publier de la poésie, continuent d'écrire et d'illustrer cette langue qui n'est pas leur langue mère ; ils se battent avec les moyens du bord pour que leurs poèmes parviennent à quelques lecteurs.

Dans *L'Année de la mort de Ricardo Reis*, José Saramago écrit que « la langue choisit probablement les écrivains qui lui sont nécessaires, elle les utilise pour exprimer une parcelle de la réalité ». Je voudrais ajouter à ce constat que la langue exprime aussi ce qui est derrière cette parcelle, ce qu'on ne voit pas ou qu'on ne dit pas. Elle va au-delà du réel, car elle ne se plie pas à la réalité visible, mais à ses composantes les plus mystérieuses, les plus énigmatiques.

Ainsi j'ai été choisi, alors que j'ai toujours été persuadé que la question du choix ne s'est même pas posée, sauf qu'au moment de passer de l'apprentissage à l'écriture, le français s'est imposé à moi avec un naturel déconcertant. La preuve : je n'ai jamais changé de langue.

Il m'est arrivé parfois de me rebeller contre la notion si ambiguë, si étroite de francophonie. Est considéré comme francophone l'écrivain métèque, celui qui vient d'ailleurs et qui est prié de s'en tenir à son statut légèrement décalé par rapport aux écrivains français de souche.

(*Le Monde Diplomatique*, mai 2007, pp. 20–1)

Bibliographie sélective

Les auteurs sont présentés par ordre d'apparition dans l'unité.

Michel Tremblay

Les Chroniques du Plateau Mont-Royal, Montréal, Éditions Leméac

- 1978   *La grosse femme d'à côté est enceinte*
- 1980   *Thérèse et Pierrette à l'école des Saints-Anges*
- 1982   *La duchesse et le roturier*
- 1984   *Des nouvelles d'Édouard*
- 1989   *Le premier quartier de la lune*
- 1997   *Un objet de beauté*

Pièces de théâtre, tous aux Éditions Leméac (Montréal)

- 1971   *À toi pour toujours ta Marie-Lou*
- 1972   *Les Belles-Sœurs*
- 1977   *Damnée Manon Sacrée Sandra*
- 1984   *Albertine en cinq temps*

Autobiographie

- 1994   *Un ange cornu avec des ailes de tôle*, Montréal, Éditions Leméac

Daniel Maximin

Romans

- 1981   *L'isolé soleil*, Paris, Éditions du Seuil
- 1987   *Soufrières*, Paris, Éditions du Seuil
- 1995   *L'île et une nuit*, Paris, Éditions du Seuil
- 2004   *Tu, c'est l'enfance*, Paris, Éditions Gallimard

Poèmes

- 2000   *L'invention des Désirades*, Paris, Éditions Présence Africaine

Patrick Chamoiseau

Romans

- 1990   *Antan d'enfance*, Hatier (*Une enfance créole 1*, Paris, Éditions Gallimard 1996)
- 1992   *Texaco* (Prix Goncourt), Paris, Éditions Gallimard
- 1994   *Chemin-d'école*, Gallimard (*Une enfance créole 2*, Paris, Éditions Gallimard 1996)
- 2005   *À bout d'enfance*, Gallimard (*Une enfance créole 3*, Paris, Éditions Gallimard 1996)

Essai

- 1989   *Éloge de la créolité* (co-auteurs Jean Bernabé et Raphaël Confiant), Paris, Éditions Gallimard

Nouvelle

- 1994   *Le dernier coup de dent d'un voleur de bananes*, Dans l'essai « *Écrire la parole de nuit — la nouvelle littérature antillaise* », Paris, Éditions Gallimard

Gisèle Pineau

Romans

- 1993   *Grande Dérive des esprits*, Paris, Éditions Le Serpent à Plumes
- 1996   *L'Exil selon Julia*, Paris, Éditions Stock
- 1998   *L'Âme prêtée aux oiseaux*, Paris, Éditions Stock

Nouvelle

- 1994   *Tourment d'amour*, Dans l'essai « *Écrire la parole de nuit — la nouvelle littérature antillaise* », Paris, Éditions Gallimard

Aimé Césaire

Poèmes

1939 *Cahier d'un retour au pays natal*, Revue Volontés (Éditions Bordas, 1947, Paris, Éditions Présence Africaine, 1956)

1959 *Ferrements*, Paris, Éditions du Seuil

1961 *Cadastre*, Paris, Éditions du Seuil (inclut *Soleil cou coupé*)

1982 *Moi laminaire*, Paris, Éditions du Seuil

Essai

1956 *Discours sur le colonialisme* Éditions Réclame (Paris, Éditions Présence Africaine, 1955)

Pièces de théâtre

1964 *La Tragédie du roi Christophe*, Paris, Éditions Présence Africaine

1965 *Une saison au Congo*, Paris, Éditions du Seuil

1969 *Une Tempête*, Paris, Éditions du Seuil

Léopold Sedar Senghor

Poèmes, tous aux Éditions du Seuil (Paris)

1945 *Chants d'Ombre*

1948 *Hosties noires*

1956 *Éthiopiques*

1961 *Nocturnes*

1973 *Lettres d'Hivernage*

Anthologie

1948 *Anthologie de la nouvelle poésie nègre et malgache de langue française*, Paris, Presses Universitaires de France

Essais

1984 *Liberté I, II, III, IV et V*, Paris, Éditions
à   du Seuil
1993

Revue

Revue négro-africaine de littérature et de philosophie fondée par Senghor en 1975

Kateb Yacine

Romans

1956 *Nedjma*, Paris, Éditions du Seuil

1966 *Le Polygone étoilé*, Paris, Éditions du Seuil

Pièce de théâtre

1971 *Mohammed, prends ta valise* (publiée dans le recueil *Boucherie de l'Espérance*), Paris, Éditions du Seuil

Albert Memmi

Romans

1966 *La Statue de sel*, Paris, Éditions Gallimard

1955 *Agar*, Paris, Éditions Buchet-Chastel

1969 *Le Scorpion*, Paris, Éditions Gallimard

1988 *Le Pharaon*, Paris, Éditions Julliard

Essais

1957 *Portrait du colonisé* (avec préface Portrait du colonisateur), Paris, Éditions Corréa (Éditions Buchet-Chastel)

2000 *Le nomade immobile*, Paris, Éditions Arléa

Françoise Ugochukwu

Romans

2006 *Chizoba dans la ville (Nigeria)*, Paris, L'Harmattan, Jeunesse

1993 *Le retour des chauves-souris*, Paris/Dakar, Nouvelles Éditions Africaines/EDICEF, Jeunesse

1987   *Une poussière d'or*, Paris/Dakar,
       Nouvelles Éditions Africaines/EDICEF,
       Jeunesse

1984   *La source interdite*, Paris/Dakar,
       Nouvelles Éditions africaines/EDICEF,
       Jeunesse

Poèmes

2009   *À la vitre des nuits*, Paris, L'Harmattan

Tahar Ben Jelloun

Romans

1985   *L'enfant de sable,* Paris, Éditions du
       Seuil

1987   *La nuit sacrée,* Paris, Éditions du Seuil,
       prix Goncourt

2000   *Cette aveuglante absence de lumière,*
       Paris, Éditions du Seuil

2008   *Sur ma mère,* Paris, Éditions Gallimard

Essais et récits

1983   *L'écrivain public,* Paris, Éditions du
       Seuil

1998   *Le racisme expliqué à ma fille,* Paris,
       Éditions du Seuil

Poèmes

1976   *Les amandiers sont morts de leurs
       blessures,* Paris, Éditions Maspéro

Acknowledgements

Grateful acknowledgement is made to the following sources for permission to reproduce material in this book:

Text

Pages 35–37: Brissaud, A., *La dernière année de Vichy*, Librarie Académique Perrin, 1965 ; *Page 38*: Général de Gaulle, *Mémoires de guerre*, Éditions Plon ; *Pages 39–40*: Pompidou, G., *Le nœud gordien*, Librarie Plon, 1974 ; *Page 48*: Driss, 'Halima', *Ils tissent les couleurs de la France*, Les Éditions de l'Atelier, 1985 ; *Page 49*: Perret, P., 'Lily', 2002 ; *Pages 50–51*: Bégaudeau, F., *Entre les murs*, © Éditions Gallimard, 2006 ; *Pages 52–53*: Désir, H., *SOS Désirs*, © Calmann-Lévy, 1987 ; *Pages 54–55*: Minces, J., *La Génération suivante*, Éditions Flammarion ; *Pages 56–57*: Jazouli, A., 'La parole aux jeunes Magrébins', *Droit de vivre*, September–October 1994, LICRA (Ligue Internationale Contre le Racisme et l'Antisémitisme) ; *Page 59*: Morin, E., 'Origine du conjoint', *Le Monde*, 23 March 1995 ; *Pages 60–61*: Bonvicini, M.L., *Immigrer au féminin*, Les Éditions de l'Atelier, 1992 ; *Pages 61–62*: Bégaudeau, F., *Entre les murs*, © Éditions Gallimard, 2006 ; *Page 63*: Ben Jelloun, T., *L'Hospitalité française : Racisme et immigration maghrébine*, © Éditions du Seuil, 1997 ; *Pages 65–68*: 'Sondages sur religion, foi, pratiques religieuses', April 2007, france2.fr ; *Pages 69–71*: Various interviews, *Le Courrier de l'Atlas*, no. 21, December 2008, DM SARL ; *Page 75*: Finkielkraut, A., *Qu'est-ce que la France*, © Éditions STOCK/Panama 2007 ; *Pages 76–78*: Gherardi, S., 'Le nationalisme nous a caché la nation', *Le Monde*, 17 March 2007 ; *Pages 82–83*: Acrimed-Toulouse, 'Concentration dans le Grand Sud Ouest : une atteinte grave au droit à l'information (Réunions publiques)', 2007, www.acrimed.org ; *Pages 84–85*: Texier, B., 'Recommandations pour la presse écrite', March 2009, archimag.com ; *Page 89*: Boin, J., 'L'indignation s'amplifie après l'affaire de Filippis', 1 December 2008, © lefigaro.fr ; *Page 90*: *Le Post*, 'Un ex-PDG de *Libération* en garde à vue : « Je me suis retrouvé en slip »', 2008, liberation.fr, *Le Monde* ; *Pages 91–93*: Assouline, M.D., 'Les nouveaux médias : des jeunes libérés ou abandonnés ?', Note de synthèse, no. 46, 2008–2009. Sénat, www.senat.fr ; *Pages 94–97*: 'Interventions publiques : Quel paysage pour la société des médias ? Nouveaux marchés, nouveaux lecteurs, nouvelles régulations', 24 November 2008, www.csa.fr. Conseil Supérieur de l'Audiovisuel ; *Pages 98–99*: Pull, H., 'Mon cellulaire, mon portable, mon confident!!!', 2008, Planète Québec ; *Page 100*: 'La concurrence de l'internet et la riposte des journaux', La documentation française ; *Page 101*: Bourgeon, T., 'Doit-on utiliser le multimédia comme une illustration et un prolongement de l'antenne ou l'intégrer au cœur même de la radio ?', *Texto*, no. 9, November–December 2008, Radio France ; *Pages 101–102*: Bourgeon, T., 'Nouveau site du Mouv' – Pour les « natifs numériques »', *Texto*, no. 9, November–December 2008, Radio France ; *Page 103*: 'Les grandes dates de la télévision française', 31 March 2005, www.humanite.fr ; *Pages 104–105*: Bourdieu, P., 'Avant Propos', *Sur la télévision*, 1996, LIBER éditions, Raisons d'Agir ; *Pages 106–107*: 'Communiqué de presse', 29 December 2008, France Télévisions ; *Pages 107–108*: Taillardas, J.P., 'L'audiovisuel public attend', *Journal Sud Ouest*, 24 November 2008, Sud Ouest ; *Pages 108–109*: 'Une tendance « irréversible » ?', from http://fr.wikipedia.org. Reproduced under the terms of the GNU free documentation licence, www.gnu.com ; *Pages 109–111*: Goepfert, E.-M., 'La médiatisation de la vie privée des hommes politiques', 2006, Université Jean Moulin ; *Page*

112 : 'La « pipolisation » des politiques gagne du terrain', *La revue de presse*, taken from Cyberpresse, www.actuchomage.org ; *Page 116* : Delacour, Y., 'Gaston Lagaffe en breton', *Le Télégramme de Bretagne*, 21 December 2006 ; *Page 121* : © Gilles Médioni/L'Express/2008 ; *Pages 122–123* : 'La musique en fête dans le monde', Agence France Presse, 21 June 2008 ; *Page 123* : Chaumont, M., 'La musique de film au cœur de la fête', *La Croix*, 21 June 2008 ; *Page 124* : Bernard, E., *Les Hauts Lieux de l'art moderne en France*, Bordas, Paris 1991 ; *Page 125–126* : Bauer, A., 'Tout est proche, mais on ne cesse de se perdre', *Les Échos*, 9 September 2008 ; *Page 127–128* : Jurgensen, G., 'Les uns et les autres', *La Croix*, 31 May 2008 ; *Pages 128–129* : www.museeinformatique.fr, © Arche Numérique 2009, reproduced by permission ; *Pages 129–130* : Discours de Jack Lang à Mexico lors d'une conférence de l'UNESCO sur les politiques culturelles, le 27 July 1982, Favre, Lausanne 1990, © Jack Lang ; *Pages 133–134* : Orione, H., 'Un festival à deux jambes', *Le Télégramme de Bretagne*, 26 August 2008 ; *Page 96* : 'Cinéma breton. L'intérêt des sous-titrages', *Le Télégramme de Bretagne*, 11 April 2008 ; *Pages 135–136* : Duault, A., 'La prise de la Bastille', *L'Événement du Jeudi*, 13-19 July 1989 ; *Page 137* : Fornerod, P., 'L'Opéra de Paris va changer', *Ouest-France*, 10 June 2008 ; *Pages 138–143* : Donnat, O., *Pratiques culturelles et usage d'internet*, Paris, Département des études, de la prospective et des statistiques, Ministère de la Communication, collection 'Culture études', 2007-3. www.Culture.gouv/fr/deps © Ministère de la Culture et de la Communication, 2007 ; *Page 151* : www.web-libre.org © Weblibre 2006 ; *Pages 151–153* : Fumey, G., *Brèves de comptoirs – Avec le TGV, la France, l'Europe et le monde lancés à toute vitesse*, 27 mai 2007, www.cafe-geo.net ; *Pages 156–158* : Boy, D., *Une nouvelle politique de la culture scientifique*, Science et Société, *Cahiers français*, n°294, janvier–février 2000, Paris ; *Pages 158–159* : Callies, M., *Mathilde, chercheuse de perles liquides*, www.cnrs.fr ; *Pages 162–163* : Résolution non législative, www.europarl.europa.eu, 21 mai 2008 ; *Pages 164–165* : *Science et Technologie*, n°13, mars 1989 ; *Pages 164–165* : Sauvaire, C., *Les labos inventent-ils nos maladies ?*, Ça m'intéresse, décembre 2006 ; *Page 167* : © Greenpeace, *235 tonnes de déchets nucléaires italiens en France*, 1er décembre 2008, www.greenpeace.org ; *Pages 168–171* : Claessens, M., *Progrès technique : quel contrôle social?*, Science et Société, *Cahiers français*, n°294, janvier-février 2000, La documentation française, Paris ; *Pages 172–173* : *Science et Technologie*, n°13, mars 1989 ; *Pages 174–176* : Verne, J. *Vingt mille lieues sous les mers*, La Bibliothèque Jules Verne, La Bibliothèque électronique du Québec, © Jean-Yves Dupuis 1997-2008 ; *Page 176–178* : Hugo, V., *Les travailleurs de la mer*, La Bibliothèque électronique du Québec, © Jean-Yves Dupuis 1997-2008 ; *Pages 184–185* : Guillebaud, J-C., *Michel Tremblay de Mont-Royal – Le vrai Québec ?* in Collection Voyages N° 6, *Le Nouvel Observateur* ; *Pages 186 and187* : Tremblay M., 'La grosse femme d'a côté est enceinte', *Les Chroniques du Plateau Mont-Royal*, Montréal, Éditions Lémeac, 1990 ; *Page 188* : Tremblay M., 'Des nouvelles d'Édouard', *Les Chroniques du Plateau Mont-Royal*, Montréal, Éditions Lémeac, 1984 ; *Page 189* : Tremblay M., 'La duchesse et le roturier', *Les Chroniques du Plateau Mont-Royal*, Montréal, Éditions Lémeac, 1982 ; *Pages 191–192* : Tremblay M., 'La grosse femme d'a côté est enceinte', *Les Chroniques du Plateau Mont-Royal*, Montréal, Éditions Lémeac, 1978 ; *Pages 194–197* : Chamoiseau, P., 'Le systeme scolaire doit exalter la diversité', pp.62-63, *Le Monde de l'Éducation*, septembre 1994 ; *Page 198–199* : Audrerie, S., Ficatier, J. et Mereuze, D., Dossier Aimé Césaire, *La Croix*, 24 avril 2008, © Bayard-Presse, 2008 ; *Pages 200–201* : Sédar Senghor, L., 'Aux Tirailleurs sénégalais morts pour la France',

Hosties Noires, Tours, 1938, Œuvre poétique, Paris, Éditions du Seuil, 1990, pp.67–68 ; *Pages 200–201* : Yacine, K., 'La seconde rupture de lien ombilical', *Le Polygone étoilé*, Paris, Éditions du Seuil, 2009, pp.181–184 ; *Pages 203–204* : Simon, C., 'Albert Memmi - Marabout sans tribu', *Le Monde*, 16 juin 2004, courtesy of *Le Monde* ; *Pages 205–206* : Memmi, A., *La statue de sel*, Paris, Éditions Gallimard, 1966, pp.164–166 ; *Pages 208 and 209* : Ugochukwu, F., 'Couleurs' et 'Kwashiorkor' dans *À la vitre des nuits*, Paris, L'Harmattan 2008, Coll. Poètes des cinq continents ; *Pages 210 and 211* : Ben Jelloun, T., *Sur ma mère*, Paris, Éditions Gallimard, 2008, pp.37–39 and pp.164–165 ; *Pages 212–213* : Ben Jelloun, T., 'Ces « métèques » qui illustrent la littérature française', *Le Monde Diplomatique*, mai 2007, pp.20–21.

Tables

Pages 44 and 45 : From Wikipedia, http://fr.wikipedia.org/wiki/D%C3%A9mographie_de3_la_France#.C3.89volution_du_lux_d.27immigrants_depuis_1995. Reproduced under the terms of the GNU free documentation licence, www.gnu.com ; *Page 141* : Table 1 : Chantepie, P. & Boucherat, J. 'Tableau 1 - Les déterminants de l'équipement et de l'usage d'internet', Culture études, 3 novembre 2007, www.culture.gouv.fr.

Illustrations

Front cover : © Marie-Noëlle Lamy .

Page 7 : © Pete Smith ; Page 17 : © The Art Archive/Musée du Château de Versailles/Alfredo Dagli Orti ; Page 20 : © The Art Archive/Musée du Louvre Paris/Gianni Dagli Orti ; Page 24 : © Pete Smith ; Page 26 : © Pete Smith ; Page 28 : © Pete Smith ; Page 43 : © Pete Smith, reproduced with permission of La Cité de l'Histoire de l'Immigration/the artist ; *Page 46* : Photo © Pete Smith, poster © franceculture.com ; *Page 48* : © Pete Smith ; *Page 50* : Drawing by Plantu, published in *Le Monde*, with permission ; *Page 55* : Reproduced by kind permission of Denis Pessin ; *Page 58* : © Eyedea/Camera Press ; *Page 59* : © Alain Pinoges/ CIRIC ; *Page 60* : © Xavière Hassan ; *Page 64* : © Jonathan Valk ; *Page 66* : © Pete Smith ; *Page 72 (top)* : © Pete Smith ; *Page 72 (bottom)* : Drawing by Plantu, published in *Le Monde*, with permission ; *Page 74* : Taken from: www.partenia.org, Jacques Gaillot, Éditions K. Haller ; *Page 79* : © Pete Smith ; *Page 85* : © Pete Smith ; *Page 87* : 'Les groupes de presse et les journaux indépendants de province', CFE GCE Presse, www.cgcpresse.fr ; *Page 88* : Raphaël, B., 'La presse quotidienne régionale fait le pari du payant, sans conviction', 20 July 2006, http://benoit-raphael.blogspot.com ; *Page 98* : Planète Québec 2006, http://planete.qc.ca ; *Page 100* : © Pete Smith ; *Page 102* : www.lemouv.com, Radio France (Internationale) ; *Page 104* : © AFP/Getty Images ; *Page 115* : © Marie-Noëlle Lamy ; *Pages 119–120* : © Greg and Claude Marin ; *Page 124* : © Marie-Noëlle Lamy ; *Page 128* : www.museeinformatique.fr © Arche Numérique 2009, reproduced by permission ; *Page 139* : Chantepie, P. & Boucherat, J., 'Accès à internet et niveau global de pratiques culturelles', Culture études, 3 novembre 2007, Département des études ; *Page 145* : © Pete Smith ; *Page 146* : © Françoise Parent-Ugochukwu ; *Page 147* : © Time Life Pictures ; *Page 149 (bottom left)* : Les Frères Lumière, Auguste et Louis. (The Lumière Brothers), www.institut-lumiere.org ; *Page 149 (middle)* : © Bettman/CORBIS ; *Page 150* : Photo by Proline Server, taken from Wikimedia.org. Reproduced under the GNU free documentation licence (Version 1.2), www.gnu.com ; *Page 153* : © Françoise Parent-Ugochukwu ; *Page 160* : © Françoise Parent-Ugochukwu ; *Page 164* : www.menacechimique.be ; *Page 176* : http://fr.wikipedia.org/wki/Fichier:20000_Nautilus_Engines.jpg ; *Pages 179–181* : Tardi,